音声言語処理入門

図解・音声・動画でわかる

高良 富夫

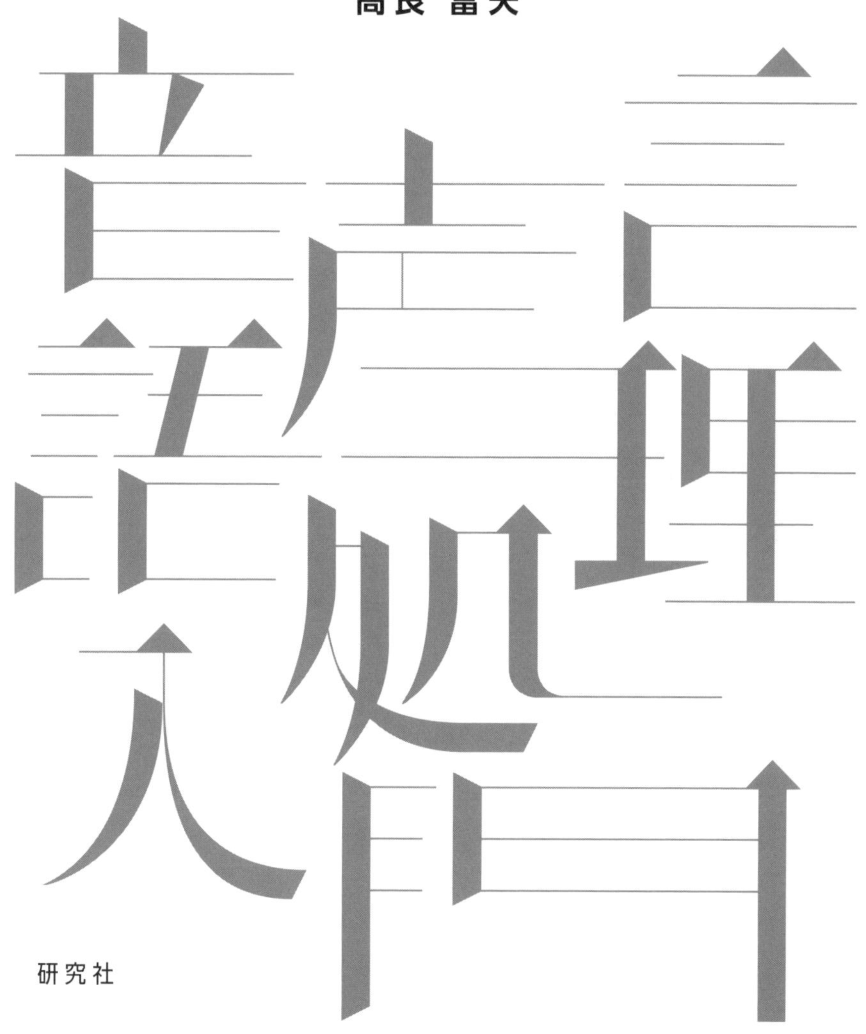

研究社

はじめに

現在、世の中には人のことばを理解し、人工的な音声を発するシステムが出現している。それらはどのような仕組みになっているのだろうか。人間の音声認識・音声生成の仕組みと似ているのだろうか。それとも違うのだろうか。

人間は、音声言語を使用してコミュニケーションを行い、相手の考えや気持ちを理解することができる。言語は心と心をつないでいる。これは人間だけにできることである。どうしてこのようなことが可能なのだろうか。じつはこれは、知能科学において現在でも解明されていないテーマなのだ。

このような素朴な疑問と根源的な問いに対する最新の音声言語処理の科学的アプローチを紹介する。この内容は、マルチメディア時代と言われる現代において、多くの分野の人々が関心を寄せていることだろう。

筆者は、小学校から高校までの教員向けに本書と同じ内容で「教員免許状更新講習」を行ってきた。これは、言語や音楽、情報など様々な分野の教員に興味を持っていただけた。児童・生徒の教育、特に言語教育に応用できる内容であるとの評価をうけた。また大学の理科系の学生だけでなく文科系の学生にも講義をしてきた。学生からは、難しい内容だが具体的で分かりやすいとの評価を得た。

講義が好評であったのは、目次の **コラム** に示すような興味深い話題を提供したこと、音データや動画を用いて目の前で実験やデモを行ったことによるものだと思う。本書では、この講義の雰囲気を体験できるように、実験に用いた音データを聞き、動画を見ることができるようにした。実験用の音データがある場合は、本書中の図の中にスピーカー・マークと番号を示してある。音データと動画は、研究社の公式 Web サイトから視聴できる（詳細は後述）。

言語としての音声は、客観的な物理世界と主観的な内面世界とを直接つないでいる。物理的世界と内面的および言語的世界とは音声を通してどのようにつながっているのだろうか。図0-1に示すように、音声は、物理的、生理的、心理的、および言語的側面からとらえることができる。

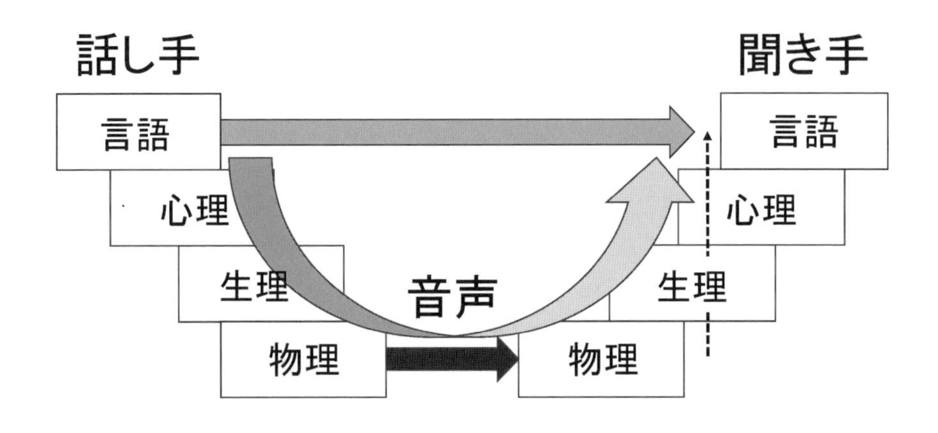

図0-1　音声言語の階層

話し手は、言語として音声を発する。聞き手はそれを言語として聞き取る。しかし、伝わって来たものは単なる物理的な音波に過ぎない。これがどうして言語としてとらえられるのだろうか。物理的な音波と言語として意識されるものとの間には、無意識の心理的処理およびその基になる生理的処理が存在している。そして無意識の心理的処理では、話し手である自分と聞き手である自分が密接に連携していると考えられる。

本書の概要は以下のとおりである。まず、音声の物理的側面について、音の無い状態から説き起こし、音の「**音色**」(音の高さや大きさに関係のない音の特質)について解説する。音色の物理的要因は音の**スペクトル**(音を構成する周波数とその強さの分布)である。ある音を美しいと思う感覚が音の物理的性質からどのようにして生じるのか、ということについてスペクトルの考え方を使って説明する。(1、2、3章、動画 m3-1「美しい音の物理学」)

次に、音声の生成と知覚の生理的仕組みについて説明し、無意識の心理的処理と意識的な言語処理に話を進める。そして人間はなぜ言語としての音声の音の違いを聞き分けることができるのかという問いに答える。母音の音色は、スペクトル上の強い成分を表す**フォルマント**の周波数で決まる。このことを、音声を用いた実験で示す。これが本書の中核をなす内容である。ここまでで、図0-1に基づく音声言語の説明をひとまず完了する。(4、5、6、7章、**動画 m7-2**「音声科学の歌」)

続いて最新の話題として人工音声合成と音声自動認識の仕組みを解説する。これにより音声の生成と認識について、人間と人工システムの類似性と違いが理解できる。(8、9章、**動画 m8-2**「琉球ことばの科学」、**動画 m11-3**「音声言語の認識と獲得」)

最後に、心と心をつなぐ道具としての音声言語を獲得する、人間の赤ん坊のような人工知能の可能性について述べる。まず人間の言語獲得に関する知見を述べ、次にその工学的モデルについて述べる。工学的モデルでは、人工音声合成と音声自動認識の技術が応用される。図0-1の考え方に基づき、自分自身の内面における話し手と聞き手の連携がモデル化される。(10、11章、**動画 m11-3**「音声言語の認識と獲得」)

本書では多くの読者が理解しやすいように数式を使わず[1]、図解し、音声・動画を駆使して説明する。話が一段落したところに、AIを用いて筆者が作曲した[2]まとめの歌を置いてある。これを聞きながら気楽に復習することもできる。

本書の内容は大学の教養レベルの音響音声科学であるが、中学生でも十分理解できるように工夫してある。また医療従事者である言語聴覚士のための教科書または副読本としても使用できる。理科系分野の方だけでなく、一般の方や文科系分野の読者には教養として、また語学・言語学・音楽の専門家にはその基礎としても役立つに違いない。

人間は各自が内面的な心の世界を持っており、そこから客観的な物理的世界を認識している。図0-1の右側に破線矢印で示したように、物理現象と内面世界の情報とのずれによって錯覚が生じる。それは意外にも言語としての音声においては日常的に存在している。じつは錯覚によって音声が明瞭に聞き取れるようになっているのだ。これは“正しい錯覚”とも言うべきものである。

本書の最終章では、音声の物理的世界が人間の心理的世界および言語的世界とどのようにつながっているのかをモデルによって考察する。読者は、客観世界と自己の内面をこのようにとらえる視座を体験するだろう。

筆者は、中学生のころ『数式を使わない物理学入門』という啓もう書を読み、物質の粒子と波動の二重性、時間と空間の相対性に驚いて感動し、わくわくしたものだ。音声言語は音波の物理的世界と脳の心理的世界をつないでいる。知能科学としての音声言語処理の分野は、現代物理学と同様、現在でも未解決の問題に挑戦し続けている先端科学である。この音声言語処理分野の話題でも読者はわくわくするだろう。

本書を読むときのヒント

(1) ぜひ音を聞きながら読み進めてもらいたい。本書で述べられていることの意味が実感できるだろう。できるだけ音楽用イヤフォンなどを使用すること。

(2) パソコンのファイル一覧では「詳細」表示で「種類」を表示できるようにする。こうすると、音声データなどは、番号順に現れるので探しやすい。ファイル名をダブル・クリックするだけですぐ視聴できる。

(3) 各章最後の「まとめ」でその内容を表す図を思い出すことができれば、復習としては十分だ。確認しやすいように、「まとめ」に図の番号を示したものもある。

(4) 専門用語の意味が思い出せない場合は、索引を利用して検索してもらいたい。意味が書かれているページに導くようにしてある。

歌で聴く本書のあらまし　～あらかじめ観ておきたい人のために～

Ⅰ　美しい音の物理学（2 分 7 秒）—— **動画 m3-1**

Ⅱ　音声科学の歌（1 分 49 秒）—— **動画 m7-2**

Ⅲ　琉球ことばの科学（1 分 52 秒）—— **動画 m8-2**

Ⅲ，Ⅳ　音声言語の認識と獲得（1 分 49 秒）—— **動画 m11-3**

主要な実験デモ動画一覧

音声の合成による分析 —— **動画 m4-2** HISAI システムによる音声合成（1 分 54 秒）

人工音声合成 —— **動画 m8-1** 汎用音声合成システムによる音声合成（2 分 36 秒）

音声自動認識 —— **動画 m9-1** 音声認識ロボット yasty（40 秒）

調音結合による錯覚 —— **動画 m11-1**　himawari の不思議（2 分 4 秒）

◆音声資料と動画資料について

〈音声〉

本書で参照している音声データ（MP3）は、研究社の公式Webサイト（https://www.kenkyusha.co.jp）から以下の手順でダウンロードできます。

(1) 研究社Webサイトのトップページより「音声・各種資料ダウンロード」にアクセスします。

(2) 一覧の中から「音声言語処理入門——図解・音声・動画でわかる」の横にある「ダウンロード」ボタンをクリックし、以下のユーザー名とパスワードを入力してください。

ユーザー名 guest

パスワード audio2024

(3) ユーザー名とパスワードが正しく入力されると、ファイルのダウンロードが始まります。ダウンロード完了後、解凍してご利用ください。

※スマートフォンやタブレット端末で直接ダウンロードされる場合は、解凍ツールと十分な容量が必要です。Android端末でダウンロードした場合は、ご自身で解凍用アプリなどをご用意いただく必要があります。

〈動画〉

動画は、上記「音声ダウンロード」ボタンの並びにある「YouTube」ボタンをクリックし、同じユーザー名とパスワードを入力して、ご視聴ください。

目　次

I 音の物理学

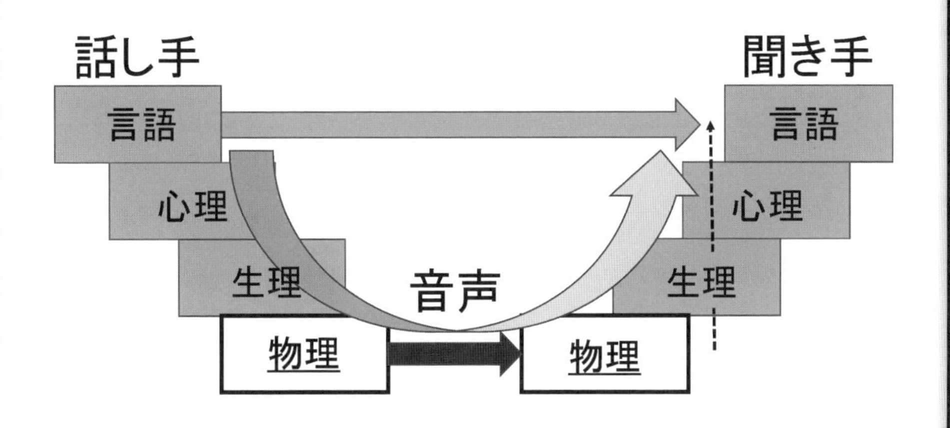

1章

静けさの音と音の大きさ
～音が無いとシーンと聞こえるのか～

音とは？　～国語辞典から～

「音」とは何だろう。あらためて問われると、とまどうかも知れない。聞こえるもの、と答えたいところだろう。そこで音というものが普通どのようにとらえられているのか、まずは手元の国語辞典[1]で調べることから始めよう。これには次のように書かれている（見出し「おと【音】」の1番目の語義。番号は筆者による。以下同様）。

(1) 音の響きや人、鳥獣の声。
(2) 物体の振動が空気の振動（音波）として伝わって起こす聴覚の内容。
(3) または、音波そのものを指す。
(4) 音の強さは音波の物理的強度、音の高さは振動数の大小による音の性質の違い、音の大きさは感覚上の音の大小を指し、三者は区別される。

(1) は直感的な説明で当たり前すぎる表現である。(2) はもう少しきちんと述べられている。中学校の理科で学ぶ内容だ。物理的な音波によって引き起こされる聴覚の内容が音である。ここで重要なのは聞き取られるということだ。音は聞かれることに意味がある。ただし、(3) のように聞き取られなくても音波そのものを音と言うこともある。超音波がそうだ。**超音波**は人間の耳に聞こえる音の高さをずっと超えているので聞こえない。

(4) はじつはかなり専門的で精確な表現である。ここで三者とは、音の強さ、高さ、大きさのことだ。音の高さと音の大きさが違うものだということはすぐに分かる。だが、音の強さと音の大きさの違いは分かるだろうか。似たようなものではないのか。

そこで（4）をよく読んでみると、**音の強さ**は物理的強度、**音の大きさ**は感覚上の大小と書かれている。音の強さと大きさは似たようなものだが、違うのは物理的か感覚的かということだ。音が強いと大きく聞こえる。だが、それは比例しているわけではない。それで物理量と感覚量は違うことばで表すのだ。音の大きさについては、このあと説明し、6 章でさらに詳しく述べる。

音の「高さ」と「大きさ」ということばの意味は、明らかに違うと思うだろう。だが、じつは日常生活では混用されることもある。音が大きいことを音が高いと言うことがあるのだ。同じ国語辞典で「高い」を引くと、音・声や評判の 2 番目に「大きい、強い、よく響く」と書かれている。この混用は、日本語だけでなく英語にもある。自分の声を大きくしようすると声が高くなるのが普通だ。これが、音の高さと大きさを混同する原因と考えられる。

じつは音波でない（物理的な実体のない）生理的な音もある。それは耳鳴りである。耳鳴りについては、このあと説明する。

音は、**物理的**な振動が感覚を引き起こすので、物理的な側面、感覚を作り出すための**生理的**側面、感覚としての**心理的**側面、そして意識にのぼる**意識的・言語的**側面がある。これを図 1-1（図 0-1 の再掲）の右側の「聞き手」に示す。本書では、音や音声をこれらの 4 つの側面（段階）からとらえていく。

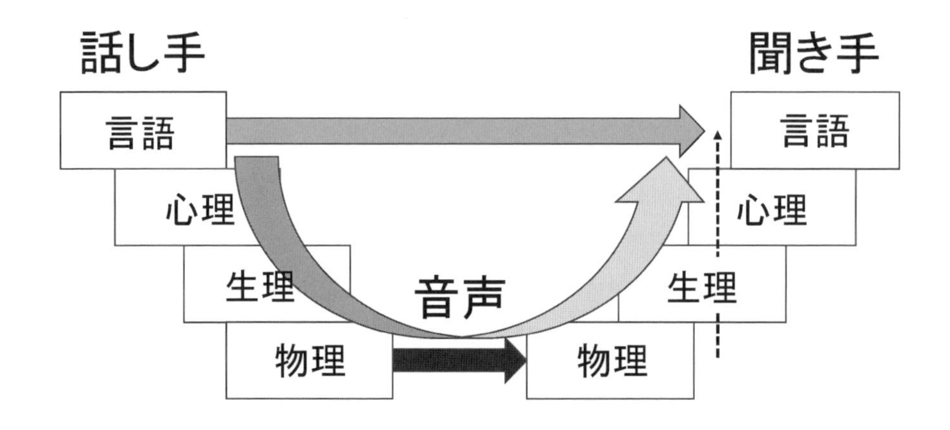

図1-1　音声の4つの側面

音声とは？　～音声の 4 つの側面～

次は「**音声**」について考えてみよう。「音」と「音声」とは何が違うのだろうか。6章のコラムは「音は聞こえるのに音声が聞こえない」という少々変わったタイトルがついている。「音声」について同じ国語辞典には以下のように書かれている。

（1）人間が発声器官を通じて発する言語音。また、テレビなどの音。おんじょう。おんぞう。
（2）【言】言語学で、音韻と区別していう個々の発音。

（1）が普通の意味であり、この本でもそのとおりにあつかう。音声は、単なる音でなく人間が発声する音であり、言語である。

「テレビなどの音」とは何だろう。じつはテレビなど電子機器であつかわれる音だけは、「声」でない「音」も音声と呼ばれている。例えば、録音するとき、「楽器音の音声の大きさを上げて」などと言う。放送用語のようなものである。ここで、大きさを上げて下げてと、まるで高さのように言っていることに気づいただろうか。これについてはすでに述べた。なお、「おんじょう、おんぞう」は「音声」の日本語の古い読み方である。

(2) は言語学での専門用語である。これについては4章であらためて説明する。

音声が話し手から聞き手に届くまでの4つの段階を図1-1に示す。物理的な音が意識にのぼるまでの過程は、図の右側に示されている。左側には音声の生成過程が描かれている。この図は、I（音の物理学)、II（音声科学)、IV（言語の獲得・学習）の各扉にも示され、どの部分を解説する章であるのかが分かるようになっている。

話し手は、言語として音声を発する。聞き手はそれを言語として聞き取る。しかし、伝わってきたのは単なる物理的な音波に過ぎない。これがどうして言語としてとらえられるのだろうか。このことは、厳密に言えば、現在でも科学的に解明されていない。本書では、現在までに分かっていることを7章までに述べ、研究中のことを最終の11章でとりあげる。

図1-1は、**無意識の処理**のことを心理的段階として明示しており、他にはない筆者独自のものである。音声は発声した本人にも聞こえるので、この図の聞き手は発声者本人でもある。その場合、この図は、ラスムッセンが提案した知的情報処理の図[2] [3] とほぼ同じになる。話し手が同時に聞き手でもあることは、音声言語の伝達と習得において本質的なことである。またこの図には、「物理」現象と「言語」のずれが分かるように破線矢印が示されている。この図は、最終章「言語獲得のモデル」であらためて応用されることになる。

波動　～波と風の違い～

音は、物体の振動が空気の振動（波）として伝わって起こす現象である。それでは、波（波動）とはどのようなものだろうか。

波動は、空間の1点に起こった状態変化が次々に有限の速さで周囲に伝わる現象である。例えば、水面の波（図 1-2 の表面波）、音波、光があげられる。波動を伝えるものを**媒質**という。波動は媒質そのものが移動するのではなく、媒質で表された形つまり**パターン**が移動する現象である。

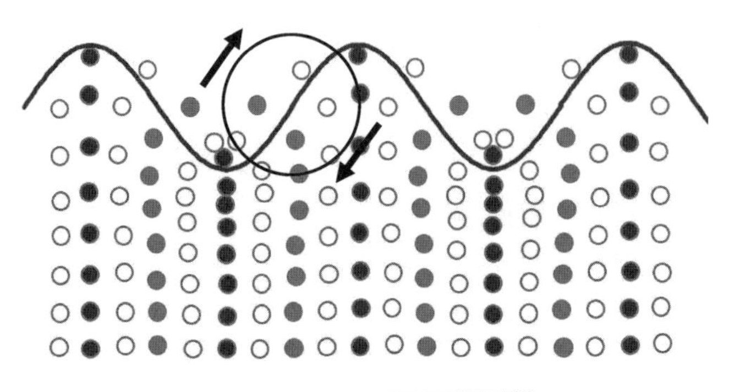

図1-2　表面波（動画m1-3 [4]）

音と風を比べてみよう。ろうそくの炎を口の前において大声を出しても炎は消えない。しかし、ふっと風（息）を送ると消える。大声は媒質である空気の波であり、それに対して風は、空気そのものの移動である。

表面波の 動画 m1-3 を見てみよう。図の上部の赤色曲線が水面に現れる表面波すなわち媒質の表面のパターンを表している。この波の山や谷の部分に注目すると、それらが右から左へ移動していることが分かる。しかし、媒質を表す丸の並びの先端すなわち波面を見ると、それらは、図 1-2 の上部に示した円のように、その場で円運動をしている。

波動は媒質そのものの移動ではないので、例えば、海の波の力を利用した**波力発電**というのは、簡単そうでじつは難しい。波の進行方向の力は物を押し続けないから、そのままでは発電に使えない。媒質の動きをうまく力に変える工夫が必要である。

音波は粗密波で縦波

音波は、空気などの弾性の性質を持つ物体（弾性体）を**媒質**（伝達する物）とする粗密波（そみつは）である。**弾性**とは、バネのように、力によって形や体積に変化を生じた物体が、力を取り去ると再び元の状態に回復する性質である。**粗密波**とは、媒質の密度が粗になる部分と密になる部分ができ、それが波になったものである。音波は、空気だけでなく水中や金属中も伝わる。

粗密波を図1-3に示す。図の下に粗密がそれぞれ薄くまたは濃く示されている。図の上の方には粗密をグラフで示してある。上の方ほど密で、下の方ほど粗である。グラフの横軸は位置を表し、縦軸は気圧を表す。音波は、大気圧を基準にして、プラス・マイナスに上下するわずかな圧力の変動分である。音によるこの圧力変化を**音圧**という。この図の圧力変化の尺度はだいぶ図式化してある。ふだん聞いている音声の音圧は、大気圧の約1千万分の1である。

音波は進行方向に振動しているので**縦波**（たてなみ）と呼ばれる（図1-4）。**動画 m1-1** を見てもらいたい。丸の列で示した媒質を見ると分かるように、密度が密になったり粗になったりしている。媒質はその場で矢印方向に振動している。それは、丸の列の動きを見れば分かる。動画では**粗密のパターン**が赤の曲線で表されている。曲線では上の方が密のところ、下の方が粗のところである。粗密のパターンが右から左へ移動していることが分かる。

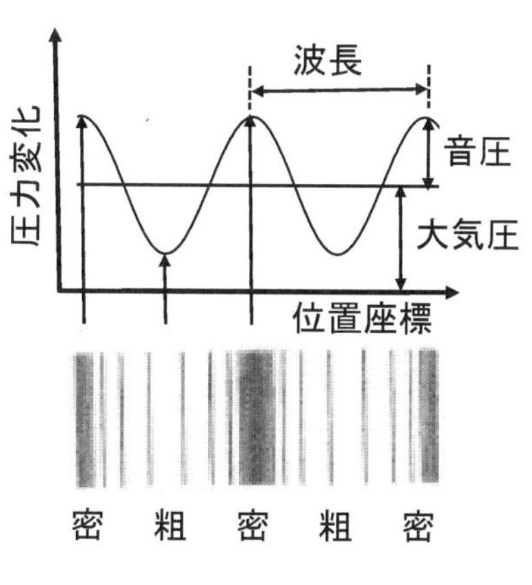

図1-3　粗密波

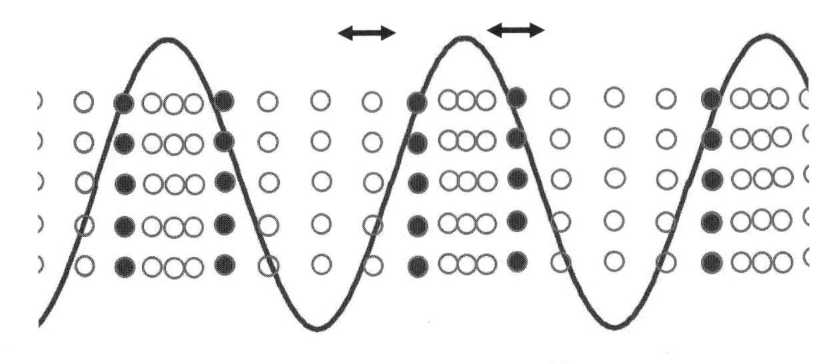

図1-4　縦波（動画m1-1[5]）

波の進行方向と直角に振動している波動は**横波**（よこなみ）と呼ばれる（図1-5）。光は横波の例である。動画m1-2の色付きや白丸で示された媒質の動きを見てもらいたい。それらが矢印の幅でその場で上下していることが分かる。上下の値が曲線で強調して示され、そのパターンが右から左へ動いているのが分かる。

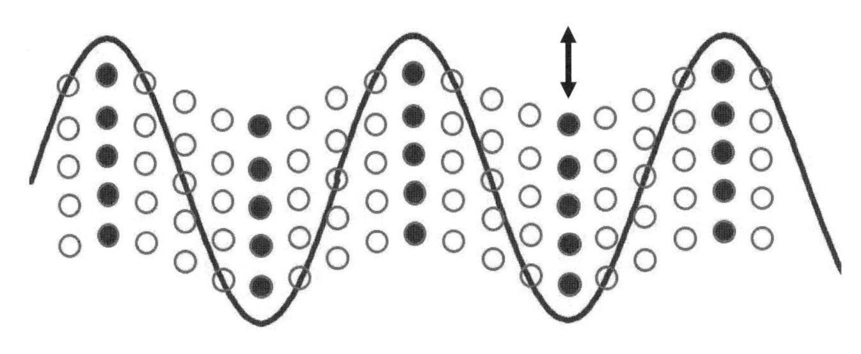

図1-5　横波（動画m1-2[6]）

地震波は、縦波と横波からなり、縦波は**P波**、横波は**S波**と呼ばれる。震源からP波が先に到着する。大揺れのS波が来る前にP波を感知して警報を出すことができる。これが緊急地震速報である。

単純な振動の周期と周波数

周期は、1 回の振動に要する時間 T で、単位は秒（s）である。**周波数**（**振動数**、frequency）f は、周期の逆数（$1/T$）で、1 秒当たりの振動の数である。単位はヘルツ（Hz）である。周波数を表す英語の frequency は、もともと頻度という意味である。ここではまさに 1 秒当たりの振動の頻度を表している。日本語では、これを周波数と言ったり振動数と言ったりする。周波数は工学系の言い方であり、振動数は理学系の言い方である。

図 1-6 に最も単純な振動と波の説明図を示す。この波形(はけい)は、ひとつの周波数を持つ波である。**振幅**は、振動の中点から山（または谷）までの振れ幅（距離）である。音波の場合、圧力の振れ幅だから、単位は、圧力の単位パスカル（Pa）である。

波長は、波の山から山まで（または谷から谷まで）の距離で、1 周期の間に波の進む距離である。ふつう記号 λ（ラムダ）で表され単位はメートル（m）である。図 1-6 は、周期と波長の関係を示す。形はよく似ているが、グラフの横軸が違うことに注意しよう。横軸は、周期の場合は時間、波長の場合は位置である。波長は 1 周期の間に進む距離である。周波数が 1 秒間の波の数だから、波長×周波数は、波が 1 秒間に進む距離すなわち波の速度になる。

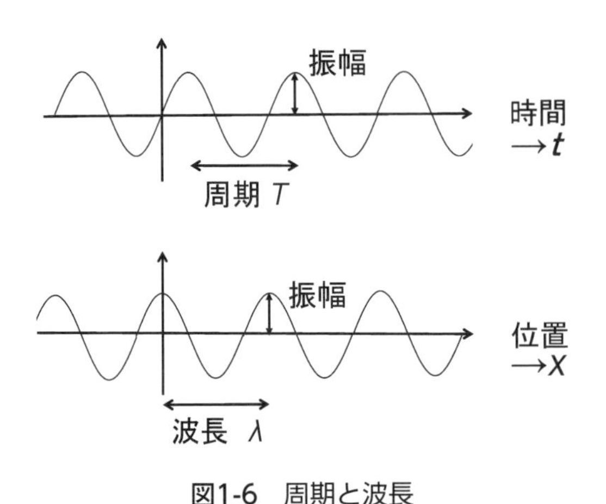

図1-6　周期と波長

以上のことは、音叉（おんさ）によってできる音のような単純な振動や波動についての話である。複雑な振動や波動については後で述べる。現実の音波は、このように単純な波でないことの方が多い。

音の共鳴と干渉・反射・吸収　〜口笛を吹けますか〜

様々な**音色**を持つ音声は共鳴現象によってできる。**共鳴**とは、2つの音叉を向かい合わせて、一方から音を出すと、他方も鳴り始めるような現象である。共鳴現象を理解するため、まず干渉と反射について説明する。

干渉とは何だろう。波動での干渉とは、ひとつの波の山が他の波の山と重なったとき互いに強め合って大きな山になることである。そして山と谷が重なったときは互いに打ち消しあって、山や谷が消える現象である。媒質の位置が振動方向に加減算されるのだ。

次に、波の反射について述べる。波動の**反射**は、伝えている媒質の性質が変化するところ、つまり媒質の境界で起こる。境界に到達した波の量より反射した量が小さい場合は、一部が境界の先に行ったことになる。つまり**吸収**されたことを意味する。

ところで、読者はブランコをこぐことができるだろうか。口笛を吹くことができるだろうか。じつはどちらも共鳴現象なのだ。**共鳴**（**共振**）は、物体が外部からの刺激で固有振動を始めることである。特に刺激が振動体に固有の振動数（**固有振動数**という）に近い振動数を持つ場合を指す。固有振動数の振動は振幅が大きくなり、他の周波数の振動は振幅が小さくなって消滅する。

ブランコは、その固有振動数にうまく合わせて体の重心を動かすと、こぐことができる。口笛では口の中の形をうまく変え、固有振動数を望んだものに変えていくのだ。どちらもある程度の技能が必要だ。読者の周りに口笛を吹けない人もいるだろう。指を口に入れて吹く「指笛」は筆者も吹けない。どうすれば口笛・指笛が吹けるのかを説明するのは難しいものである。口の中が見えないからだ。

音声言語の発声も口の中が見えないので、じつはこれくらい難しいのだ。特にまだ言葉の分からない赤ん坊は、教えられないので発声のこつを自分で探らなければならない。

音声は、口の中（口腔(こうくう)）における音の**共鳴**によって、様々な音色になる。共鳴は、口腔の音波の反射と干渉によってできる。音声の音色に大きく関わる共鳴周波数を**フォルマント周波数**という。母音の音声には2つの重要なフォルマント周波数がある。フォルマント周波数は母音ごとに決まっており、これによって母音の音色の違い、つまり言語としての違いを感じることができるのだ。これについては、このあと詳しく説明する。

赤ん坊は自力でフォルマント周波数をとらえ、グループ化するという素晴らしい能力を持っている。このことについては、10章と11章で述べる。

読者は、**九官鳥**の声真似を聞いたことがあるだろうか。人間の声をまねるのは、とても興味深い。そもそも九官鳥の口の大きさは人間の口に比べても小さい。人間の言語のフォルマントと同じくらいの波長の音を作り出せないのではないかと思う。じつは九官鳥は、人の口笛のような音を出す声帯を2つ持っていて、そのうちひとつはフォルマントと同じ周波数パターンで振動している。この周波数をいろいろ変えることによって母音のような音を作りだしているのだ[7]。

コラム 1-1

閑(しずか)さや岩に染(し)み入る蝉(せみ)の声

コラムのタイトルは有名な松尾芭蕉の俳句だ。私は、この俳句を知った小学生のころから疑問を持っていた。岩にしみ入る音というものがあるのだろうか。岩は硬いので音が反射するのではないか。

山形へ出張したとき、この句が作られた立石寺（図1-7）に行き確認することができた。

図1-7　立石寺

この句から、まずどれくらいの大きさの岩を思い浮かべるだろうか。私は1、2メールくらいのものを想像していた。ところが、行ってみて驚いた。立石寺は数十メートルの岩山の頂上にある。岩とは山そのものだったのだ。

山頂をめざして歩いた。中腹に芭蕉の句碑があった。そこは絶壁なので、下界の騒音が聞こえない。静かだ。

蝉がいない季節だったので、蝉の声の代わりに手をたたいてみた。すると、音は確かにすっと消え入るようだ。芭蕉が聞いたのはこの音だったのか…。

はて、この音はどこかで聞いたことがあるような気がする…。そうだ防音室だ。防音室は四方および上下の壁が吸音材でできている。それで音はほぼ完全に壁に吸収される。

ここの周りは岩だけだ。音は岩に吸収されたのか…。

いや、岩だけではない。絶壁だから、岩の反対側には何もない空間が広がっている。反射するものがない。反射音がないので、音はそこに吸収されたと言ってもよい。

蝉の声は空間に吸収されたのだ。

久しぶりに妻のふるさと沖縄県伊江島(いえじま)を訪ねた。平坦な伊江島の中央部には、地元でタッチュウ（**城山**(ぐすくやま)）と呼ばれる標高172メートルの岩山（図1-8）が突き出ている。タッチュウの頂上に登ると、四方の水平線が眺望できる大パノラマが広がる。地球の丸いことが実感できるのだ。

ここで、立石寺でしたように手をたたいてみた。結果は、立石寺のときと同じだった。音はすっと消え入る。試しに大きな声で「ヤッホー――」と発声してみた。やまびこは返って来ない。声は、「ヤッホー――っ」となる。語尾がすっと消え入るのだ。

図1-8　伊江島タッチュウ

伊江村ではちょうどそのとき、山の日にちなんだ川柳を募集していた。そこで一句。

《タッチュウの上で見わたす大地球》

生物の声についての話題は、蝉の声だけでなく、カエルの声、犬の鳴き声など、このあともとりあげる。

松尾芭蕉の聞いた音

伊江島タッチュウの頂上で手をたたき、音を録音した。比較のため自宅室内で同様に録音した。録音した音の波形を図1-9に示す。横軸は時間で、長さは0.5秒である。(音1-1)が頂上での音、(音1-2)が自宅での音である。音を聞いてみよう。どのように聞こえるだろうか。

タッチュウの頂上での音は、防音室で聞いた音とそっくりに聞こえる。音が短く、すぐ消える。自宅室内のものは聞き慣れた音である。この2つの図を見比べると、聞いた感じのとおり、頂上の音は短いことが分かる。すなわち残響がほとんどないのだ。室内の音は明らかにそれより長い。

普段、私たちは室内の音に慣れている。**残響**のない音は聞く機会があまりない。このような音は屋外では体験できるが、たいてい周囲の雑音のため、室内の音との違いに気づかない。違いを知るには屋外の静かな環境が必要である。普段楽器を弾いている人は、屋外の音と室内の音の響きの違いを知っている。合唱をする人は、山では、他のメンバーの声がよく聞こえるように、皆で輪になって歌う。

芭蕉が聞いたのがこの音であったとすれば、「**岩にしみ入る音**」の実体が音響学的に明らかになったと言える。

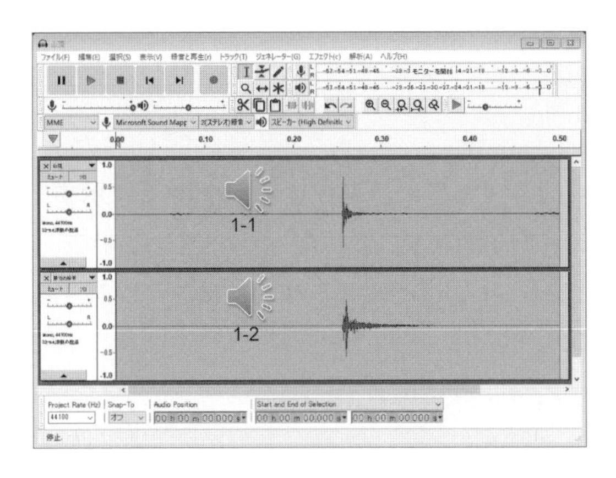

図1-9　伊江島タッチュウの頂上での拍手音（上）と室内での拍手音（下）

コラム **1-2**

静けさの音　～音が無いとシーンと聞こえるのか～

読者は、まったく音の無い静かな状態を体験したことがあるだろうか。私は、幼いころ石垣島で夜中に起きたとき、生まれて初めてこれを経験した。音がまったく無いと何かが聞こえてくるのか。

都会では防音室と呼ばれる実験室でこれを体験することができる。**防音室**は、外部から音が入らないように鉄板の壁で囲まれている。壁の内側には吸音材が張られている。壁に達した音は、ほぼ完ぺきにそこで吸収される。反射音がほとんどないということだ。

反射音のない世界は、ずいぶん非日常的だ。圧迫感さえ感じられる。

まったく音が無いとき、たいていの人には「シー」というような雑音が聞こえてくる。音が無いと「**しーん**」と聞こえるのだ。私はこれを**静けさの音**（sound of silence）と呼んでいる。

これは物理的な音波ではなく、耳の内部の雑音であり、生理的な音とでもいうものだ。**図1-1**で言えば、右側の物理的段階が無いものだ。

これは普段は聞こえない。マスキングという聴覚の特性のためだ。**マスキング**は、大きな音と小さな音がほぼ同時に耳に入ると、大きな音が小さな音を聞こえなくする（マスクする）聴覚の働きだ[8]。この雑音がマスクできないくらい大きく、気になりだすと、耳鳴りと言われる。

「シー」や「シーン」は、その音をまねた単語、つまり擬音語と思われる。調べてみると「シーン」は漫画家の手塚治虫が使い始めた[9]漫画用語であるらしい。

私はひっそりと静まりかえった様子を表す「深々（しんしん）」の「しん」を強調した単語ではないかと思っている。日本語では意味を強調するとき母音を伸ばすことがあるからだ。例えば「おじさん」の年齢を強調すると「おじーさん」になる。「おばさん」も同様だ。

擬音語の話題は、高い音・低い音の擬音語、犬の鳴き声の擬音語など、このあともとりあげる。

RMS：複雑な波形の振幅を表す実効値

中学の理科や高校の物理でも図 1-6 の波形を用いて振幅の説明をしている。しかし実際の音波の多くは、この図に示されるほど単純ではない。いろいろな波が加算された複雑な形をしている。したがって振れ幅の大きさは前述の振幅のように表しただけでは分からない。

複雑な形の波の振幅を表す方法を説明しよう。波と同じように時間的に変動する風も、いろいろな大きさ・方向で吹き、複雑である。台風のときには風速がたいへん気になるものだ。風の場合、気象用語で**風速**とは、空気の流れの速度の 10 分間平均である。**瞬間風速**はそれよりだいぶ短い 3 秒間の平均である。音の場合も同じように平均で表す。

複雑な波の振れ幅の大きさを表すためには、実効値（RMS：Root Mean

Square）が使われる。電気の場合、交流は電圧・電流とも周期的に交互に逆向きに流れる。**実効値**[10]は、電圧・電流の振れ幅の大きさを表すため、その瞬時値の2乗を1周期の間で平均し、その平均値の平方根を計算したものである。ここで、ある数の2乗がaに等しいとき、ある数をaの平方根という。例えば5は25の平方根である。

電気の交流と同様、図1-6のような単純な音波の実効値は1周期の区間で平均する。複雑な音波の実効値を計算する方法を、図1-10を用いて説明する。

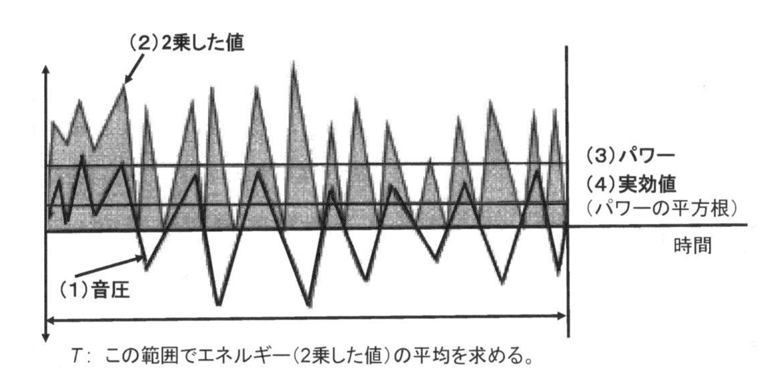

図1-10　実効値の説明

図1-10の横軸は時間である。時間軸に沿って上下に変化している「(1)音圧」と示されている線が音波の振動である。このように実際の音波には、多くの山や谷があるので、どれが波の振れ幅（振幅）であるのか分からない。そこで振幅の代わりに、すべての山や谷の高さや深さを平均したものを使う。これが実効値と呼ばれている。

まず、すべての時刻の音圧を2乗する。図には(2)と示されている。2乗するので、負の値の振動も正になり、大きな値になっている。次にこれを時間方向に平均する。この平均値は「(3)パワー」と示されている横直線の高さである。「(2)2乗した値」の下の灰色に塗ってある部分の面積は、底辺が時間 T で高さがパワーである長方形の面積に一致する。これが平均の意味である。2乗したので、最後に元にもどすため平方根を計算する。計算結果は、「(4)実効値（パワーの平方根)」と書かれている。

以上の説明から、実効値はいろいろな大きさで振れる波の振れ幅の平均値に相当することが分かる。

音の大きさを計る「**騒音計**」では、*T*として0.125秒と1秒に相当する回路が用意されている[11]。これらは、それぞれ速く変化する音(F)と遅く変化する音(S)を対象としたものである。

桁違いの音の強さを表すことができるデシベル

関数とは、ある数量から他の数量へ変換する数学的な働きのことである。例えば、「**対数**」と呼ばれる関数は、桁を数える働きをする。例えば100の対数は2で、1000の対数は3である。このように**対数関数**は、数量の桁だけを問題にしたい場合に使われる。

人間が感じる最も小さい音と痛いと感じられるほどの最も大きな音は、そのエネルギーが桁違いに違う。そこで対数が使われる。一般に、人間の感覚は、物理的に桁違いに小さいものから大きいものまで取り扱うことができるので、それを表現するため対数関数が使われることが多い。

デシベルは、対数関数を使って桁数の大きな量を扱うときに使う単位でありdBと表す[12]。まず比較される量を基準量の何倍かを計算し、これを対数の値に変換する。そしてこれを10倍する。「デシ・リットル」で知っているように、デシは10分の1の意味だから、1B（ベル）は10dBである。比率とデシベルの数値を下に例示する。

比率	デシベル
10倍	10dB
100倍	20dB
1000倍	30dB

100,000,000 倍　　80dB
10,000,000,000 倍　100dB

基準値は音波では、人間の聴覚の限界である最小音圧と定められている。最小音圧は、20μPa（マイクロパスカル；20×1/10^6 パスカル）である。音圧は、前述の実効値で表す。この基準値を用いた音の強さを**音圧レベル**という。

デシベルは、**航空機騒音**の強さでも使われているので、新聞などでよく見かける単位である。100dB の騒音は、基準音圧の 100 億倍のエネルギーを持つ桁違いに大きな音なのだ。日常生活で普段聞いている音声は 65dB 前後なので、その約 5000 倍のエネルギーである。

デシベルは、電気回路などでもよく使われる量だが、もともとは音の強さを表すものから来ているのだ。

♪ コラム 1-3

ベルはヘレン・ケラーの恩人

図1-11　アレクサンダー・グラハム・ベル（1914〜1919年ごろ）[13]

デシベルの「ベル」(Bell) は、アレクサンダー・グラハム・ベル（Alexander Graham Bell）（図1-11）に由来する。ベルは、電話の発明者で、世界初の電話会社であるアメリカ電信電話会社（日本の NTTに相当）の創設者だ。ボストン大学発声生理学教授でもあった。

ベルは聾（ろう）教育者でもあり、ヘレン・ケラーに、のちに「奇跡の人」と呼ばれた教師アン・サリバンを紹介した。またヘレン・ケラーの財政的協力者でもある。ベルの支援があってからこそヘレン・ケラーは奇跡的なことを成し遂げることができたようだ。

音声のディジタル化

これまで、音の基本的な性質について述べた。ここからは、物理的世界の音声など信号の情報をコンピュータに取り込み情報処理を行う際に注意すべき重要な事項を解説する。

音波は空気圧の物理的な振動である。この信号はどのようにしてコンピュータに入力されるのだろうか。コンピュータでは数値や記号だけしか取り扱うことができないはずだ。音波を取り込むために、まず空気圧の信号が、電気信号に変換される。電気信号をコンピュータに取り込むためには信号のディジタル化が必要である。

ディジタルは日本ではデジタルと表記されることが多いが、発音はディジタルの方がより正確だ。ではディジタルとは何だろうか。ことばの意味を正確にとらえるため、あらためて国語辞典[14]で調べておこう。

《デジタル》【digital】

ある量またはデータを、有限桁の数字列（例えば2進数）として表現すること。↔アナログ。

《アナログ》【analog】

(1) ある量またはデータを、連続的に変化しうる物理量（電圧・電流など）で表現すること。↔デジタル。

(2) 比喩的に、物事を割り切って考えないこと。また、電子機器の使用が苦手なこと。「—人間」

日常生活では、比喩的な表現であるアナログ人間、ディジタル人間という言葉が使われることも多い。だが、本来の意味を正しく理解しておくことは重要だ。ディジタルでは有限桁の数字を使用するので、数値が飛び飛び（離散的）の値になっていることが注意すべき重要な性質である。

飛び飛びの値になることから、ディジタルとアナログはベルトに例えて説明できる。穴あきのベルトがディジタルで、穴のないベルトがアナログだ。ディジタル・ベルトの長さは、穴間隔の 2 倍、3 倍、…の飛び飛びの値でセットされる。アナログ・ベルトは長さを連続的に変化させることができる。筆者はアナログ人間ではないが、**アナログ・ベルト**派だ。

図 1-12 に、電気信号のディジタル化装置の構成を示す。重要な部分は丸で囲んで示した。**AD 変換**回路でアナログ信号をディジタル化、すなわち数値化する。**DA 変換**回路でディジタルの数値をアナログ量すなわち電圧にする。低域通過フィルタの役割は、次節の標本化定理で述べる。最近のパソコンには、マイクとスピーカーが付いていることが多い。パソコンに入力された空気振動は、まずマイクで電気信号に変換される。これがアナログ信号である。サンプル・ホールド回路で電圧を一時保持して、その間に AD 変換回路でアナログ値をディジタルの 2 進数に変換する。

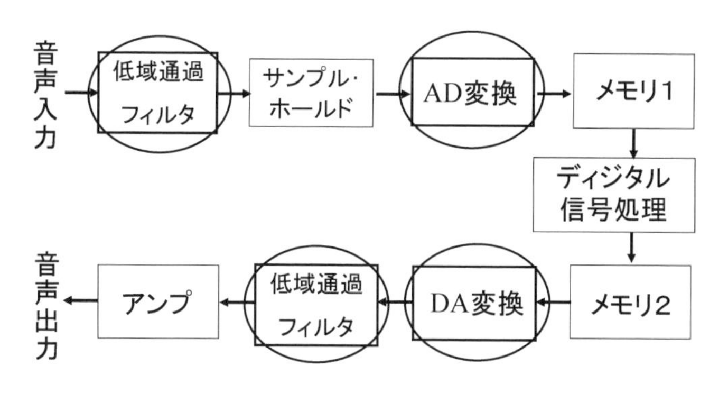

図1-12　電気信号のディジタル化装置の構成

音声を出力する場合は、DA 変換回路で 2 進数を電圧に変換する。低域通過フィルタ、アンプ（増幅回路）を経て、スピーカーで電圧の信号が空気振動に変換される。

図1-13に、ディジタル化[15]の原理を示す。横軸は時間で、縦軸は振幅の電圧値である。振幅だけでなく時間も飛び飛びの値になっている。飛び飛びの各時刻を**標本点**という。ディジタル化された電圧は、例えば2進数の3桁で表されるものとすると、8種類の値しかない。この飛び飛びの値を**標本値**と呼び、標本値間の間隔を**量子化幅**と呼ぶ。量子化幅が大きいと、中間の値は四捨五入されるので、アナログ信号との間に誤差が生じる。この**量子化誤差**は雑音として聞こえ、**量子化雑音**と呼ばれる。

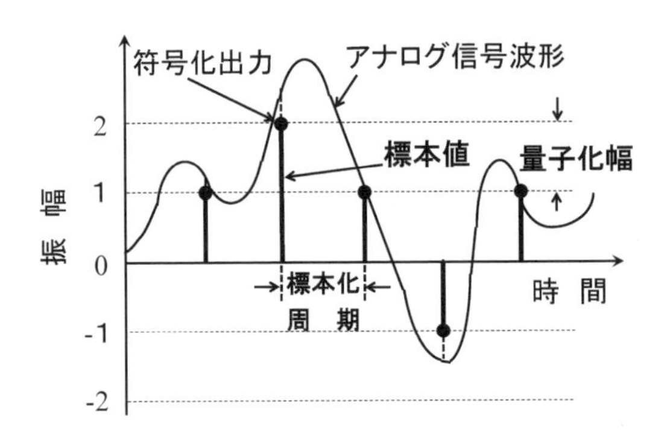

図1-13　ディジタル化の原理

飛び飛びの時間間隔を**標本化周期**といい、その逆数を**標本化周波数**（**サンプリング周波数**）という。標本化周波数を高くすると、データの量が増える。必要なメモリ量を大きくしないようにするため、標本化周波数はできるだけ低くしたい。この問題については次節で述べる。

標本化における重要な定理

標本化定理[16]は、電圧などの物理量をコンピュータに入力するときの最も重要な理論である。これを満たさないデータをコンピュータに入力した場合、何らかの処理を行ったとしてもまったく意味がない、と言ってもいいくらいである。電気工学者のシャノンは、標本化定理を示した同じ論文で、コンピュータに入力したあとの「**情報量**」も世界で初めて定式化している[17]。情報量とともに標本化定理は情報科学において最も重要な理論のひとつである。

標本化周波数が高いほどアナログ信号の時間的変化を精確に表すことができる。それでは、標本化周波数はどれくらいにすればよいのだろうか。測定すべきアナログ信号の最高周波数の10倍以上にすればいいのだろうか。こうすれば、最高周波数の信号で1周期の間に10個の標本点ができる。これくらいあれば、ほぼ正確に元の信号に戻すことができるだろう。

標本化周波数（**サンプリング周波数**）については**標本化定理**（**サンプリング定理**）が成立しており、シャノンが証明した。それは、以下のとおりである。

《標本化周波数は、最も高い成分の周波数の2倍以上にしておく必要がある。》

じつは10倍でなく2倍でいいのだ。これを図1-14で説明する。この図の横軸は周波数である。標本化周波数は $2f_N$ である。上の定理から、測定すべきアナログ信号（斜線部）の最高周波数は f_N 未満でなければならない。

測定される信号の最高周波数が分からず、標本化周波数があらかじめ定められている場合は、測定される信号の成分が f_N 未満に収まるようにしなければならない。そのため f_N 未満の信号だけを通過させるフィルタを使用する必要がある。これが図1-12の入力側にある**低域通過フィルタ**である。そのあとのコンピュータ処理によって、f_N 以上の成分が生じるかも知れない。それを外部に出さないようにするため出力側にも同じ

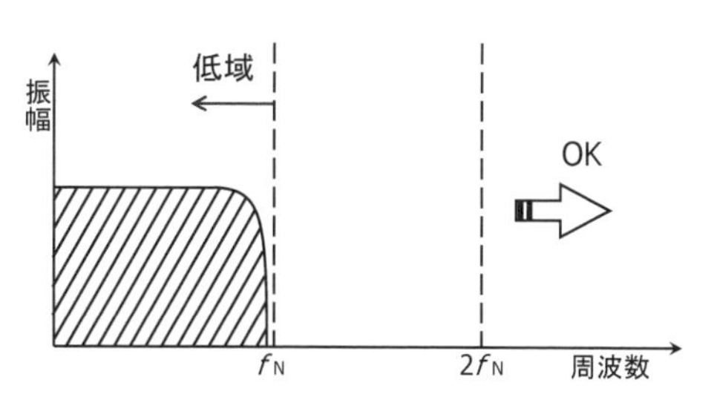

図1-14　標本化定理

フィルタを置いてある。

標本化された信号の例を図 1-15 と図 1-16 に示す。標本化周波数は、各図のそれぞれ上が 10kHz、下が 400kHz である。横軸は 0.001 秒にそろえてある。振幅値はどちらも 32 ビット浮動小数点形式というものなので、精度が高く量子化誤差は観察できない。

図 1-15 は 1kHz の正弦波であり、その 1 周期が示されている。上図に標本値が 10 本見える。下図と比較すると、10 本で 1kHz の正弦波が正確に表されていることが分かる。音を聞いてみよう。(音 1-3) は (音 1-4) とまったく同じように聞こえる。

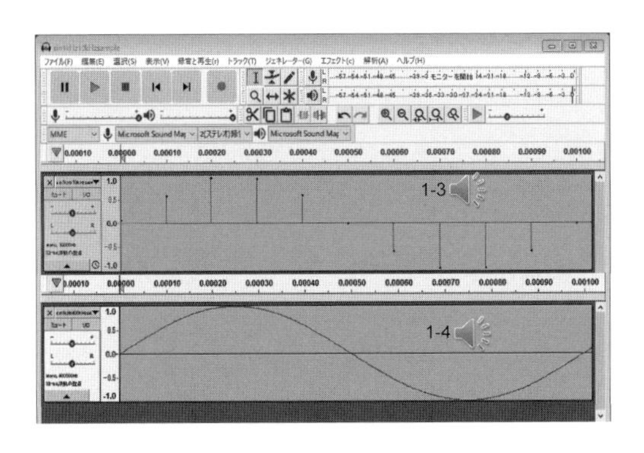

図1-15　1kHzの正弦波：標本化周波数10kHz（上）、400kHz（下）

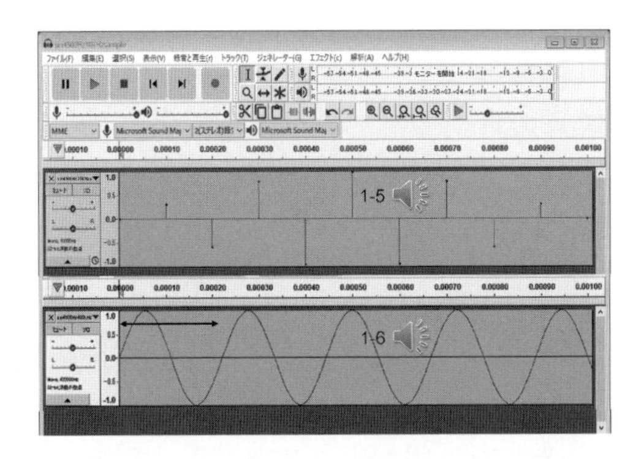

図1-16　4.5kHzの正弦波：標本化周波数10kHz（上）、400kHz（下）

図 1-16 は 4.5kHz の正弦波である。「⟷」で 1 周期を示してある。下図を見れば分かるように全長 0.001 秒の間に 4.5 周期の波がある。しかし、上図を見て分かるように、ここには 1 周期の間に 2 個の標本点しかない。これは、標本化定理に従って、標本化周波数を 4.5kHz の 2 倍以上の 10kHz にしているからである。

これで元の 4.5kHz の信号が本当に再現できるのだろうか。標本化定理は正しいのだろうか。もしかすると、これは標本化定理の反例になるのではないだろうか。そこで、(音 1-5)を聞いてみよう。すると下の(音 1-6)とまったく同じに聞こえる。これで、標本化定理の正しいことが実感できただろう。1 周期の間にたった 2 個のサンプルしかなくても、信号は精確に再現されるのだ。

まとめ

本章では、音の基本的な性質について述べ、音の大きさについては、音の無い状態から解説した。1 章の要約は、以下のとおりである。

①音声は、物理的、生理的、心理的、言語的な 4 つの側面からとらえることができる。(図 1-1)

②音波は、気圧のごく小さな振幅の振動である。空気そのものが移動するのではなく、振動パターンが伝わっていく。伝わる方向と振動方向が同じなので縦波である。(動画 m1-1)

③音声は、口の中の形をいろいろに変え、音を共鳴させたりすることによって、様々な音色の音になる。

④マスキングとは、大きな音が小さな音を聞こえなくする(マスクする)聴覚の働きである。

⑤複雑な波の振れ幅の大きさを表すためには、平均振幅である「実効値」(RMS)が使われる。

⑥人間の聴覚は、桁違いに違う音の強さを聞き分けるので、音の強さは対

数関数で表す。単位は dB（デシベル）である。

⑦ディジタル化とは、ある量またはデータを、有限桁の数字（例えば 2 進数）の列として表現することである。有限桁であるので誤差を伴う。これを量子化誤差という。(図 1-13)

⑧標本化定理（サンプリング定理）によれば、標本化周波数は、測定される信号における最も高い周波数の 2 倍以上にしておく必要がある。(図 1-16、音1-5)

2章

音を構成する部品

～「音色」は物理的には何なのか～

音色とは

言語で使用される音声（音素）は、音響学でいうところの「音色」によって互いに区別される。したがって音声自動認識では、音声の音色の違いを精確にとらえる必要がある。また人工音声合成では、より自然な音声を合成するために音声の音色を正確に再現する必要がある。

それでは音色とは何だろうか。普段使っていることばなので分かっているつもりではあるが、いざ説明しようとすると難しいものである。音の色のようなものだと言いたいところだ。あとで述べるが、じつは、それで正しいのだ。

音色の意味を明確にするため、国語辞典[1]ではどのように記述されているのかを調べてみよう。それには次のように書かれている（番号は筆者による）。

(1) 音の強さや高さが等しくても、それを発する音源（楽器の種類など）によって違って感じられる音の特性。
(2) 音に含まれる上音の振動数や強さの比、その減衰度などによって決まる。おんしょく。

例えば、音の強さと高さを同じにして「あー」「いー」と言ってみよう。当然のことながら、この2つの音はまったく違う音として感じられるだろう。これが（1）で言っている音色の違いである。「音の大きさ」、「高さ」、「音色」を音の三要素という。音は、感覚的にはこの3つの要素から作られていると言われている。だから音の大きさと高さを同じにして2つの音が違って感じられたら、それは音色が違うというのである。これは聴覚心理学における音色の意味である。これについては、6章で詳しく説明する。

(2)は、本章でこれから説明する専門的な内容である。これは「スペクトル」と呼ばれるものを表している。**上音**(じょうおん)とは、発音体(音源となる物体)の固有振動のうち、基本となる音(基音(きおん))よりも振動数の高い音の総称である。倍音(ばいおん)[2]はその一種で、部分音ともいう。あとで述べるように音色が音の色と言ってもいい理由がここにある。なお、「おんしょく」は音色の音読みである。

「スペクトル」は本書で最も重要なキーワードである。これを解説しているので、本書は高校の物理学のレベルを超えている。このキーワードで音声の様々な現象を説明することができる。特に次の3章では、それがいかに有効であるのかが分かる。本書を読んだあとに「スペクトル」を思い出すことができれば、本書を理解したと言ってもいいくらいである。

純音と複合音

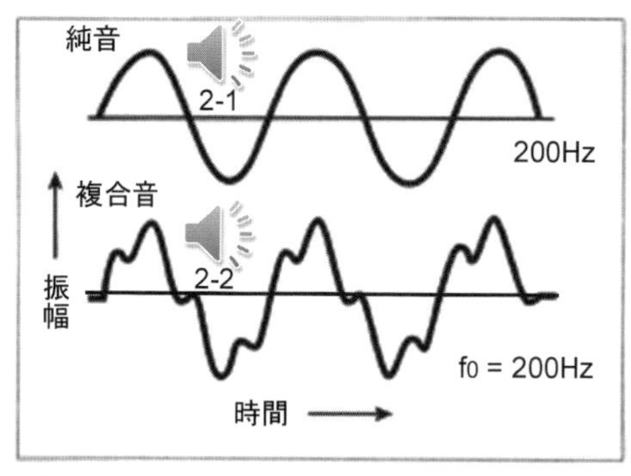

図2-1　純音と複合音

1章の図1-3で示した波形(はけい)の音は**純音**[3]と呼ばれている。音叉(おんさ)から出る音はその代表的なものである。これは、ただひとつの周波数からできている。これを図2-1の上図(音2-1)に示す。このような形の波を**正弦波**という。聞いた感じは、音叉の音のようだ。

正弦波は三角関数[4]の代表

的な関数である**正弦関数**[5]サイン（sin(a)）で表される波である。もうひとつの代表的なものは**余弦関数**コサイン（cos(a)）である。sin(a) と cos(a) の形を図 2-2 に示す。ここで a は変化していく数、例えば時間 (t) や位置 (x) である。図 2-2 から分かるように余弦関数は正弦関数を 1/4 周期ずらしたものである。正弦関数と余弦関数は、最も基本的な振動（単振動と呼ばれる）を表す関数であり、それぞれただひとつの周波数を持っている。

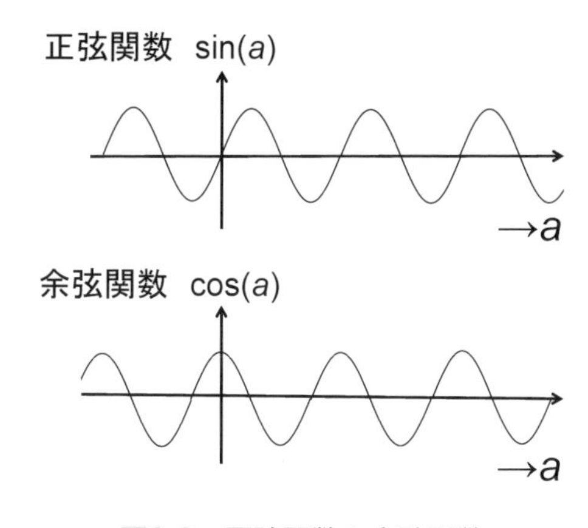

図2-2 正弦関数と余弦関数

現実の音波は複数の異なる周波数の正弦波の和になっている。このような音を**複合音**[6]という。複合音の波形を図 2-1 の下（音2-2）に示す。音を聞いた感じでは、純音より豊かな成分音を持っているようだ。なお、図にある f_0 は、複合音の高さとなる基本周波数（後述）である。複合音では、どこが振幅を表しているのかを言うのは難しい。そのため 1 章で説明した実効値（RMS）が使われる。

高校の物理学でも扱われているのは純音までで、複合音の説明はほとんどない。この章の内容は、高校のレベルを超えている。しかし、本書の内容をしっかり理解するためには、この章の理解が重要である。そして、音色とは何かということを理解するためには複合音の知識が必要である。

音色とスペクトルと光の虹と

スペクトルは、本書で最も重要な用語である。上述の「音色」の (2) の意味を表しているものだが、理解するのはやさしくないようだ。そこで手始めに、「**スペクトル**」の意味を国語辞典[7]で調べてみよう。以下のように書かれている。

(1) 光を分光器にかけて得られる、波長とその波長における強さを示したもの。その形によって、連続スペクトル・線スペクトル・帯スペクトルに分ける。
(2) 複雑な組成のものを成分に分解し、その成分を特定な量の大小に従って順次配列したもの。「音響—」「抗菌—」

(1) は、簡単に言えば、図 2-3 に示すように、三角柱のガラスである**プリズム**に太陽の光を通すと現れる光の虹のことである。太陽光はすべての波長の可視光を含んでいる。波長によってガラスの屈折率が違うので、太陽光はプリズムで屈折して波長によって違う場所に映る。それを人間は色の違いとして感じる。なお図の色は模式的に示してある。波長は連続的に変化するので、色も連続的に変化するのだ。

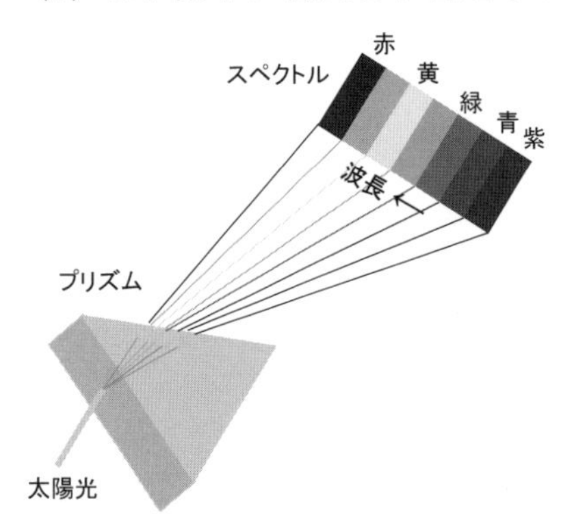

図2-3　プリズムと光のスペクトル

(2) はスペクトルの一般的な意味であり、その中の「音響スペクトル」がここで取り扱うテーマである。**成分**[7]とは、ひとつのものを構成する部分となる要素である。(2) の定義に従って音響スペクトルについて書き直してみると、「**音響スペクトル**は、音波を成分音に分解し、成分音の振幅や位相を周

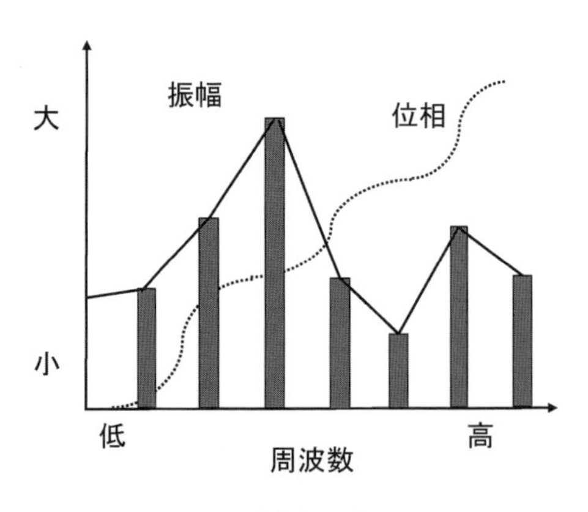

図2-4　音響スペクトル

波数の低いものから高いものへと配列したもの」となる。図 2-4 に示すように、グラフの横軸は周波数である。複合音は、異なる周波数の複数の正弦波の和であるので、その元になる複数の正弦波の振幅などを周波数の順に並べたものがスペクトルである。各周波数の成分音は、言い換えれば音を構成する部品である。音響スペクトルは、周波数の順で部品を並べたものである。

光のスペクトルは色のことである。これから説明するように、音色は音響スペクトルで決まる。「音色」、すなわち**音の色**とはよく名付けたもので、物理学的に意味がぴったり一致している。

フーリエ級数

スペクトルについてさらに精確に理解するためには、周期信号に関するフーリエ級数について知っておく必要がある。**周期信号**とは、一定の時間（周期という）をおいて、同じ波形が繰り返される信号である。**基本周波数**は、この周期の逆数である。音響スペクトルは、音波のフーリエ級数を基に考えられている。

フーリエ級数は、数学者フーリエによって厳密に証明された。**フーリエ級数** [8] の内容は以下のとおりである。

《すべての周期信号は、基本周波数の正弦波、余弦波と、その整数倍の周波数を持つ正弦波、余弦波の重ねあわせで表現できる。》

ここでは、正弦波・余弦波が成分波である。**重ねあわせ**とは各時刻における加算という意味である。どのような周期信号でもこのように表すことができる。音声や楽器音などの複合音は周期信号であるのでフーリエ級数で表すことができる。数字における**級数**とは多くの数を次々と加算していったものをいう。ここでは、加算される正弦波・余弦波は理論的には無限個になることもある。正弦波・余弦波の振幅は適切に選ばれる必要がある。他の信号でなく、なぜ正弦波・余弦波なのかと思うかも知れない。それは、これらが最も基本的な振動を表す関数であり、ただひとつの周波数を持っているからである。

フーリエ級数の意味を数式を使わずに図 2-5 を用いて説明しよう。図 2-5 の左上に、周期信号（(音2-3)）を示す。横軸は時間である。この信号は図の左下に示すような基本周波数と基本周波数の整数倍の周波数を持つ正弦波の和で表すことができる。図では、上から下へ、基本周波数の正弦波（波形 B(音2-4)）とその 2 倍、3 倍の周波数を持つ正弦波（波形 C(音2-5)、波形 D(音2-6)）を示してある。つまり、**フーリエ級数**の意味は、「図の破線で示した時刻での周期信号の値 a は、同じ時刻の正弦波の値 b, c, d を加算したものである」となる。周期信号のすべての時刻で、このことが成り立つ。なおこれは、簡単のため余弦波成分が無い場合の例である。

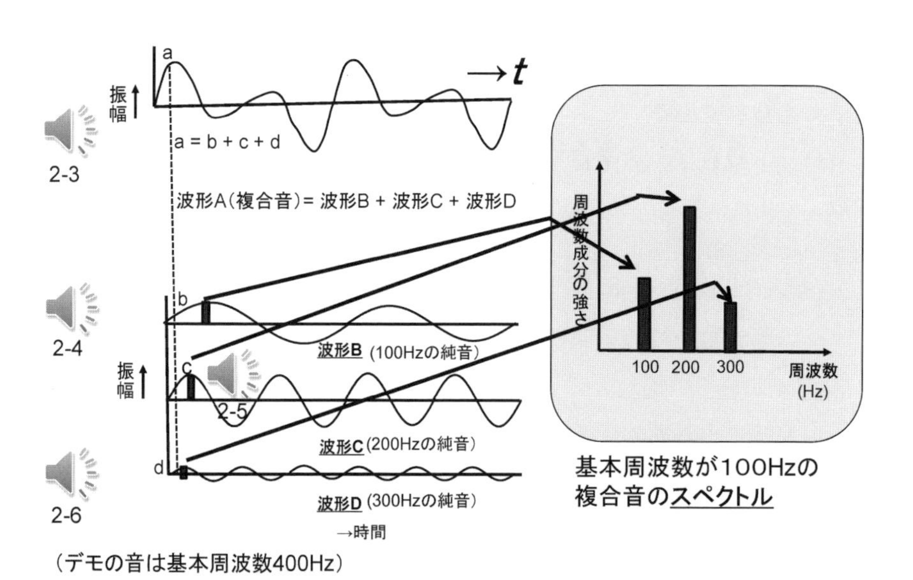

図2-5　フーリエ級数展開とスペクトル

もちろん、加算の結果が周期信号の値（a）とぴったり一致するためには、正弦波の振幅が適切な値になっていなければならない。これらの振幅を**フーリエ係数**という。これを周期信号から計算する方法もフーリエは証明した。

フーリエ係数とスペクトル

この振幅の計算結果つまりフーリエ係数が**スペクトル**である。この例でのフーリエ係数を図 2-5 の右側に示す。この図の横軸は周波数で、縦軸は各正弦波の振幅である。振幅を表すスペクトルなので、**振幅スペクトル**と呼ばれる。スペクトルのグラフが各正弦波の振幅を表していることが分かるように直線の矢印で示してある。音データの振幅はこれらと同じにしてある。

図 2-5 右図を、先に述べた音響スペクトルの定義および図 2-4 と比べてみよう。**音響スペクトル**は、音波を成分音（部分音）に分解し、成分音の振幅や位相を周波数の低いものから高いものへと配列したものである。図 2-5 右図では、成分音の振幅を、成分音の周波数の低い方から順に 3 つ配列している。各成分はひとつの周波数を持つので、スペクトルは、縦の直線になる。それらの周波数は基本周波数の整数倍なので、線は等間隔に並ぶ。国語辞典で調べた上述の「音色」の（2）の中に現れる「上音」（部分音）は、これらのことを表している。基本周波数のものが**基音**で、その 2 倍、3 倍…の周波数のものが倍音である。

この図 2-5 の説明では振幅について述べ、位相については省略している。**位相**とは、時間方向の波形のずれである。波形を厳密に計算するためには位相スペクトルが必要である。だが音声の音色に大きくかかわるのは、位相ではないので、その詳細は省略する。なお、図 2-2 では、正弦関数と余弦関数の間のずれとして位相を説明した。図 2-4 では、横軸の周波数に沿った位相の変化を破線で示している。図 2-5 では、位相は左下に示した正弦波それぞれの時間方向のずれのことだが、図では位相がゼロになっている。

図 2-5 右の図のようなスペクトルが与えられると、これから逆に、左上の図のような周期信号の波形を再構成することができる。これがフーリエの証明したことである。

波形とスペクトルの例

波形とスペクトルの関係を実感できるアプリとして Composit がある。これを使った結果をいくつか示そう。このアプリでは、波形を音データにして聞くこともできる。

波形を表す図の横軸は時間（Time）であり、それが分かるように「→ *t*」と示す。また**スペクトル**の横軸は周波数（Frequency）であるので「→ *f*」と示す。以後多くの図でこのように明示してあるので、図が波形であるのかスペクトルであるのかをしっかり区別してもらいたい。

図 2-6 は、図 2-5 の波形をこのアプリで表示したものである（音 2-7）。図の上方にスペクトル、下方に波形が示されている。スペクトルの振幅の値は、スライド式で変えられるようになっており、そのスライドの下に振幅の数値も現れる。これを操作して図 2-5 右のスペクトルを作ると、図 2-5 左上の波形が現れる。

図 2-7 にスペクトルを操作して作った**方形波**（ほうけいは）（四角形のような波の繰り返し、音 2-8）を示す。図のスペクトルのところを見てみよう。この波形は、基本周波数の奇数（1、3、5、7）倍の周波数を持つ成分波だけで作られていることが分かる。図 2-8 には、偶数（2、4、6）倍の周波数を持つ成分波だけで作ることができる**三角波**（三角形のような波の繰り返し、音 2-9）を示す。音を聞いてみると、この 2 つは、音の高さは同じだが、音色が違って聞こえることが確認できる。これが国語辞典で調べた「音色の（2）」の意味である。

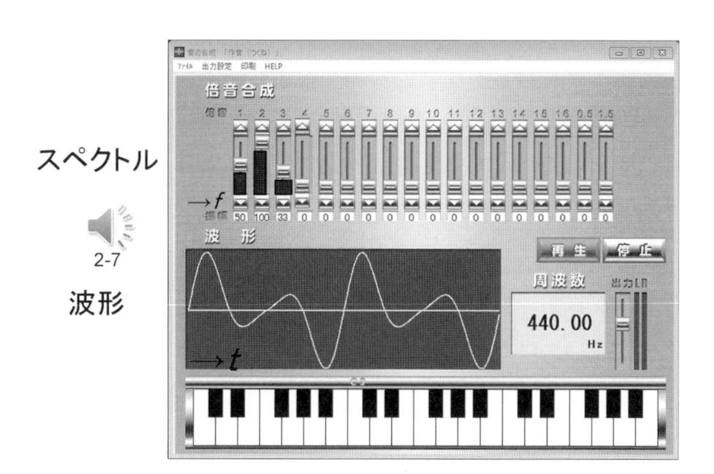

図2-6　図2-5の波形とスペクトル

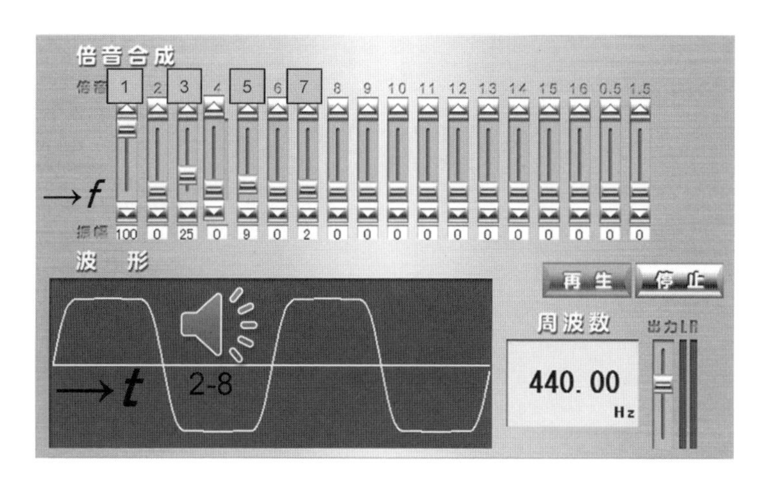

図2-7　方形波

フーリエが示したように、どのような形の周期信号の波形もこのようにして作ることができる。

スペクトルを変えて、**いろいろの波形**の音を作った。スペクトルと波形を図 2-9 に示す（(音 2-10)(音 2-11)(音 2-12)(音 2-13)）。聴き比べてもらいたい。聞いた感じは、音の大きさ・高さ・音色のうち、何が同じで何が

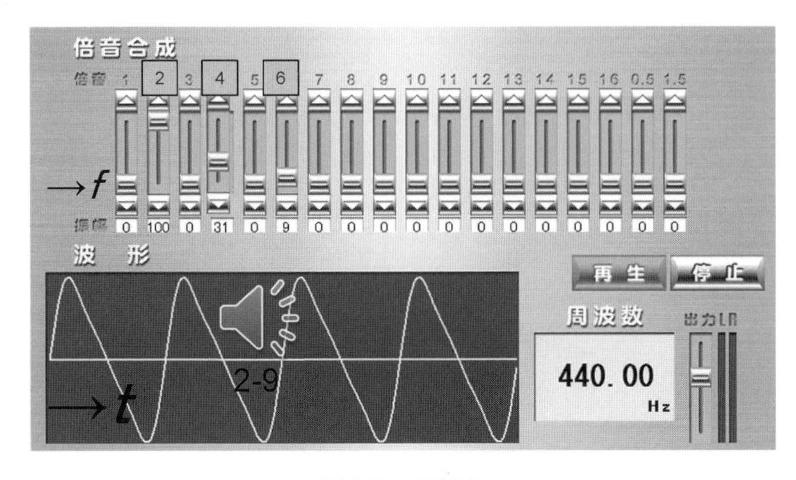

図2-8　三角波

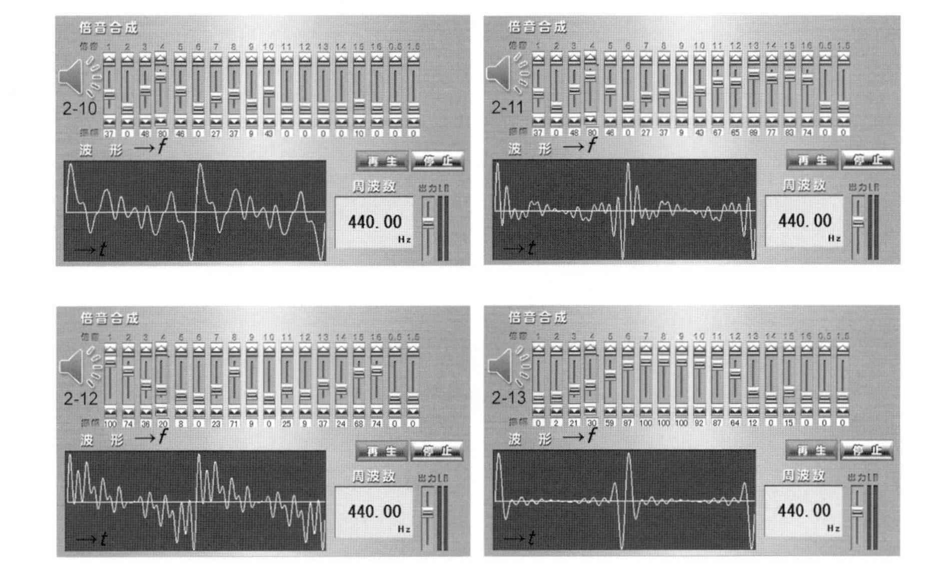

図2-9　いろいろな波形の音

違うだろうか。答えは、音の大きさ・高さが同じで、音色が違うということである。この試験音では、基本周波数を変えていないので、音の高さは同じである。基本周波数の整数倍の周波数の成分（上音）の強さの比を変えたので、音色が変わったのだ。

♪ コラム 2-1

低い音の擬音語と高い音の擬音語

「**ブーン**」と「**ビーン**」ではどちらが低い音または高い音を表す**擬音語**だろうか。多くの人は前者が低い音、後者が高い音だと答えるだろう。それはどうしてだろうか。

これを考えるため、低い周波数成分でできた波形と、高い周波数成分でできた波形の音をそれぞれ作った。**図2-10**は低い成分（基本周波数音とその3、4、5倍の周波数の音）で作った波形である。**図2-11**は高い成分（基本周波数音と6、7、8倍の周波数の音）で作った波形である。

どちらが「い」、「う」の音色に似ているだろうか。音を聞いて考えてみよう。低い成分でできた波形（**音2-14**）が「う」で、高い成分でできた波形（**音2-15**）が「い」と聞こえるのではないだろうか。必要な場合は、もう一度聞いて確認してみよう。

これは擬音語の場合の判断と一致する。つまり、「ブーン」では「う」を伸ばしていて、「ビーン」では「い」を伸ばしている。「う」は低い周波数の成分でできており、「い」は高い周波数の成分でできているのだ。

なぜ、低い周波数の成分でできていると「う」に聞こえ、高い成分でできていると「い」と聞こえるのだろうか。そのわけは、音声スペクトル分析の観点から7章で明らかになる。また「い」、「う」と聞こえることは、このあと2章の音声生成模型の実験でもとりあげる。

なお、ここで述べている高い・低いは、そう感じる「音色」を表している。音楽などでいう意味での音の「高さ」は、このあと説明するように、基本周波数が担う。

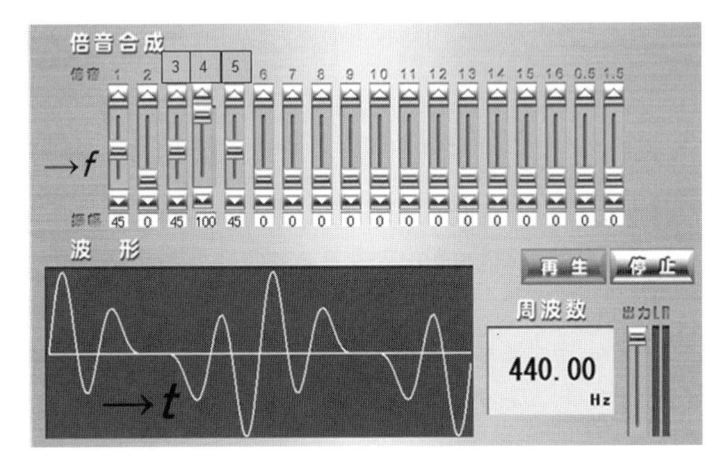

2-14

図2-10　低い周波数の成分でできた波形

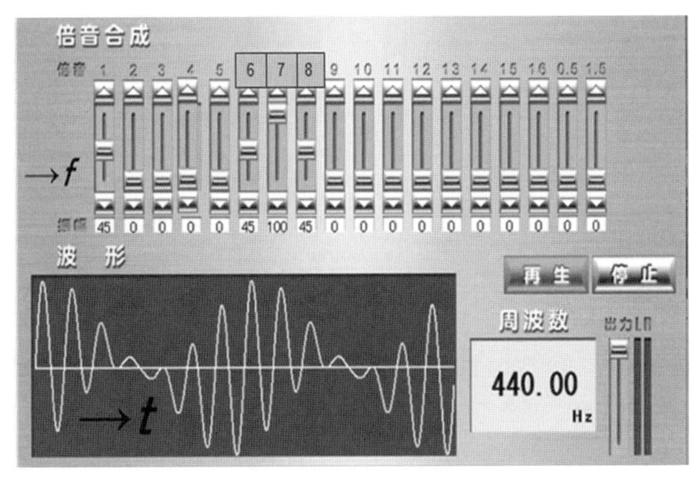

2-15

図2-11　高い周波数の成分でできた波形

高速フーリエ変換

時間を横軸にして表される信号を、周波数を横軸にしてスペクトルとして眺めると、有用な情報が得られる。フーリエ係数はそのよい例である。

フーリエ係数は、周期的な信号に対するものであった。周期的でない一般の信号からスペクトルを計算する方法がある。計算方法とその結果は**フーリエ変換**[9]と呼ばれている。フーリエ変換は、複素関数というものを用いて定義されるが、ここでは詳細を省略する。

信号の**スペクトル**とは、厳密にはフーリエ変換された結果の振幅特性と位相特性のことである。これらは周期信号のフーリエ級数で説明した振幅・位相に対応するものである。

信号をコンピュータで取り扱うためには、1章で述べたように、飛び飛びの時刻（離散時間）の標本点で標本化しなければならない。そのため離散時間信号のフーリエ変換（**離散フーリエ変換**[10]；Discrete Fourier Transform; DFT）が定義されている。これは、有限個の標本点のフーリエ変換である。

さらに、逆にスペクトルから信号へ戻し再現するための**離散逆フーリエ変換**も定義されている。これにより元の信号を厳密に再構成できることが証明されている。

DFTを高速に実行するアルゴリズム（算法）として**高速フーリエ変換**[11]（Fast Fourier Transform; FFT）が発明された。FFTでは、変換に使用する関数の周期性をうまく利用して、アルゴリズムの掛け算の数を極限まで減らしている。それで非常に高速にDFTを実行できる。計算すべき標本点の数が大きいほどこの効果は劇的である。例えば標本点が1024点の場合は約100倍高速になる。

スペクトルの計算がFFTによって非常に高速化されたので、これによってディジタル信号処理の分野は飛躍的に発展した。FFTはこの分野ではノーベル賞級の発明である。

ただし、FFTは周期性を利用しているので、計算に使用する標本点の数は2のべき乗でしか実行できない。つまり点の数は2, 4, 8, 16, 32, 64, 128, 256, 512, 1024, …である。このあと説明するフリーの音声分析編集ソフトである Audacity® の「**サイズ**」がこれらの値になっている。Audacity® でも FFT が使用されている。

基本周波数と音の高さ

周期信号である母音の音声波を**スペクトル分析**してみよう。分析プログラムとしてはフリーソフトの Audacity® [12] を使うことができる。これを使って母音の「あ」（音2-16）を分析した。サンプリング周波数は 10kHz、標本点の数は、2048 である。音は実際に聞いて確認しよう。分析結果のスペクトルを図 2-12 に示す。これを図 2-5 の右に示したフーリエ級数展開におけるスペクトルと対比してみよう。

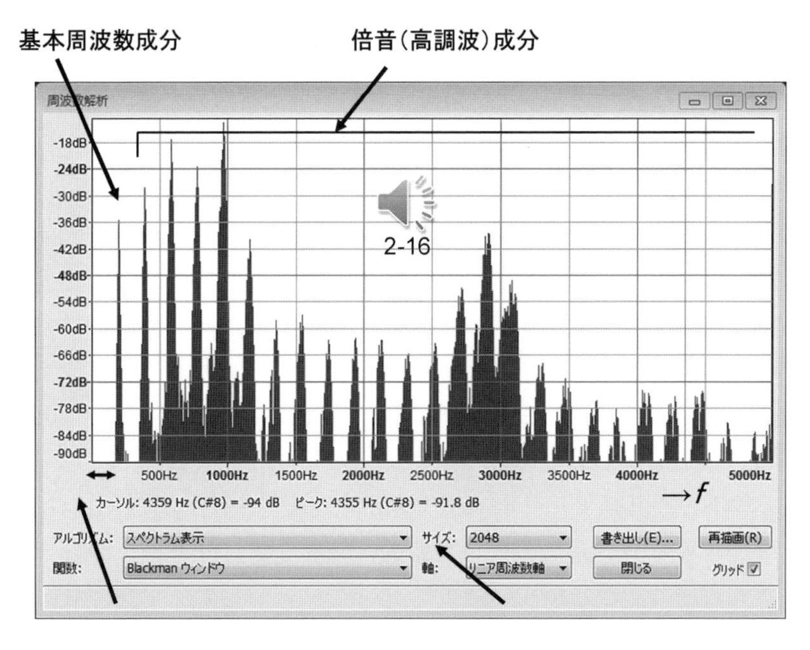

図2-12　母音「あ」の振幅スペクトル

図 2-12 の横軸は周波数である。サンプリング周波数は 10kHz なので、

スペクトルは、その半分の 5kHz まで存在している。これが計算され表示されている。縦軸は、その周波数の成分の強さであり、取り扱える最大振幅を 0dB としたデシベル値で表されている。

母音は周期信号であるので、図 2-5 右図で示したフーリエ級数のスペクトルとよく似ている。全体として、縦線（**線スペクトル**という）が**等間隔**に並んでいるように見える。線スペクトルのうち左端のものは、図 2-5 右図と同様に**基本周波数**の成分である。その周波数を矢印幅（⟷）で示してある。

一般に、複合音の多くは周期信号であり、基本周波数の 2 倍、3 倍、…の周波数の正弦波からできている。したがって線スペクトルは等間隔に並ぶことになる。これらの正弦波は、**高調波成分**、音の場合は**倍音成分**と呼ばれている。

スペクトルにカーソル（マウスで動かせる下線や記号）を持っていくと、その位置の座標値、つまりその点の周波数と振幅がコンピュータ画面の下の「カーソル：」というところに現れる。線スペクトルの先端（ピーク）近くにカーソルを当てると、自動的にピークを見つけてピークの座標が現れる。

このピークの周波数を読み取った。**基本周波数成分**の周波数は 119Hz、**2 倍音**の周波数は 238Hz、**3 倍音**の周波数は 356Hz である。基本周波数の 2 倍、3 倍を計算してみよう。すると誤差 1%以下で正確に 2 倍、3 倍の周波数となっていることが分かる。正確に等間隔になっているのだ。驚くべき精度である。

周波数が 2 倍の音は **1 オクターブ**高い音と呼ばれている。音楽でよく使われている用語である。ぴったり 1 オクターブ違う 2 つの音は、じつは互いに区別しにくい。それほど同じと感じられる音である。

ただし、周波数が 2 倍であっても音が 2 倍高いと感じられるわけではない。詳しくは 6 章のメル尺度のところで説明する。1000Hz 純音の 2 倍の高さに感じられる純音は 3000Hz である。どうしてそうなるかのという聴覚の生理的根拠については 5 章で述べる。

コラム 2-2

女性の歌声は男声より 1 オクターブ高い

同じ楽譜を使って男性と女性が歌っているときのことを考えてみよう。声の高さを合わせて歌う。だが、じつは男声は女声より1オクターブ低い音になっている。普段は気づかないものだ。ぴったり1オクターブ違う2つの音の高さは区別しにくいからだ。

さらに、1オクターブだけでなく、1オクターブより小さい値だけ楽譜の音程をずらしたもの、つまり移調したものは、同じメロディーの曲としてとらえられる。これは、じつはとても不思議なことなのだ。物理的にはまったく違う音なのに同じと感じられる。なぜだろう。これについては、7章でさらにとりあげる。

沖縄の**三線**（さんしん）（三味線）は3本の弦からなり、太い弦から順に「男絃（ヲゥーヂル）」「中絃（ナカヂル）」「女絃（ミーヂル）」と呼ばれている。

男絃と女絃は指で押さえずそのままはじくと、音の高さは1オクターブ違う。したがって、三線は1オクターブ強の音域しかない。女性は三線音より1オクターブ高い声で歌うほかないはずだ。

それを確かめるため、同じ曲を歌った女性の歌声と男性の歌声をAudacity®の機能を使って分析してみた。その結果、予想通り、男声は絃の高さと同じであり、女声はその1オクターブ高いものであった。

三線は、伝統的に男性のための文化だったのだ。

スペクトルの包絡

図 2-12 の下の方にある「**サイズ**」とは、波形における分析区間の長さである。図 2-12 ではサイズが 2048 だが、これを 128 にすると図 2-13

のようなる。

図 2-12 と比較すると、線スペクトルが消え、その代わり線スペクトルの先端を結んだような図が現れている。実際に図 2-13 の曲線を図 2-12 に重ねると図 2-14 のようになる。先端を結んだ線は包絡線（ほうらくせん）と呼ばれているから、図 2-13 は、**スペクトル包絡**を表している。

図 2-12 から音の高さを表す基本周波数が明らかになった。図 2-13 からは音の**音色**に関係する量が明らかになる。音を構成する成分のうち強い成分のところがよく聞こえるはずだから、スペクトル包絡の山は音色のための重要な要素になる。

音声のスペクトル包絡の山を**フォルマント**[13]（ホルマント；Formant）という。フォルマントは、その周波数の低いほうから順に第 1 フォルマント、第 2 フォルマント、…と呼ばれる。

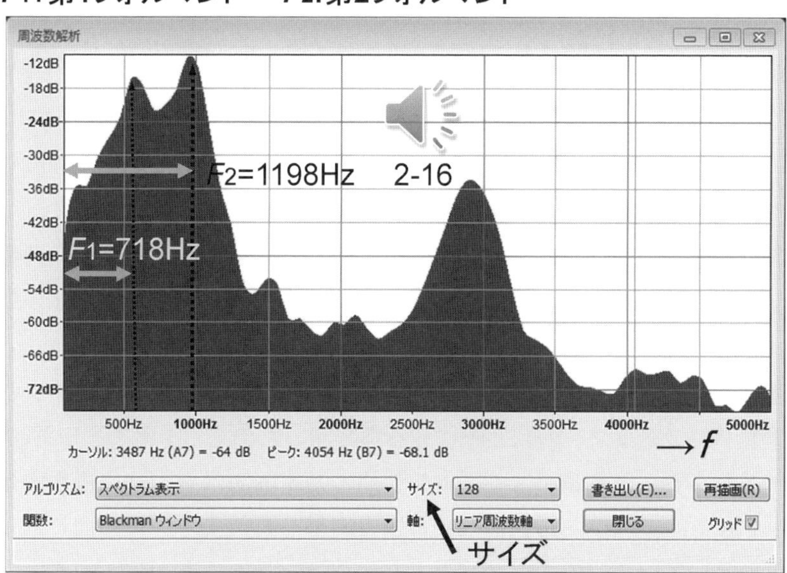

図2-13　母音「あ」のスペクトル包絡

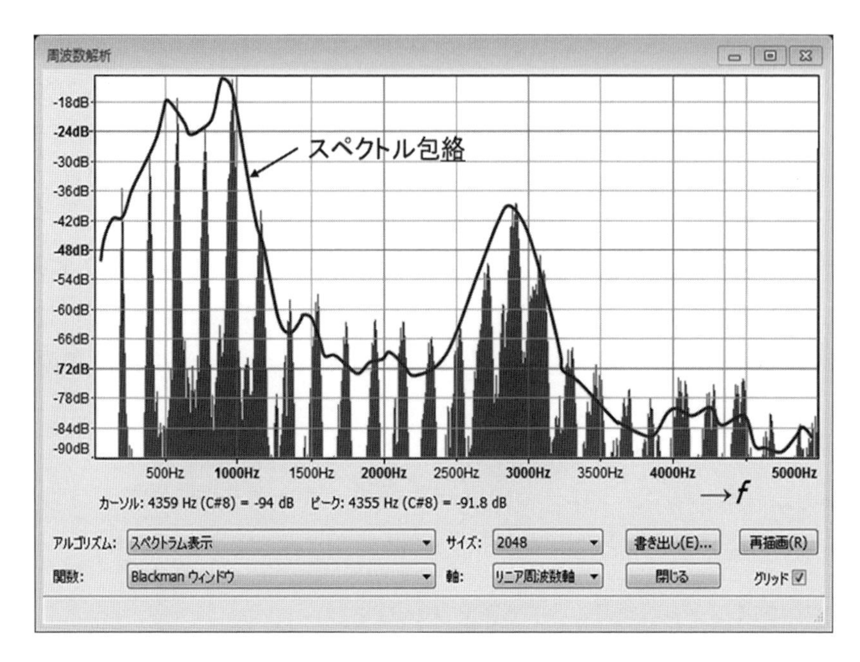

図2-14　スペクトルとスペクトル包絡

「あ」の第1フォルマントと第2フォルマントの周波数を計ってみよう。カーソルを当てると、図2-13に示すように、第1フォルマント周波数は718Hz、第2フォルマント周波数は1198Hzである。

第1フォルマント周波数と第2フォルマント周波数は、母音の音色を決定づける。このことは本書で最も重要な内容であり、詳しくは7章で述べる。

図2-13には3000Hz付近に3番目のフォルマントが見えている。これは「歌手のフォルマント」と呼ばれる興味深いもので、3章でとりあげる。

音声器官では、音声のスペクトル包絡と基本周波数を独立に操作することができる。**スペクトル包絡**は、声道（声帯から口までの声の通り道）の特性を表している。そこでスペクトル包絡は、声道の断面積を変えることにより、すなわち口の中（口腔）の形を変えることにより、変更することができる。**基本周波数**は、声帯振動の周波数を変えることにより変更することができる。

スペクトルの種類

波形とスペクトルの種類を整理しておこう。**純音**は、単一の正弦波の音である。周波数はひとつなので、**スペクトル**は線スペクトルになる。図2-15の上下に、周波数が100Hzの純音の波形とスペクトルを示す。これらの純音は周波数が同じで、振幅が異なるので、線スペクトルの上下の長さが異なる。

複合音は、異なる2つ以上の純音から構成された音をいう。周期的な信号の場合、基本周波数の整数倍の周波数の成分からなる。したがって、その**スペクトル**は、基本周波数と同じ間隔で並んだ線スペクトル群からなる。図2-16の上下に、周期的複合音の波形とスペクトルを示す。上の信号は、100Hzと200Hzの正弦波からなる。下の信号は、200Hzと400Hzの正弦波からできている。

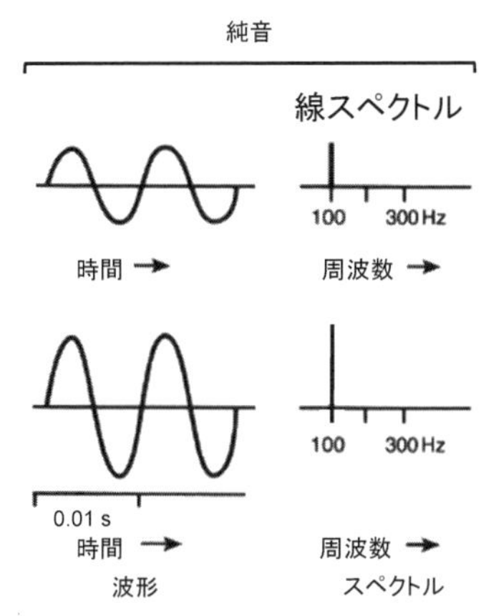

図2-15　純音の波形とスペクトル

連続的と言えるほど多くの成分からなる信号もある。これを**連続スペクトル**の信号という。図2-17に示すように、一過性の信号や雑音のような信号がこれに相当する。音声合成では、無声音を雑音で、有声音は一過性のパルス信号が並んだもので作ることが多い。なお、Audacity® でサイズを小さくした場合（例えば図2-13）に現れる連続的に見えるスペクトルは連続スペクトルではない。それは周波数分解能（3章で説明）が悪いのでこうなっているのだ。Audacity® でサイズを大きくして周波数分解能を

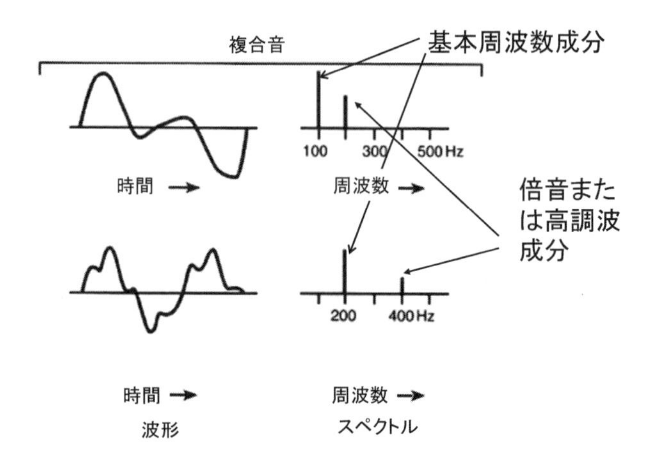

図2-16　周期的複合音の波形とスペクトル

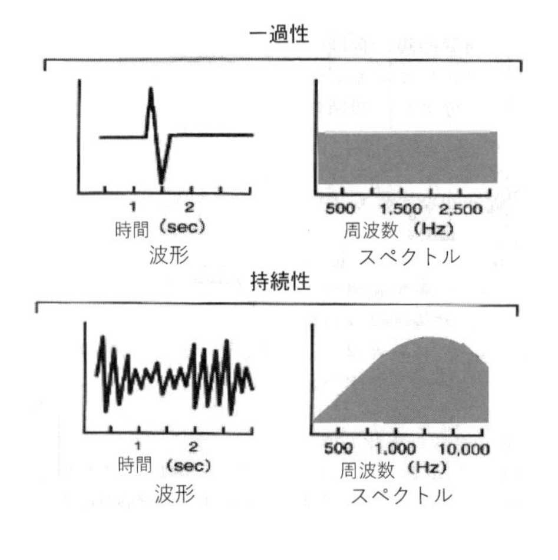

図2-17　連続スペクトル

良くしても連続的に見えるものが、連続スペクトルである。

カエルの声に引かれる蚊

やや専門からずれる内容ではあるが、世界で初めての音に関する興味深い話題を提供しよう。スペクトルやフォルマント、RMS、および音の強さについて学んだ読者には、その復習にもなるだろう。

琉球大学医学部と工学部は、沖縄県の西表島（いりおもてじま）に生息する特殊な蚊の研究をした[14]。西表島には世界でも2例目となるめずらしい、**カエルの声**に引かれる**蚊**（チビ蚊属）がいる。めずらしい蚊であるので、この研究も世界で初めてのものである。

カエルの声を録音したもの（原音）をCDに入れて自動再生して聞か

せると、夜間に10数匹以上の蚊が集まり捕獲できる。蚊が音に引かれているのはまちがいない。光やにおい、体温とは関係がないということだ。

そこで、どのような音響的性質によって引かれるのかを明らかにするため、いろいろな音を合成し蚊に聞かせた。

まずは、原音から1周期分だけ波形を切り出し、これを繰り返して音を作った（(音2-17)）。これを**バースト音**と呼ぶことにする。音を聞いてみていただきたい。CDプレーヤーのスピーカーを最大限有効に利用するため、ボリュームは最大にした。実験の結果を、図2-18に示す。図の右上に波形（C, D）を示し、右下にそのスペクトル（E）を示す。

図2-18左に実験結果を示す。左図の縦軸は、その夜に捕らえた蚊の数で、複数の異なる場所・異なる日での結果の平均値である。図の四角や三角など形が同じものは、同じ波形だが音の強さは異なる。音の強さが異なるものは白黒で区別して示した。横軸は音の強さで、すでに説明した実効値（RMS）で表されている。右の方ほど強い音である。ここではCDで表現できる最大の数値を基準の強さにしているので、デシベル値はマイナスになっている（(音2-17)）。

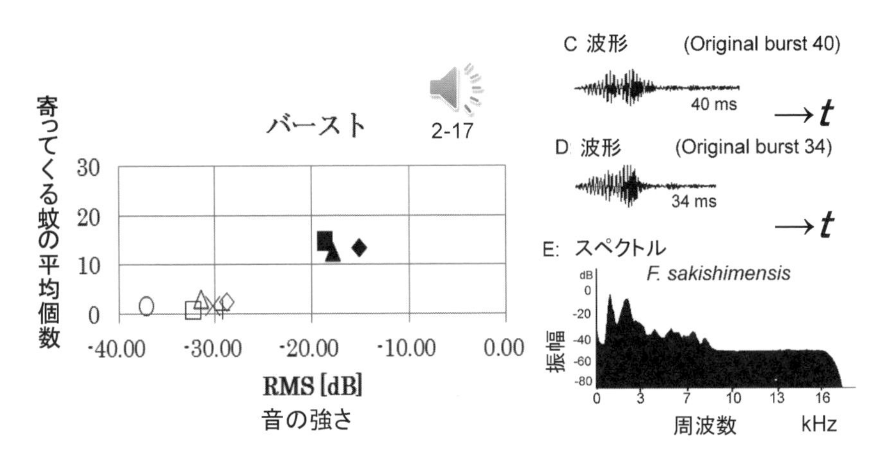

図2-18　原音から作った音の実験結果

図 2-18 から、音の強さが -20dB 以上では蚊が寄ってくるが、それ以下ではほとんど寄ってこないことが分かる。蚊の聴覚では、強さがある値以上のときは聞こえ、それ以下ではまったく聞こえないと言える。桁違いに小さい音から大きい音まで聞こえるヒトとはずいぶん違う。

図 2-18 右のスペクトル（E）を見ると、2 つの山のピークがある。その周波数は、約 1kHz と約 2kHz である。人間の音声のフォルマントと同じように、この山のピークに蚊を引き付ける情報があるのではないかと見込みを付けた。

比較実験のため、**ノイズ**（雑音）で試験音（音 2-18）を作った。音を聞いてみていただきたい。実験結果を図 2-19 に示す。波形の振幅パターンは、右図に示すように、原音と似せたもの（I）と、だんだん小さくなるもの（J）にした。図の右下のスペクトル（K）から分かるように、ノイズのスペクトルには特徴的な山がなく、平坦である。

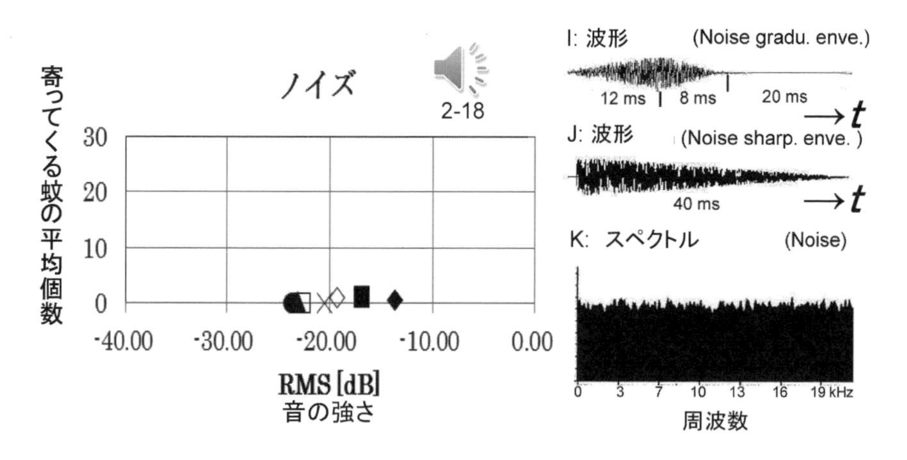

図2-19　ノイズで作った音の実験結果

左図に示すように、RMS が -20dB 以上のときでも蚊が寄ってこないことが明らかである。

次に、見込みを付けたことを確かめるため、1kHz の**正弦波**で音

(音2-19)を作った。音を聞いてみていただきたい。実験結果を図2-20に示す。振幅パターン（F, G）は図2-19のノイズと同様にした。スペクトル（H）には1kHz付近に鋭い山のピークがある。

図2-20の左に示すように、約-22dB以上で、蚊が寄って来ているのが分かる。その数は、原音の場合よりむしろ多いように見える。

以上のことから、スペクトルのピークが1kHzにあり、音の強さがある値（約-22dB）以上の音のとき、蚊が寄ってくることが明らかになった。スペクトルのピークは、蚊の聴覚が特定の周波数の音の共鳴によってできることを予想させる。

スペクトルの山が特徴周波数になっていることは、人間の言語音の判別で使われるフォルマントに似ている。

実験では、音の強さとスペクトルだけでなく、音のリズムも元のものを含めていろいろ変えて音データを作ったが、元のリズムに似ているほうが蚊が多く寄ってくるというような傾向は見られなかった。

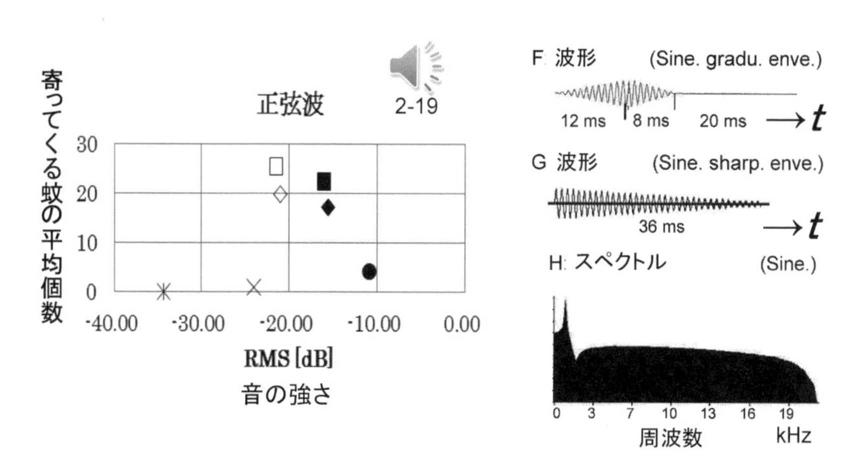

図2-20　正弦波で作った音の実験結果

コラム2-3

カエルの声に引かれる蚊の研究で

私たちは、カエルの声に引かれる蚊の研究をした。じつは、上で述べたこととはまったく異なり、順風満帆でなかった。この研究の中で、音の大きさについて思い知らされる経験をしたのだ。

音の大きさに関する蚊の聴覚特性について上で説明した。デシベルについて学んだように、ヒトの聴覚では、音の大きさの感覚は対数関数に従う。ところが、蚊の聴覚はそうでなく、ある強さから突然聞こえるようになる。じつはこれは研究の最後の方でようやく気づいたことなのだ。蚊の聴力について研究した人が世界に他にはいないから、苦労するのは当たり前だ。CDプレーヤーから出力されるカエルの声のRMSが大きく違っていても、私たちにはあまり違わない大きさのように思われた。

研究の最初のころに作って蚊が寄ってくることを確かめていた音でも、その次の年に作ったら、寄ってこなかった。3年目でも寄ってこなかった…。蚊を捕りつくしたのではないかと疑ったほどだ。いろいろな音を作った。だが一貫性のある結果は得られなかった。研究は行き詰った。

研究をあきらめようとしたころ、音データのRMSを計算しこれを横軸にして表示してみた。そして、ようやく気がついた。寄ってこなかった音はRMSが小さかったのだ。次の年に作った合成音は、波形振幅の最大値をCDで表現できる最大の数値に設定した。そして**図2-18～図2-20**の結果を得たのだ。図の四角や三角など形が同じで白黒と色が異なるものは、波形が同じで音の強さだけ異なる。音の強さによって結果が異なることがよく分かる。

ちょうどスペクトルやRMS、音の強さについて学んだところなので、読者には理解できるだろう。だが、これら専門用語については、医学系の共同研究者や論文査読者の方々に、なかなか理解してもらえなかった。

読者の音響学に関する知識レベルは、医学系の研究者をここで超えたのだ。

なおカエルの声に関する話題は、美しい音に関連して3章でまたとりあげる。

まとめ

本章では、音響スペクトルについて説明し、これが音を構成する部品と言えるものであることを述べた。2 章の内容を要約すると以下のとおりである。

①周期信号は、基本波とその整数倍の周波数の正弦波・余弦波成分（倍音、高調波）から構成されている。これらの成分を加算することにより、元の周期信号を精確に再構成することができる。(図 2-5)

②音響信号の成分を周波数軸上に配置したものを音響スペクトルという。音声の母音部などは周期信号であるので、音響スペクトルは、倍音成分を表す縦線が等間隔に並んだものになっている。(図 2-12)

③音響スペクトルは、離散フーリエ変換と呼ばれる式により計算することができる。離散フーリエ変換を高速に実行する算法として高速フーリエ変換（FFT）がある。

④基本周波数は、音の高さの感覚の要因であり、音響スペクトルにおける倍音成分間の間隔になっている。基本周波数が高いと音が高く聞こえ、低いと低く聞こえる。(図 2-12)

⑤音響スペクトルの包絡線であるスペクトル包絡は、聴覚における音色の感覚の主な要因である。音声では、スペクトル包絡における山のピークであるフォルマントが強く聞こえるので、これが音声の音色を決定づける。(図 2-14)

3章

スペクトル、そして美しい音とは

美しい音

読者にとって美しい音とは、どのようなものだろうか。小川のせせらぎなど自然音から、オペラ歌手の独唱の歌声、名高いバイオリンの音色、オーケストラが創り出すハーモニーまで、人によっていろいろなものがあるだろう。美しい音は、人類が親しみ育んできた音楽の中に残されているのかも知れない。

ここでは、音楽に親しみながら音響学を学んできた経験から、スペクトルの知識を使って説明できる音の美しさについて3つの話題を提供しよう。

一つ目は、オペラ歌手の歌声の美しさである。オペラ歌手のような響きのある声を出してみたいと思うことがあるかも知れない。あの響きはいったいどのようなものなのだろうか。

二つ目は、合唱や楽器音で奏でられる和音・ハーモニーである。ハーモニーの美しさを肌で感じる経験をしたことがある人は多いかも知れない。だが、なぜハーモニーが心地よいのかを答えられる人は、ごく少数だろう。

三つ目は、カラオケのエコーである。エコーをかけると歌がうまいように聞こえる。これを美しいと表現するかどうかは人によるが、多くの人はいい感じだとは思うだろう。それはどうしてだろうか。

サウンドスペクトログラム

2章でスペクトルの説明をした。本章では、時間的に変化するスペクトルの分析法を説明する。話しことばは、音色の異なる音素が連なったものである。したがってスペクトルは時間的に変化している。時間的に変化するスペクトルの分析は、音声の合成や認識など、音声言語処理の全般において重要な技術である。

変化する音声スペクトルの分析法を図 3-1 に示す。横軸は時間である。スペクトルの変化をとらえるため、ある時間区間を切り出して分析していく。時間区間を**フレーム**、その長さを**フレーム長**、フレームをずらす周期を**フレーム周期**という。時間的に細かく分析するため、フレームは一部重なるようにしてある。フレームの中心付近を精度よく分析するため、フレームの各時刻の値に時間窓関数と呼ばれる正数を掛ける。時間窓関数は、図 3-1 に示すように、フレームの中央部付近で大きく、両端で小さな値となっている。

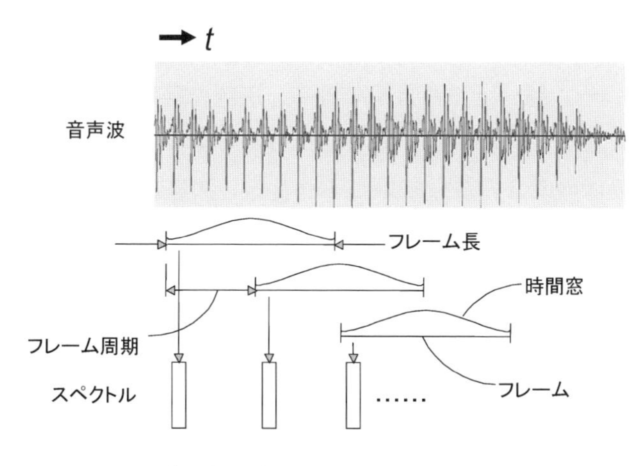

図3-1　時間的に変化する音声スペクトルの分析

サウンドスペクトログラム[1] は、横軸を時間、縦軸を周波数とし、ある時刻の波形に含まれる周波数成分の強さ（振幅の大きさ）を白黒の濃淡で表したものである。サウンドスペクトログラムの例として 2 章で用いた Audacity® による分析結果を図 3-2 に示す。

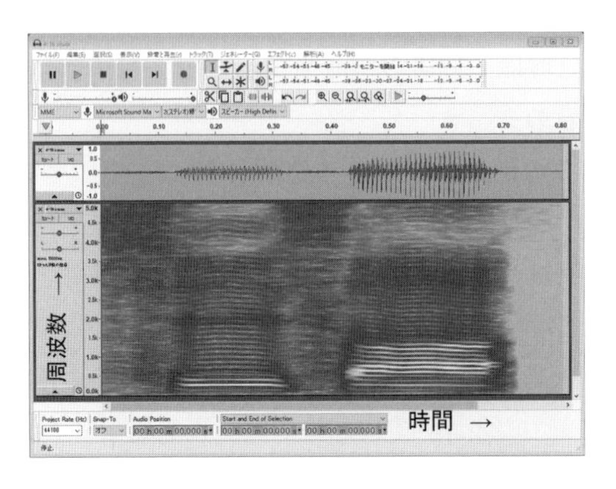

図3-2　サウンドスペクトログラムを表示する Audacity®：音声は/siisaa/

初期のサウンドスペクトログラムではスペクトル成分の強さを白黒の濃淡で表していた。強いところは黒で濃く、灰色を経て薄くなり、最も弱いところは白になる。最近のものは、Audacity® のようにカラーになっている。Audacity® では、成分の最も強いところを白、次に強いところを赤、そして紫、最も弱いところを青で示している。ただしモノクロ印刷ではこのことが分からない。

やや専門的になるが、サウンドスペクトログラムでは、時間分解能を良く（フレーム長を短く）すれば、周波数分解能が悪くなり、逆に時間分解能を悪く（フレーム長を長く）すれば、周波数分解能が良くなるという性質がある。ここでの**分解能**とは、近接した対象を異なるものとして識別できる性能である。**時間分解能**とは、時間方向の分解能である。**周波数分解能**は、周波数方向の分解能であり、フレーム長の逆数（単位は Hz）になることが知られている。

フレーム長の違いと時間・周波数分解能との関係を図 3-3 に示す。図の左の数字はフレーム長である。図の右にはスペクトルの一部（/a/ の部分）を示してある。フレーム長を短く、例えば 128 にすると、フレーム周期も短くなるので、時間的に細かく分析できる。そういう意味で時間分解能が良くなる。しかし、周波数分解能は、フレーム長の逆数なので、悪くなる。これは右のスペクトルにも示されている。このことは2章の「スペクトルの包絡」の節で説明した。逆に、フレームを長く、例えば1024にすると時間分解能は悪くなるが、周波数分解能が良くなる。これは2章の「基本周波数と音の高さ」の節で説明した。このように、時間分解能と周波数分解能を同時に良くする分析法は原理的に存在しない。ただし、現在では並列計算処理により、図3-3のようにほぼ同時に分析できる。

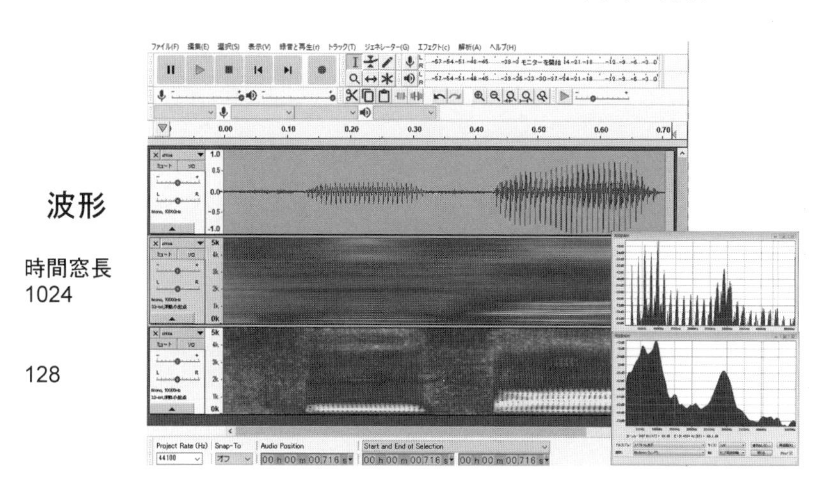

図3-3　フレーム長の違いによる周波数と時間の分解能

通る声・美しい歌声の音色

オペラ歌手のような響きのある声を出してみたいと思ったことのある人は多いかも知れない。あの響きはいったいどのようなものなのだろうか。ここでは歌声のスペクトル分析を行い、スペクトルの中からその美しさの要因を探す。

スペクトル分析をするため、ここではフリーソフトのAudacity® を使用する。Audacity® の基本的な使用法を示すので、読者も、Audacity® を入手して本書の内容を確認してみるといいだろう。音声資料は、本書のものを使うことができる。またパソコンのマイクを通して Audacity® で直接自分の声を録音することもできる。

まず図 3-4 に Audacity® の入力画面を示す。メニューバーの「ファイル」から「選択」を選ぶと、ファイル選択画面が現れる。ここでは本書の音声ファイル「3-1 watashinoohakanomaede」を選択し、「開く」をクリックしてみよう。すると、図 3-5 のように「千の風になって」(訳詞・作曲：新井満、2003) の冒頭部分の波形 (「私のお墓の前で」) が現れる。

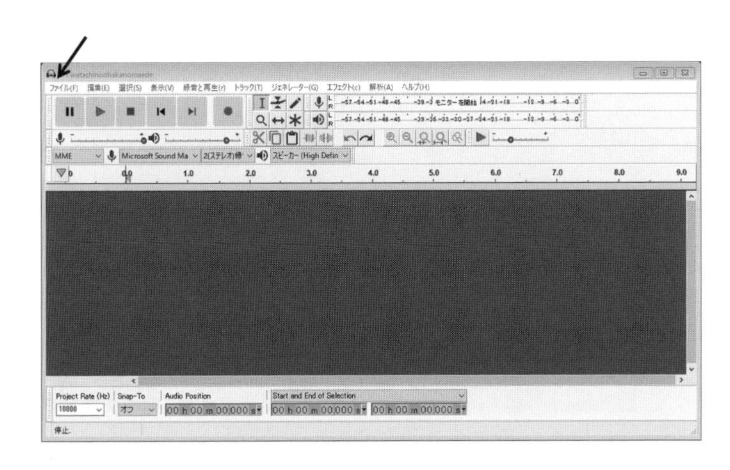

図3-4　Audacity®の入力画面

(音3-1) がその音声である。聞いてみよう。美しいクラシックの歌声である。これを歌っている歌手はだれだろうか。オペラ歌手の秋川雅史さんなのだろうか。じつは、これは筆者の声なのだ。これから述べるような知識があれば、素人でもオペラ男性歌手のような声を発することができる。

通る声や通らない声ということを聞いたことがあるだろう。**通る声**とは、同じエネルギーで発しても遠くまで届くような音色の声だ。そのような種類の声が存在するのだろうか。つまり発声方法を工夫して声の音色を変えると、通る声というものを作ることができるのだろうか。

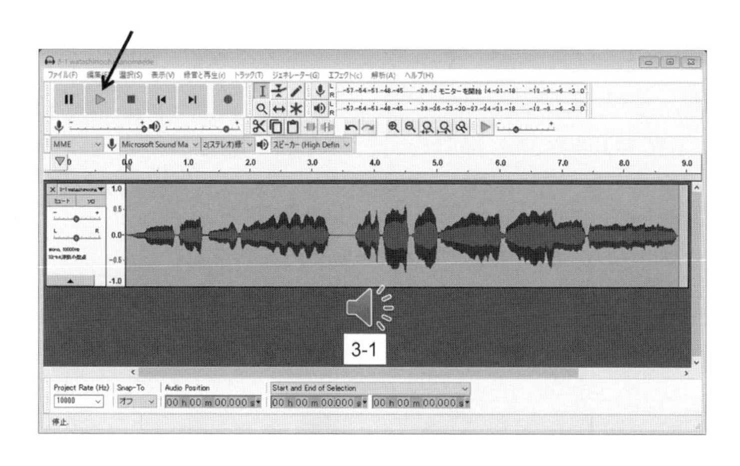

図3-5　「千の風になって」の歌声の波形

むかしマイクもスピーカーもないころ、西洋オペラの発達段階において、いかにして遠くまで届く声を発するかが探求された。その結果、現代のオペラ歌手のような響きのある声の発声法に至ったのだと言われている。その歌声を今私たちは響きがあり美しいと感じる。

オペラ歌手の音声を分析した音響学の専門書によると、男性歌手の歌声には3kHz付近にスペクトルのピークがある[2]。そのおかげで、大音響のオーケストラの音からでも声が抜けて出て聞こえるのだ。これはオーケストラと共演するために工夫された発声法と言われている。このピークは**歌手のフォルマント**と呼ばれている。ただし歌手のフォルマントは、主として男性歌手の音声を対象としている。

歌手のフォルマントを分析してみよう。図3-6に示すように、(1) まず、歌声の /a/ の部分をマウスでドラッグして選択する。(2) 次に再生ボタンをクリックし、この部分を聞いてみる（(音3-2)）。(3) メニューバーから「解析（A)」をクリックし、「スペクトラム表示」を選択する。すると図の右側の四角の中に示すようなスペクトルが現れる。フレーム長のサイズを128にしているので、これはスペクトル包絡である。図の矢印で示したように、3kHz付近にピークがある。筆者の声にもオペラ歌手と同様に歌手のフォルマントがある。それでこの声はオペラ歌手の声のように聞こえたのだ。

同様にして歌声の /o/ の部分を分析したのが図 3-7 である（音3-3）。/a/ の場合と同じように 3kHz付近にピークがあることが分かる。

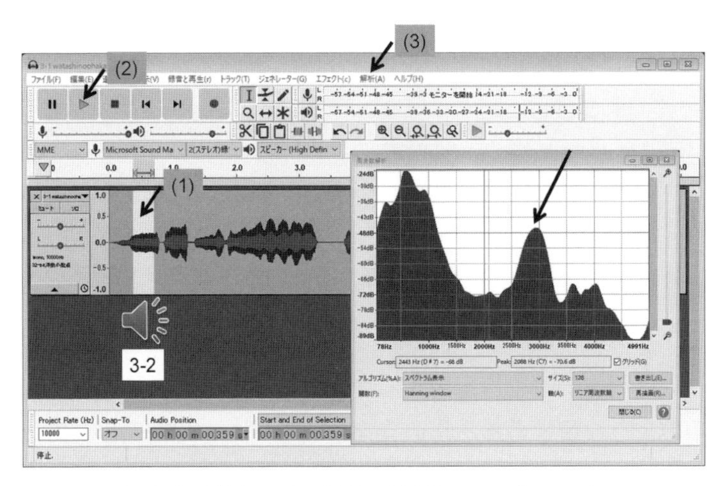

図3-6　歌声/a/の部分の歌手のフォルマント

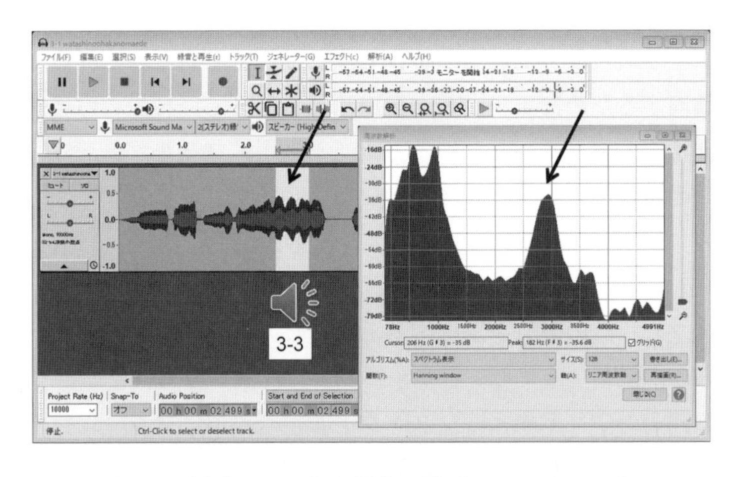

図3-7　歌声/o/の音声部分の歌手のフォルマント

上記専門書に述べられているもの以外に日本でも、歌手のフォルマントが有る場合と無い場合の合成音声を作成して、比較実験が行われた。その結果、3kHz付近にピークが有るときは、音の全周波数帯域の平均エネルギーが同じでも、より遠くまで聞こえることが確かめられた[3]。

通る声のわけ

エネルギーが同じでも、歌手のフォルマントのある声は遠くでも聞こえる。このことから、この現象は、物理的なものではなく、聴感上のものと筆者は考えている。それは以下の理由による。

6章の図6-1に、大きさが同じに聞こえる音を線で結んだ等(とう)ラウドネス曲線を示す。この図で、**3kHz付近**で曲線が下に突き出ている。音圧レベルが等しい基準の(音6-1)と3kHzの(音6-6)を聞き比べてみよう。(音6-6)の方が大きく聞こえる。これは、(音6-6)が等ラウドネス曲線の上方にあるからだ。このことから、この周波数での聴覚の感度が最も良いことが分かる。すなわち、そこに声のエネルギーを集めることが最も効率がいい。小さなエネルギーでも大きく聞こえるはずだ。そのことを示唆する実験結果もある[4]。

歌手のフォルマントは、そこにエネルギーを集めたものだと言える。口の中（口腔）の形を変え歌手のフォルマントを作れば、オペラ歌手のような響きのある声になる。**歌手のフォルマント**を作るには、のどの奥を大きく開け、垂直の円筒形の空間を作ればよいと前述の専門書に書かれている。このようにすれば、第3フォルマントと第4、第5フォルマントが3kHz付近に寄って来て、歌手のフォルマントが形成されるのだ。

このように言っても、なかなか実行できないかも知れない。発声法をことばで説明するのは、口笛・指笛を説明するのと同じで難しいものだ。音声分析装置を使って歌手のフォルマントを確認するのが確実であると、上記の専門書でも述べられている。

女性オペラ歌手の通る声

男声歌手の声については以上の通りだが、女性オペラ歌手の声については別のメカニズムが働いている[5]。女声のソプラノでは、通る声を生成するため第1フォルマントが利用されている。基本周波数が高くなると、第1フォルマント周波数を超える高さになることがある。そのような場合、第1フォルマント周波数を高くして基本周波数成分と同じくらいの高さにする。こうすれば、フォルマントは共鳴であるから、基本周波数成分が強くなり、大きく聞こえるようになる。図2-14のところで述べたように、スペクトル包絡（すなわちフォルマント）と基本周波数は独立に変更することができるので、これが可能である。女声の低音域であるアルトでは男声同様、歌手のフォルマントが活用されているようである。

このあと7章の図7-4に示すように、第1フォルマント周波数を高くするためには、あごを広く開け「あ」のような音色にすればよいはずだ。実際オペラのソプラノ歌手では、高い声は「あ」に近い音色になっている。

♪ コラム 3-1

カエルの声に魅かれる蚊

男性オペラ歌手の歌声には、美しさの基になる歌手のフォルマントがある。7章で述べるように、フォルマントは言語音の知覚においても最も重要な特性だ。

2章では世界的に珍しいカエルの声に引かれる蚊の話を紹介した。そのカエルの鳴き声にも、フォルマントに似たスペクトルのピークがある。

蚊に合成音を聞かせる実験を行った。いろいろな強さとスペクトルを持った音を合成した。それだけではなく、音のリズムも元のものを含めていろいろ変えて音データを作った。音楽的な特性を変えた音を作ったのだ。

合成音声を作成して蚊に聞かせること自体、それこそ世界の誰もやったことのないことだ。合成音声を用いて、蚊の音楽的感性を調べたようなものだ。

その結果、蚊は人間にとっても美しく聞こえる純音に魅かれ、にごって聞こえる雑音には魅かれなかった。これは、科学的にはまだ精確であるとは言えない。だが合成の鳴き声を聞けば、読者はこれがまんざらウソでもないと思うだろう。合成音は(音2-17)、(音2-18)、(音2-19)だ。蚊が多数集まってきた(音2-19)はまるで秋の夜の虫の音(ね)のように魅力的だ。

まるで、音に対する美的感性を蚊が持っているかのようだ。美しい音という感覚は、動物共通のものなのだろうか。だとすれば、この発見はノーベル賞ではないが、イグ・ノーベル賞級の研究成果かも知れない。

和音について　～純音の場合～

合唱や楽器で奏でられる音は、豊かな和音・ハーモニーを持っている。ハーモニーの美しさを体で感じたことがある人もいるかも知れない。ハーモニーがそれほどに心地よく美しく感じられるのはなぜだろうか。

和音(わおん)とは、同時に演奏される、高さの異なる複数の音によって構成される響きのことである。**コード**（chord）ともいう。協和音と不協和音がある。**ハーモニー**（harmony）とは、ある和音や調(ちょう)から次の和音や調へ移行するやり方や相互関係のことである。つまり和音の流れである。日本語では和声という。音がきれいに協和したとき、「ハモった」という言い方もする。

楽器演奏や合唱などでハーモニー・和音を体験したことがある人は多いだろう。そしてきれいにハモったときには、感動のあまり鳥肌が立つという経験をしたことのある人もいるかも知れない。ハーモニーは、これほどに人間の心に訴える力のある美しい音である。

そもそもハーモニーとは音響的にはどのようなものなのだろうか。ハーモニーを理解するためには、まず純音の協和度について理解する必要がある。図 3-8 に**純音の協和度** [6] を示す。

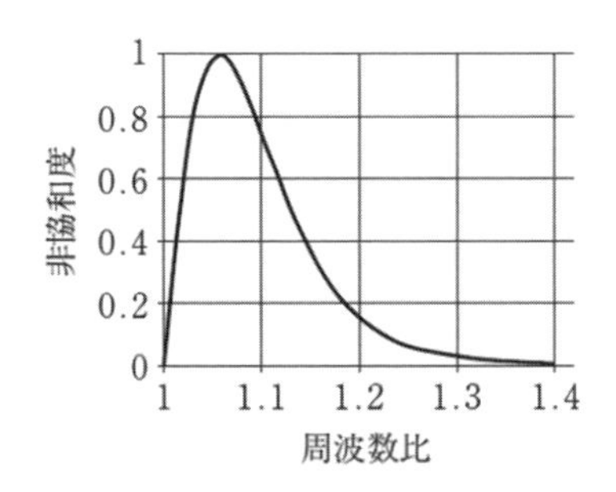

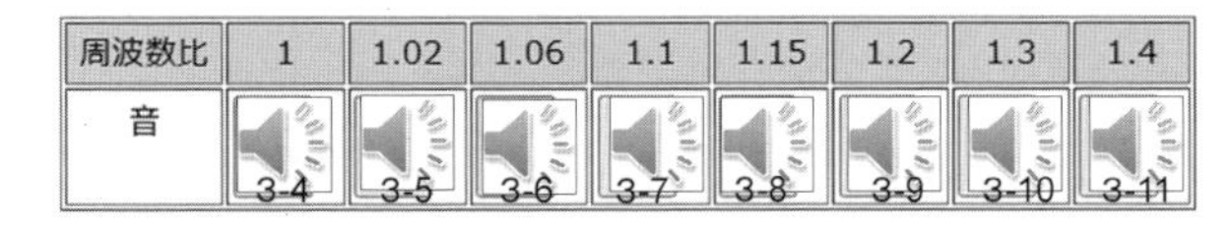

周波数比	1	1.02	1.06	1.1	1.15	1.2	1.3	1.4
音	3-4	3-5	3-6	3-7	3-8	3-9	3-10	3-11

図3-8　純音の協和度

これは、中心周波数を 500Hz とし、異なる周波数の純音を同時に聞かせた実験の結果である。上の図の縦軸は協和度の逆、つまり非協和度（濁った感じ、響き合わない度合い）の大きさである。音を聴いて確認してみよう。まず周波数が同じ 2 つの音の場合、つまり横軸の周波数比が 1 のもの（音 3-4）は最も澄んでいる。非協和度がゼロである。周波数比が 1.06 倍のとき（音 3-6）が最も濁っている。これは 2 つの音が「うなり」になっているからである。1.4 倍（音 3-11）くらいになると非協和度が 0 になる。音を周波数比の低い順に聞くと非協和度の曲線の意味がよく分かる。なお横軸は、正確には音の高さの心理尺度であるメル尺度（後述）で表した周波数比である。

複合音の場合　～スペクトルと協和度～

ここまでは、2つの純音を組み合わせた場合の協和度について述べた。これから楽器や歌声など倍音成分を持つ複合音の場合について説明する。

図3-9にスペクトルの模式図を示す。音データの曲はヴィヴァルディの「春」である。図の上は、基本周波数の比が2：3である2つの複合音を重ねたときのスペクトルである。**複合音の倍音成分**は等間隔に並んでいる。実線はある周波数の音（音3-12）、破線は基本周波数がその3/2のもうひとつの音（音3-13）のスペクトルである。矢印で示すように、実線の3倍音と破線の2倍音が重なっているのが分かる。同様に、基本周波数の比からして、実線の3個ごとに重なりのできることが分かる。

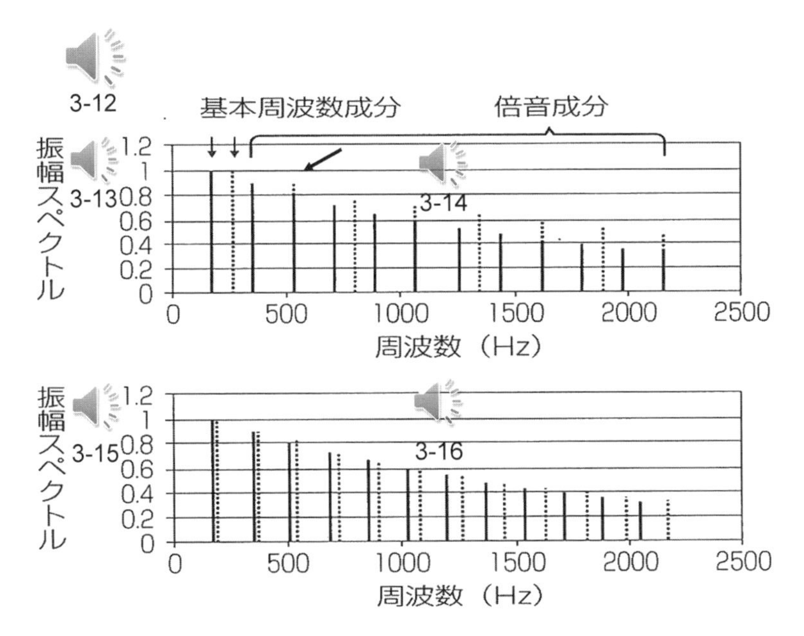

図3-9　2つの複合音が重なった場合のスペクトル。上は2つの音の基本周波数の比が2：3の場合、下は17：18の場合のスペクトル。

純音について説明したように、重なったところでは非協和度がゼロになる。また2つの実線の中間にある破線は1.5倍の周波数であるので、非協和度がゼロである。したがって全体として非協和度がゼロで澄んだ音に聞こえる。

これに対し、下の図は基本周波数の比が17：18である。実線の音は(音3-15)、破線の音は(音3-12)である。したがって、重なりがない。それどころか、多く周波数成分が近接しているので、非協和度が高い濁った音に聞こえるはずだ。

このことは、オーケストラの音を使って確かめることができる。上図のスペクトルの音は(音3-14)、下図の音は(音3-16)である。聞いてみよう。上図の音は**ハーモニー**として聞こえる。これに対し、下図の音は**不協和音**どころか、音合わせができていないもののように聞こえる。上で述べたことの意味が実感できる。

このように、楽器や歌声の協和度は、非協和度（濁った感じ）が低いほど高くなるという直感とは裏返しの性質を持っている[7]ことが分かる。

以上の説明で、倍音成分が等間隔に並んでいることから、基本周波数が「小さな整数」の比の場合に、協和度の高くなることが理解できたと思う。先の例の2：3の比は、同じ音（1：1）と1オクターブ（2倍の周波数）高い音（1：2）を除いた最も小さな整数の比である。

ここまで、2つの複合音が重なってハーモニーができる原理を、最も簡単な例で説明した。音楽では3つの複合音を重ねてハーモニーを作ることも多い。3つ以上の場合についても同様に説明できることが示されている。

音階の作り方

音階とは、音楽に用いられる音を低いものから高いものへの順に主音（音階の第1音）から主音までの間に並べ、音の高さの位置を示したものである。西洋音楽ではドレミファソラシドのことだ。この場合、ドを主音という。どのようにして西洋音楽の音階は作られたのだろうか。その基本的な部分[8]を協和度の考え方で説明する。

上の例では、最も**小さな数の整数比**である2：3の場合を説明した。じつは周波数が2：3の音はドとソなのだ。次に小さな数での整数比は、書き出してみれば分かるように、3：4、そして3：5、4：5である。これらは、それぞれドとファ、ドとラ、ドとミなのだ。

図3-10に、ハ長調のド（音3-17）、ソ（音3-18）、ファ（音3-20）、ラ（音3-22）のスペクトルを示す。図には縦線が引いてある。ドとそれらとの周波数比が、それぞれ2：3、3：4、3：5であることが確認できる。例えば、ドの3番目の縦線とソの2番目の縦線は重なっていて、同じ周波数である。等間隔の3番目と2番目が等しいので、その間隔である基本周波数は、それらの比が2対3になっていることが分かる。図には、ドの基本周波数とソの基本周波数の比（ド：ソ）が2：3であることを矢印（⟷）で示してある。ドよりソが高いことに注意しよう。ファ、ラについても同様である。

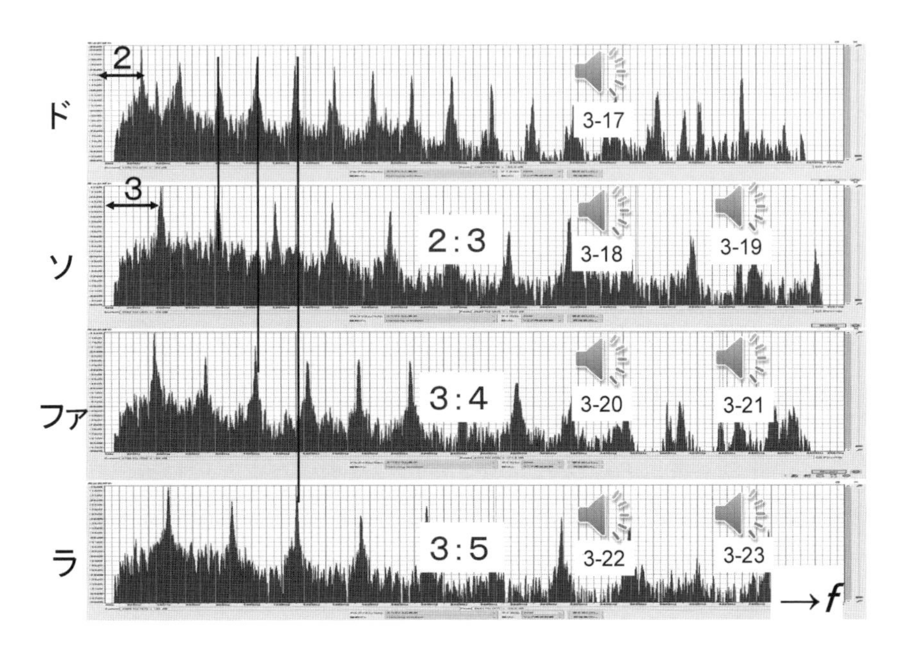

図3-10　音階の作り方

図3-10には、ドと当該音を同時に出した場合の音も示してある（音3-19、音3-21、音3-23）。これらの音を聞いてみよう。協和度の高いことが実感できる。

ここでは、ドとソ、ファ、ラの例を示したが残りのミとレ、シも同様である。このように西洋音階の各音の周波数は、基準音と整数比になるように選ばれているので、基準音との協和度が高い澄んだ関係にある。

世界中の**民族音楽の音階**も、上に示したように澄んで響くように選ばれて作られていると推測される。よって西洋音階とかなり重なるものになる。つまり共通の基礎音階を持っている。人類はみな同じ特性の聴覚を持っているので、**共通の基礎音階**を持っていると考えられる。

コラム 3-2

日本音階は琉球音階と合わせて完全になる

音楽は世界の共通語だと言われる。これは、共通の基礎音階を持っているからだと考えられる。それによって、互いの音楽のよさを理解できるのだ。

私は、小学生のころから沖縄の童歌（わらべうた）を歌っていた。それが三線（さんしん）（沖縄の三弦楽器）だけでなく、西洋ピアノの伴奏でも歌えるのが不思議だった。沖縄の音階は、西洋音階からレとラが抜けている。抜けているだけで、他のものはほぼ同じ[9]なのだ。

琉球音階はド、ミ、ファ、ソ、シ、ドだ（図3-11の(音3-24)）。インドネシアなどの音階と同じだと言われている[10]。琉球音階で作られた曲は特別の趣（おもむき）がある。授業や講演では、私が作曲した曲「むぬぢゅくい」（動画 m3-2、(音3-37)）とそれを琉球音階に作り変えたもの（動画 m3-3、(音3-38)）とを比較して聞かせている。ここにも収録したので、聞くことができる。

琉球音階は特殊なものではない。他の日本音階と合わせて日本音階の体系が完全になる、という説がある[11]。テトラコードと呼ばれるものを基にした理論だ。**テトラコード**とは1オクターブの音階を2つに分けたものである。図3-11の上部に示すように、1オクターブはドからファまでとソからドまでの2つのテトラコードでできている。音階はテトラコードを繰り返したものだ。

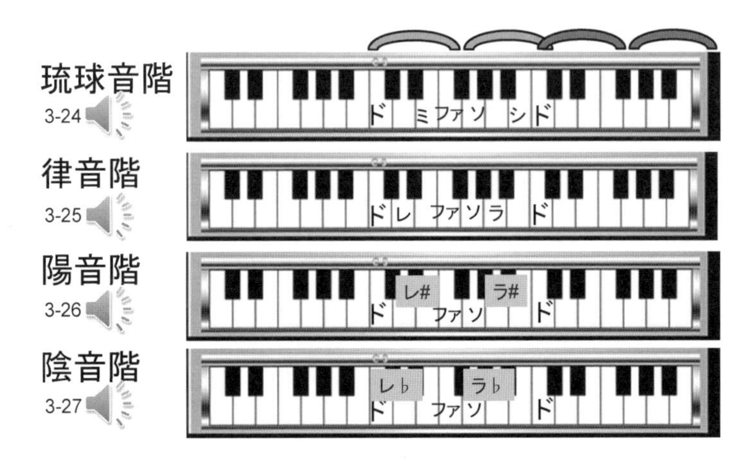

図3-11　琉球音階と日本音階

日本の伝統的な音階はテトラコードの2番目の音がひとつだけであり、その音をどれにするかで音階が決まる。その採り方は半音単位で考えると4つしかない。図3-11のピアノの鍵盤を見ると分かる。2番目の音をミにしたものが**琉球音階**だ。レにしたものは**律音階**だ。ほかにはレ♯とレ♭がある。それぞれ**陽音階（民謡音階）**と**陰音階（都節音階）**になる。

試聴してもらいたい。律音階（音3-25）は、雅楽・声明など中世以前に成立した音楽で多用されている。聞いてみると古い時代が思い浮かべられる。陽音階（音3-26）は、日本の五音音階のうち1オクターブ内に半音をまったく含まないものだ。私には民謡の調べが感じられる。陰音階（音3-27）は、近世邦楽で最も支配的な音階だ。私には純日本的な京都のイメージが浮かんでくる。

琉球音階は、他の日本音階とだいぶ違うように聞こえる。だが、その説によれば、日本の音階体系を補完するために必要不可欠な存在なのだ。

琉球文化と日本文化の一体感を感じさせる理論だ。

言語に関する日本と琉球の一体感については、8章で説明する。

エコーがかかった歌声、心地よいのはなぜか

カラオケで歌うとき、多少エコーをかけたくなる。エコーをかけると歌がうまく聞こえるような気がするからだ。これはどうしてだろうか。**カラオケのエコー**の効果については、スペクトルと音階の考えを利用して説明することができる。

エコー（反響）[12] とは、音波が障壁にあたり、反射して再び耳に達する現象で、こだまのことである。同様の用語で、**残響**[13] がある。これは、音源が振動をやめた後も、室内の壁などへの反射によって、引き続いて聞こえる音である。**残響時間**は、音圧レベルが 60dB 減衰するのに要する時間であり、これが短いほど音の明瞭度が高い。残響は、主としてエコーが何度も起こってできる。

コンサートホールなどでは残響時間が長い方がいいと言われる。**会議室**などでは残響時間が短い方がいい。このことは人工的にエコーを作って確かめることができる。

図 3-12 に示すように、同じ時間遅れ（エコー）のある話し声とオーケストラの音（楽音）をコンピュータで作った。時間遅れは 0.1 秒と 0.2 秒にした。0.2 秒のものは右に置いた。これらの音を原音と聞き比べてみよう。

話し声（(音 3-28)）は、エコーの音が混じっているので聞き取りにくい（(音 3-29)、(音 3-30)）。これは、体育館でスピーカーから流れる話し声などを聞いて知っている人も多いだろう。ところが楽音（(音 3-31)）はまるでエコーが無いかのように調和して聞こえる（(音 3-32)、(音 3-33)）。楽器音の中からエコーを聞き取るのは難かしい。信じられないほどの違いである。これはどうしてだろう。

そのわけは、これまでの議論から、次のように考えられる。オーケストラなどの音楽の音では、音階の音を使っているので、エコーで遅れてやってきた音と現在の音が重なっても濁らないからだ。現在の音とエコーがハーモニーを作っているとも言える。

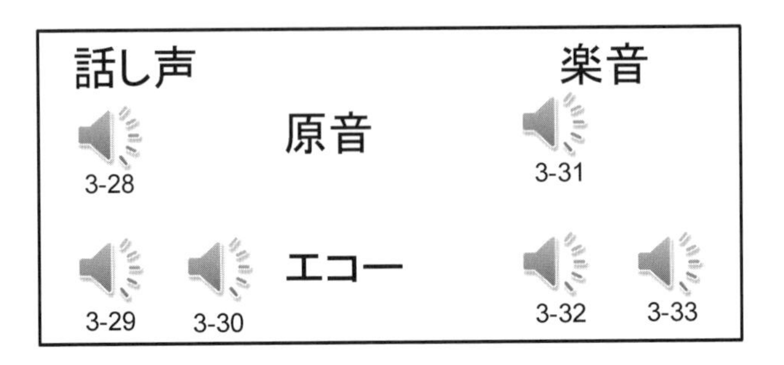

図3-12　同じ時間遅れ（エコー）のある話し声と楽音

音楽家で、元の音とエコーの音が和音になっているのではないかと思っている人はいるかも知れない。だが、音響学的考察をしたうえで、エコーが心地よい理由をこのように説明しているのは他にはないようだ。

上述のエコーの例は、話し声と楽器音での比較である。それでは、歌声ではどうなっているのだろうか。そこで話し声と歌声にエコーをかけた音声、それぞれ(音3-29)(音3-30)と(音3-35)(音3-36)を作成してみた。歌声は前出のものである。

比較実験の様子を図 3-13 に示す。エコーの音が届く時間、つまり遅れ時間は 0.1 秒と 0.2 秒のものを作った。実験場所は、それぞれ沖縄コンベンションセンターのコンサートホールと展示棟を模擬したものである。遅れ時間は反射面までの距離と音速から算出した。音声は、遅れ時間の違いから、それぞれ実際のコンサートホールと展示場で聞いているように感じられる。

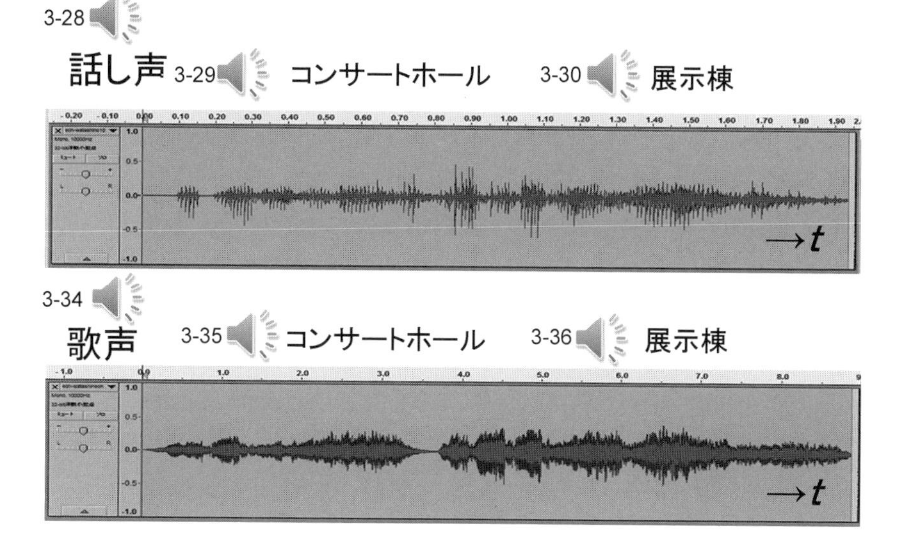

図3-13　話し声と歌声のエコー

歌声の音声（音3-35、音3-36）を聞いてみよう。音3-35は、まるで自分がコンサートホールで歌っているかのように、ホールの広さを感じさせる。展示棟を模擬した音3-36ではさらに広く感じられる。読者にはどのように聞こえるだろうか。

エコーのある話し声と歌声を比較すると、聞いた感じはやはり歌声の方がいい。ただし、歌声では、オーケストラのようにエコーが分からなくなるくらい調和しているとは言えない。これは、楽器音は同じ音色で響いているが、歌声では音素の違いによる音色の変化があるので、元の音とエコーの音が区別できるからと考えられる。

以上のことから、歌声でエコーがあると心地よいと感じられる理由は次のとおりと考えられる。

(1) 音楽では音の高さが音階の音のどれかになっているのでエコー

と重なっても濁らないから。
(2) エコーがあるとコンサートホールにいるように感じられる歌声になるから。

なお、残響については「多くの人が歌っているように聞こえるから」[14]という説もある。

エコーがあっても楽器音ではそれが聞こえないのは、聴取者の音楽的経験によるのかも知れない。コンサートホールでの残響に慣れているからかも知れない。また歌声のエコーでは声の最後が伸びるように感じられるからいい、ということも考えられる。まだ検討すべきことがある。

まとめ

本章では、スペクトルの知識を応用して美しい音について説明した。3章の要点をまとめると以下のとおりである。

①サウンドスペクトログラムは、横軸を時間、縦軸を周波数とし、ある時刻付近の波形に含まれる周波数成分、すなわち振幅スペクトルの強さを白黒の濃淡等で表したものである。(図 3-2)

②男性オペラ歌手の歌声の音色が美しいのは、歌手のフォルマントと呼ばれるスペクトル上のピークがあるからである。歌手のフォルマントは、より遠くまで聞こえる音声の音色の基になる。(図 3-6、図 3-7)

③世界の民族音楽における音階の各音は、基本音に対する協和度の高いものが選ばれていると考えられる。それらは、西洋音階からいくつか選択された音によって構成されている。(図 3-10)

④エコーのかかった歌声が心地よいのは、元の音とエコーの音が、音階上の音であり、お互いの協和度が高いからだと考えられる。つまり元の音とエコー音がハーモニーをなしているからである。

動画 m3-1「美しい音の物理学」は、これまでの 1～3 章をまとめて歌詞にし、筆者が作曲したものである。一休みしながらこれを聞いて復習していただければ幸いである。

Ⅱ 音声科学

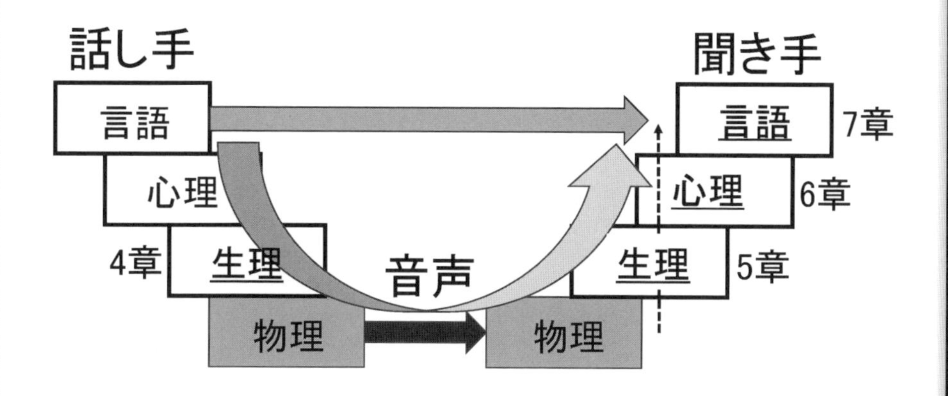

4章

音声生成の仕組み
～気管と食道がつながっている⁉ おかげで～

言語としての音声

古来、日本には言霊（ことだま）という概念があり、発せられたことばには魂が宿っていると考えられた。ことばを発したり念じたりすることにより、人を呪い殺すことさえできると信じられていた。

しかし、はたしてそのようなことは本当だろうか。ことばとしての音を発することができるのは人間だけだから、そう思ったのだろうか。人間だけができるので、発せられたことばには人間の気持ちが宿って出てくると思ったのではないか。

また人間はことばによる命令でほかの人を動かすことができる。それで、物体もことばで動かせると考え、念力などの概念ができたものと思われる。

ところが現在では、言語としての音声は、模型や電子機器など人間以外のものでも作ることができる。これにより、言霊や呪い殺し・念力は否定されたと考えてよいだろう。

本章では、人間が音声を発する生理学的な仕組みを説明し、この仕組みを実証するものとして、声を発する模型（モデル）について説明する。そして現在のコンピュータによる音声合成の基本的な仕組みを述べる。

Ⅱ（音声科学）の扉にある図（p.75）を見てみよう。前章までは、音の物理的側面の話が中心であった。この章では、図の左側の音声生成の生理的側面を取り扱う。

ことばの発声の仕組み

図 4-1 に、音声の生成に関わる人体の器官を示す。肺から送られた空気が気管を通り、**声帯**を振動させ音波としての声が生成される。

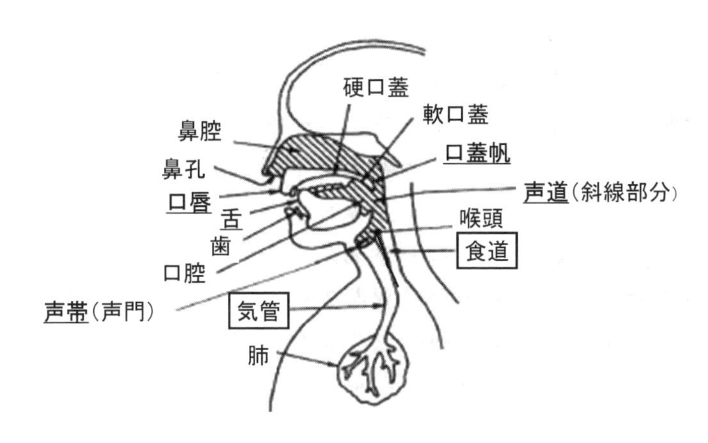

図4-1　音声生成の仕組み [1]

声は、声の通り道である**声道**を通り、口や鼻から体外に放出される。声道には、口唇(こうしん)や舌、口蓋帆(こうがいはん)など、動かすことのできる器官があるので、様々な音色の声を作ることができる。

言語学の一部門である音声学では、呼気（まれに吸気）に対して声道の器官が音を発するために必要な位置をとったり運動したりすることを**調音**という。

コラム 4-1

気管と食道がつながっているおかげで、そして「ことばと命」

気管は本来、鼻と肺との間で空気を行き来させるための器官だ。また

食道は口から胃へ食物を送るためのものだ。ところが、気管と食道は喉頭(こうとう)でつながっていて、肺からの空気が口へ向かう。これは本来の目的と違うのではないか。

だが、このつながりがないと音声言語は存在できないはずだ。鼻だけでは、様々な音色の音声は作ることができないからだ。さらに言語がなかったら、現在の人間の高度な文明もありえない。気管と食道がつながっているおかげで、人類の繁栄がもたらされたと言っても過言ではない。

なぜ、つながっているのだろうか。口から肺へのつながりはとても危険だ。自分の唾液(だえき)で肺炎になることさえある。また、喉頭でうまく食物を飲み込めなくなると死期を考えなければならない。このように命の危険と引き換えに音声言語は存在している。

国家資格である**言語聴覚士**は、言語訓練を行うことが専門の医療従事者だ。上に述べたように、喉頭の制御は生命に関わるほど重要だ。それで、患者の**飲み込み訓練**も言語聴覚士の重要な職務になっている。

現代の高齢化した社会では、むしろ飲み込み訓練が言語聴覚士の主たる業務となってきているようだ。私の母が入院したとき、飲み込み訓練をしたのは、私が音声科学を教えていた言語聴覚士専修学校の卒業生だった。言語聴覚士の合ことばは、「ことばと命（話す、聞く、食べる）」だ。

音素と音声、音節とモーラ

1章の「**音声**とは？」で述べた国語辞典にある「音声」の解説「(2)【言】言語学で、音韻と区別していう個々の発音」についてここで説明する。これは、英語を学習したときに見たことのある発音記号に関することである。

音声そのものを扱う言語学の分野である**音声学**[2]では、言語音の最小単位を「**音声**」といい、角かっこ（[　]）で囲って表す。例えば [a]、[i]、

[u]、[okinawa] などで、音声記号は**発音記号**とも呼ばれる。

また、ある言語における言語音の種類を扱う分野である**音韻論**[3]では、意味の相違を表す最小の音の単位を**音素**[4]（**音韻**とも）といい、スラッシュ（/ /）で囲んで表す。例えば、/a/、/i/、/u/、/okinawa/などである。ひとつの言語において、ある単語のひとつの「音声」が入れ替わると別の意味を持つ単語になるとき、その「音声」の音素が存在するという。音素は、それぞれの言語で、言語を構成する音の最小単位である。

ひとつの音素が複数の音声からなる場合もある。後でその例を示す。

音節とは、ふつう核となる母音があり、その前後に子音を伴うまとまりとして発音される最小の単位である。日本語では、子音は母音の前にだけあり、おおむね五十音表にある仮名文字の音のことである。

モーラとは、拍のことで、俳句などで仮名文字の数を数えるときの単位である。音節と同じような意味であるが、日本語では、母音の長音の伸びた部分（長音「ー」）と、促音「っ」、撥音（はつおん）「ん」も1モーラである。

音声の基になる音源

上述の音声生成の仕組みでは、声帯（声門）で作られる声帯音源について述べた。音声の基になる**音源**[5]には、ほかに摩擦（まさつ）性乱流音源と破裂（はれつ）性音源がある。

音源の種類を整理して以下に示す。

(1) 声門音源（**有声音源**；声門体積流音源）：声帯の周期的振動によるもの。
(2) **摩擦性**乱流音源：声門や声道の途中の狭い部分で呼気流が勢いよく通ることにより生じる。
(3) **破裂性**音源：声道の閉鎖による口の中（口腔（こうくう）内）の圧の上昇と閉鎖の開放により生じる。

言語で使用される音の単位である音素の音色は、音源と調音位置によって決まる。**調音位置**とは、声道中の調音の行われる場所である。

日本語子音の分類　～日本語の「ん」の音は 3 種類～

図 4-2 に、日本語の子音の分類を示す。子音は、**調音位置**と音源の**調音様式**によって分類できる。**調音様式**については、前節の「音声の基になる音源」に詳しく書かれている。なお、半母音と鼻音(びおん)は（1）有声音源によるものであり、破擦音は（2）摩擦音と（3）破裂音が同時に起こるものである。調音位置は、図 4-1 と対応が取りやすいように並べている。**有声・無声**は、声帯振動が有るか無いかを表している。有声子音と無声子音を区別するための物理的要因についてはこのあと述べる。

調音様式 ＼ 調音位置・音源	口唇		歯、歯茎		口蓋		声門
	有声	無声	有声	無声	有声	無声	無声
摩擦音		f	z	s	ʒ	**ʃ**	h
破擦音			dz	ts	dʒ	**tʃ**	
破裂音	b	p	**d**	**t**	g	k	**ʔ**
半母音	w		r		j		
鼻音	**m**		**n**		**ŋ**		

図4-2　日本語の子音の分類 [6]

図にある /ʔ/ は、琉球語だけに存在する世界的にも珍しい**声門破裂音**という音素である。その分析結果については 7 章で述べる。

[b]、[d]、[g] は調音位置だけが異なる破裂音である。11 章で、音の錯覚であるマガーク効果の説明の中にも出てくる。マガーク効果は、顔を

見ている場合と見ていない場合で、同じ音声が異なって聞こえる錯覚である。

鼻音とは、口ではなく鼻に抜ける音である。**鼻母音**(びぼいん)は、口と鼻から抜ける母音である。

日本語の**撥音「ん」**（/N/ と表すことにする）は少々変わった音素である。普段は気づかないが、3 つの鼻音の音声［m］、［n］、［ŋ］からできている。例えば、「千原（せんばる、/seNbaru/）」は［sembaru］、「神田（かんだ、/kaNda/）」は［kanda］、「民家（みんか、/miNka/）」は［miŋka］である。音素 /N/ の場所がそれぞれ、［m］、［n］、［ŋ］になっていることが分かる。

［m］、［n］、［ŋ］のうちどの音声になるのかということについては法則性がある [7]。/N/ の後ろにある子音と同じ調音位置になっているのだ。例えば、/seNbaru/ について考えてみよう。/N/ の後ろの子音である［b］と同じ調音位置（口唇）の鼻音は［m］である。それで /seNbaru/ の /N/ は［m］となる。図 4-2 で、/kaNda/ と /miNka/ についても自分で確認できる。

このようになっている理由はこの方が発音しやすいからである。試しに［senbaru］、［kamda］と発音してみるとよい。その前に調音位置に注意しながら［na］、［ma］と発音し子音の練習をしておくことだ。ずいぶん発音しにくいことに気づくだろう。

逆説的と思われるかも知れないが、/N/ の場合のように「異なるものを**同じとみなす**こと」は人間の重要な知的能力である。これについては 7 章と 10 章、11 章で、さらにとりあげる。これは言語が存在するための人間の基本的な能力である。また数学が存在するための基本的な原理 [8] であるとも言われている。

音声の波形分析

私たちは普段、単語や文として発声された音声を聞いている。しかし、そのような連続音声の中にある音節や音素は聞いたことがないだろう。それらの音声は実際どのようになっているのだろうか。ここでは、連続音声中の音声の波形を観察し、音を聞いてみよう。

図 4-3 に「**かみしばい**」([kamiʃibai])の音声波形とサウンドスペクトログラムを示す(音4-1)~(音4-6)。横軸は時間である。音声の重要な情報は、0~5kHz の周波数成分にあると考えられているので、電話機ではこの周波数帯域を扱うように設計されていた。ディジタル化における標本化周波数も 10kHz が多かった。この基本に従って、ここでも標本化周波数は 10kHz とした。したがってスペクトルはその半分の 5kHz まで表示されている。スペクトル分析におけるフレーム長は 51.2ms(ミリ秒)とした。これは、音声の時間変化をとらえる目的のためには標準的な長さである。

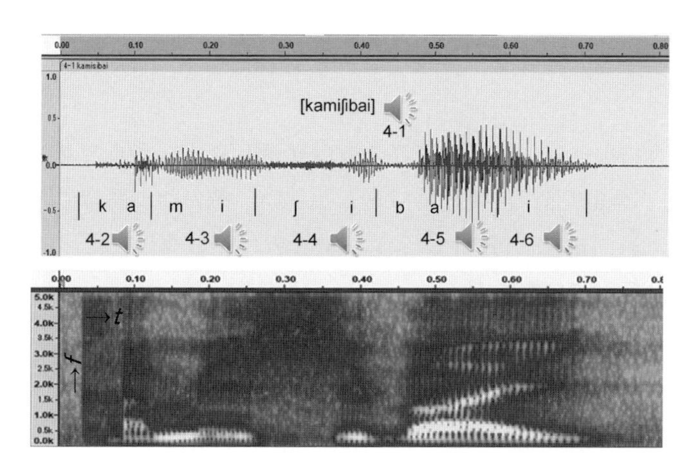

図4-3　[kamiʃibai] の音声波形とサウンドスペクトログラム

この図の音声には、図 4-2 の日本語の子音の分類のうちから、摩擦音 [ʃ]、破裂音 [k]、[b]、鼻音 [m] が入っている。また母音としては [a]、[i] がある。音声は、モーラ単位でも音素単位(子音、母音)でも聞くことができるようにしてある。例えば、(音4-3)の音声は、モーラとしての

「4-3 mi」、音素としての「4-3 m」と「4-3 i」の 3 種類の音声データを準備してある。聴き比べるとよい。

五十音表の音（モーラ）が連続音声の中でどのような音になっているのかを聞き取ってもらいたい。特に、[a] は 2 個、[i] は 3 個あるので、同じ母音でも前後の音素によってどれくらい異なっているかを確認してほしい。

この上図の波形にはモーラの境界が縦線で示されている。モーラの境界は必ずしも明確ではないが、音を切り出して聞きながら決定した。図から分かるように日本語では各**モーラの長さ**はほぼ等しい。ただし子音の長さは子音ごとに大きく異なるので、そのぶん母音部の長さが調整されてモーラ長が等しくなっている。

音声の振幅は、母音 [a] [i] [i] [a] [i] では大きく、無声音 [k] [ʃ] では小さい。無音部の振幅は、ほぼゼロである。有声音 [a] [m] [i] では波形の周期性がよく分かる。無声音は雑音のように非周期的である。

図 4-3 下図のサウンドスペクトログラムから分かることは、まず、**フォルマント周波数**が母音で明確に現れていることだ。第 1 フォルマント周波数と第 2 フォルマント周波数が、5 母音の中では [a] で最も近く、[i] で最も離れている。このことは語尾の [ai] のスペクトルを観察すれば分かる。また、[ʃ] の周波数成分は 3kHz 以上の高域で強いことが特徴的である。これらの知識と情報だけで日本語の単語の仮名文字列は、スペクトルから特定できることが多い。

有声子音と無声子音

図 4-2 では、多くの子音が有声音か無声音に分類されている。有声子音と無声子音の違いは、どのような物理的要因によって起こるのだろうか。まずは、有声音と無声音の定義を国語辞典[9]で調べておこう。それは以下のようになっている。

《有声音》

【言】(voiced sound) 声帯の振動を伴って発せられる音。母音・鼻音・半母音および [b] [d] [g] [v] [z] など。↔無声音

《無声音》

【言】(voiceless sound; unvoiced sound) 声帯の振動を伴わずに発せられる音。[p] [t] [k] [f] [s] など。↔有声音。

有声か無声かは、声帯振動の有り無しで区別される。声帯振動は、のどに指を当てると分かる。しかし子音は短時間で発声されるので、指で触れただけではその違いが分かりにくい。また普段は、のどの振動を確認しなくても聞いただけで有声音と無声音の違いが分かる。どのようにして人間はそれらの違いを聞き分けているのだろうか。

ここでは、破裂音 (図 4-2 参照) がどのような音響特性によって有声音として、または無声音として聞き分けられるのかを説明する。

有声開始時間 (Voice Onset Time; **VOT**)[10] とは、破裂子音で始まる音節の破裂時点から母音の振動開始までの継続時間である。その例として、図 4-4 に /pa/ と /ba/ の VOT、図 4-5 に /ti/ と /di/ の VOT を示す。横軸は時間であり、対応する無声音と有声音では時間軸をそろえてある。また VOT の長さの違いが分かりやすいように母音の振動開始時刻をそろえてある。

図 4-4 から分かるように、VOT は、無声子音の音節 /pa/ ((音 4-7)) では 40ms (ミリ秒)、有声子音の音節 /ba/ ((音 4-8)) では 20ms である。すなわち無声音では長く、有声音では短い。のどに指を当てて発声してみても、この違いは分からない。また /pa/ の VOT を短くしたものを白く塗った部分で示してある。この部分の(音 4-7a) を聞いてみよう。すると、有声音の /ba/ に聞こえる。/pa/ と交互に聞き比べるとよい。

図 4-5 では、VOT は無声子音の音節 /ti/ ((音 4-9)) で 80ms、有声子音の音節 /di/ ((音 4-10)) で 30ms であり、こちらも無声音の方が長い。

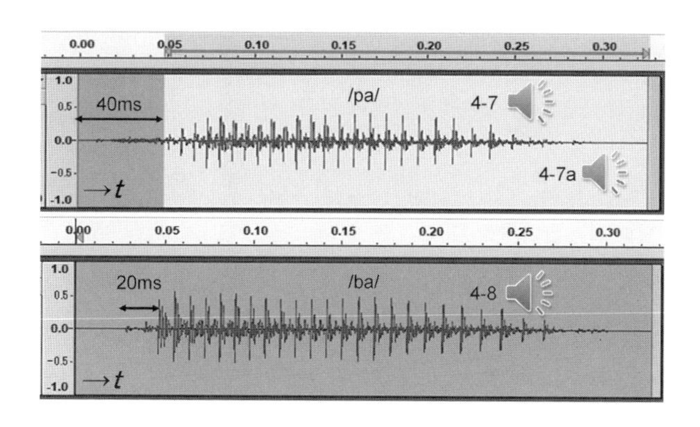

図4-4　/pa/と/ba/のVOT

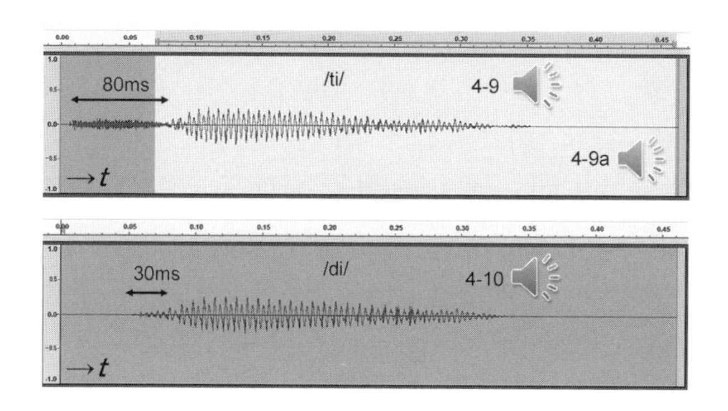

図4-5　/ti/と/di/のVOT

また無声子音の音節 /ti/ の VOT を短くした(音4-9a)を聞いてみると、有声子音の音節 /di/ に聞こえる。

このように、VOT の違いによって、有声破裂子音に聞こえるか無声破裂子音に聞こえるかが決まる。VOT は、無声子音で長く、有声子音では短い。有声子音の VOT はゼロやマイナスになることもある。無声破裂子音の長さを短くすると有声破裂子音に聞こえることから、調音位置が同じである有声破裂音と無声破裂音は、VOT を除いて音響性質もよく似ていることが分かる。

摩擦音、破擦音、破裂音

摩擦音、破擦(はさつ)音、破裂音の物理的要因を一気に知ることができる不思議な例をここで紹介しよう。日本語の子音の分類（図 4-2）をもう一度見てみよう。この中で、破裂音のところを横に見ていくと調音位置が同じもので有声音と無声音のペアがある。これらのペアの間で有声音と無声音の違いとして感じられるのは、上述のように VOT の違いによるということが分かった。

図 4-2 の縦軸は調音様式の違いを表している。それでは、調音様式が異なると子音音素の特徴はどのように変わるのだろうか。子音の長さだけで音素が変化する興味深い例を示す。この例は、「シーサー」（/siisaa/、沖縄の屋根獅子のこと）という単語にも現れる［ʃi］（シ）の音であり、図 4-6 の(音 4-11)～(音 4-15)に示す。

それぞれ聞いてみよう。最初の(音 4-11)は［ʃi］（シ）である。これの子音部を半分にした音を、(音 4-12)に示す。選択部を白く塗った部分で示している。これを聞いてみると［tʃi］（チ）に聞こえる。子音部をさらに短くし半分にした(音 4-13)は［ti］（ティ）と聞こえる。さらに短くした(音 4-14)では、上の破裂音で考察したように［di］（ディ）となる。さらに短くして子音部がなくなった(音 4-15)は、［i］（イ）に聞こえる。ただし、これらの音は微妙なので、このように再生できないパソコン等もある。また、文字を見ながら聴くと、見えたとおりに聞こえるようになる。

図 4-2 の「日本語の子音の分類」を見ると、これら［ʃ］［tʃ］［t］［d］は、調音位置がほぼ同じで、調音様式が異なることが分かる。調音様式の違いによって母音開始までの時間が違う。母音開始までの時間の違いで有声音と無声音の違いが現れることは、前節で述べた。ここでは、**摩擦子音**、**破擦子音**、**破裂子音**の違いもこの長さにあるということが分かった。しかも**破擦音［tʃ］の長さ**が、破裂音［t］と摩擦音［ʃ］の中間であるというのは興味深い。破擦音は破裂音と摩擦音が同時に発声されたものだからだ。

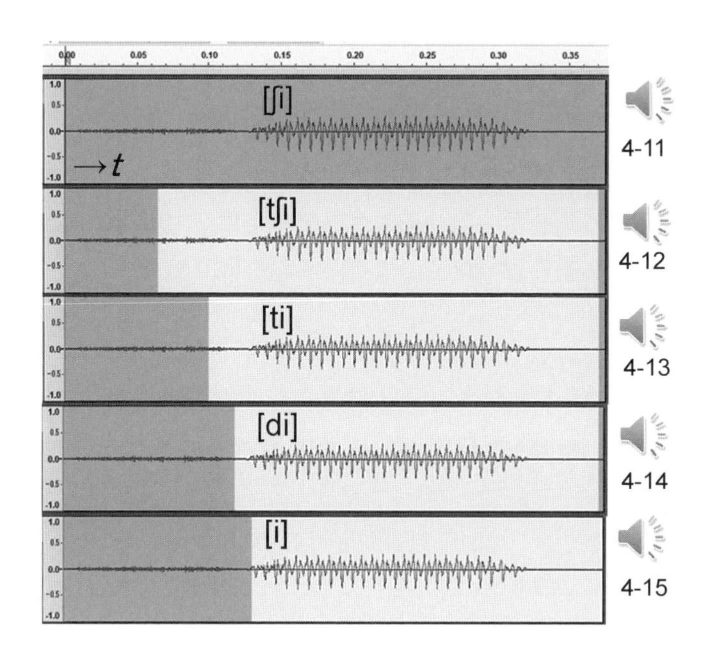

図4-6　摩擦音、破擦音、破裂音

なお、子音の開始時点が破裂性の音に聞こえるのは、これらの実験音では、音声の始まりにおいて無音から急激に音が始まるからである。

モデル構成的研究法

本書ではモデルということばがよく出てくる。科学の分野で**モデル**[11]とは模型のことを指している。特に、実際の対象がそもそも最初から分かっていないとき、それはかくあるであろうと理論的に想像して構成されたモデルを構成モデルという。太陽系のモデル、原子模型などは、この種のモデルである。

モデルを作って研究を進めることは古くから行われてきた。これを**モデル構成的研究法**という。特に、コンピュータが使用されるようになって、モデルをコンピュータ上で動作させることが容易になった。これを**シミュレーション**という。ある機能が本物と同じになるように作ったものは**同型モデル**と呼ばれる。本書ではこれを**機能的モデル**とも呼ぶ。

人間の正常な脳を直接扱うことは、研究のためであっても倫理上許されない。このような場合に、脳の働きのモデルを作って実行することは、有効な方法である。最終章ではこのような話題を取り扱う。

コラム 4-2

人類は ASIMO ができるまで歩き方を知らなかった

本田技研工業は、1996年に世界初の自律二足歩行人型ロボットP2を公開し、2000年にロボットASIMO（アシモ）を発表した[12]。それまで、多くのロボット研究者が二足歩行ロボットの開発をめざしていた。だが、だれも成功していなかった。

少々変わった表現になるが、**ASIMO**はヒトが二足歩行できることを実証したのだ。ヒトはふつう二足歩行ができる。だが、その人は、どうすればそれができるのかを説明できるだろうか。私は、脳性麻痺の子供の歩行訓練をとおして、それがいかに困難かを実感している。ASIMOが出現する以前には、説明できる者はだれもいなかった。だが、本田技研の研究者はできたのだ。ロボットに教えることができたからこそ作ることができたはずだ。

実際に作ってみせて証明する。これがモデル構成的研究の典型例だ。このような意味で、一般に当たり前と思っていることでも解明されていないことは多いのではないだろうか。読者も考えてみてはどうだろうか。

私は、琉球語の研究においてこのような立場で研究をしてきた[13]。琉球語に存在するとされている法則性を、それを実行することによって確かめる。本書では7章と8章でその一部をとりあげる。

多くの人は言語を獲得している。だが、どのようにすれば言語を獲得することができるのかを説明できる人はいないはずだ。なぜなら人間の赤ん坊と同様に、ロボットにゼロから言語を獲得させることに成功した人はいないからだ。

どうすれば言語を獲得することができるのだろうか。人類はまだ知らない。これは最終章での話題だ。

あごの開き・舌の位置と母音音声

世界の言語で使われている母音の種類を図 4-7 に示す。母音は、**あごの開き**と**調音位置**を指定した配置図で表すことができる。例えば /a/ は、あごを広く開き、舌の調音位置すなわち声道の中で狭くなったところを、後ろ側すなわち声帯側にして発声されることを示している。ただしこれは、言語学的な概念図であり、物理的な相互距離が正確にこのようになってい

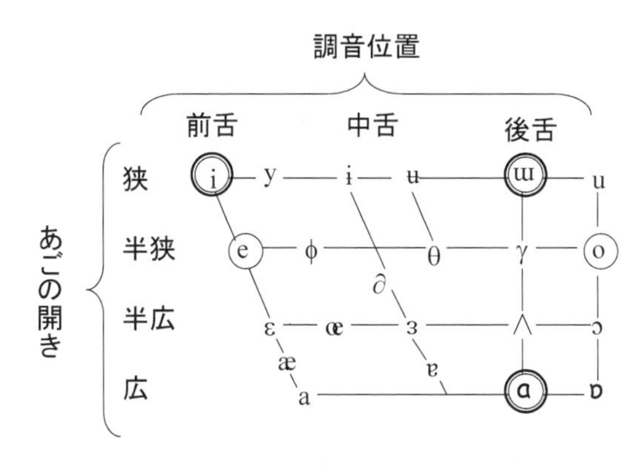

図4-7　母音の配置[14]

るというわけではない。

標準的な**日本語**で用いられる母音 /ɑ/、/i/、/u/、/e/、/o/ を○で示す。**琉球語**（沖縄方言）の母音を◎で示す。琉球語の母音は /ɑ/、/i/、/u/ の3つだけである。標準日本語の /e/ は、琉球語では /i/ に、/o/ は /u/ になっている。このことは8章の「テキスト解析部　～琉球語の翻訳～」でまたとりあげる。

♪ コラム 4-3

琉球人とアラブ人は兄弟か？

琉球語の母音が3つだけだと大学の授業で話したら、アラブ人の学生が**アラビア語**も3母音だと教えてくれた。しかも母音は同じ/ɑ, i, u/とのこと。

驚いた。大発見をしたと思った。アラブ人と琉球人は近い関係なのか。むかし、琉球人は遠く東南アジアへ航海し交易していたと歴史書には書かれている。アラビアとも交易があったのだろうか。人種の交流もあったのだろうか。そういえば沖縄にはアラブ人のような風貌をした人もいる。

いやいや似ているのは母音だけだ。**図4-7**を見れば分かるとおり、母音を3つだけ選び言語を作るとすれば、最も遠くにある/ɑ/、/i/、/u/を選ぶだろう。そのほうが区別しやすいからだ。

世界中の人類は、口の中（口腔）の構造が同じだから、どの民族の言語でもそのような選択をするだろう。また、多くの母音を持つ言語でも、この3つだけは共通に持っている。

人類みな兄弟とよく言うが、琉球人とアラブ人だけでなく、人類は、みな同じ構造の口（口腔）を持つホモ・サピエンスという兄弟なのだ。

♪ コラム 4-4

世界最大の科学博物館に展示された音声

ドイツ博物館は、ミュンヘンにある世界最大の科学技術の博物館だ。ここでは、近代以降の科学技術の発明や発見の歴史を見ることができる。ミュンヘンで行われた国際音響音声信号処理学会に参加したとき、博物館を一まわりすることができた。

自動車や飛行機、原子力に関する展示などがあった。専門の音声に関するものがないか探していたら、**図4-8**のようなものが展示されていた。**動画 m4-1**（1分45秒）を観てもらいたい。これは声道を模したガラス管を通して音が出るようにしたものだ。

右側にある空気入れのようなもので、空気を送ると声帯振動のような音が**ガラス管**を抜け、母音のような音が出る。ガラス管を切り替えると、音が変わり［a］、［e］、［i］、［o］、［u］の音が出るのだ。

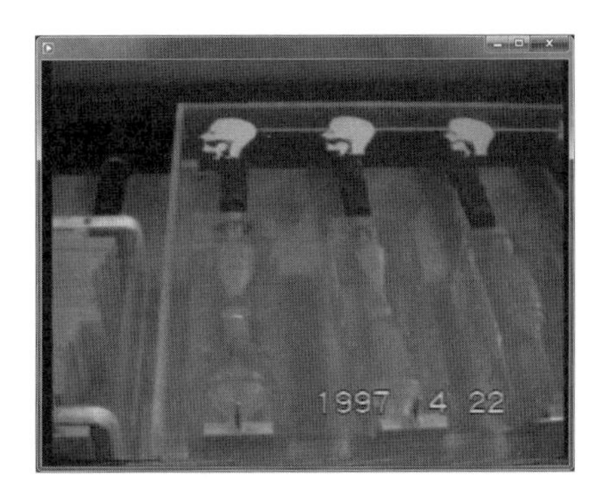

図4-8　ミュンヘンの世界最大の科学博物館で（動画 m4-1 は著者が訪問したときに撮影したもの）

これは何語の母音だろうと考えた。英語ではなさそうだ。英語のクラスで学習した、［e］と［a］の間のような母音［æ］や、どの母音とも言えないあいまい母音［ə］がないからだ。またドイツ語にあるウムラウトの母音（ä, ö, ü）が含まれていないので、ドイツ語でもない。音声の研究では神様のように言われている有名なファントは、ドイツに近いスウェーデンの人なので、これはスウェーデン語なのだろうか。

日本に帰って調べてみたら、なんと日本人が研究したものだった。したがって、これは日本語の母音だったのだ。千葉勉と梶山正登が太平洋戦争の開戦直後に英語で発表した研究論文があり、それを基にして作った模型だった。音声研究において歴史に残る重要な研究をしたのは日本人だったのだ。

母音生成の音響理論

図 4-9 に声道共鳴器の模式図を示す。これは、上記の千葉・梶山の論文[16]に出ている図である。現代の音声の科学的研究の始まりを告げる図である。**声道断面積関数**とは、声門（声帯）から始まり唇へ至る声道の、その位置における断面積を表したものである。千葉らは、母音を発声して、そのエックス線写真を撮り、声道の断面積を計測した。

図の左側に声道断面積が描かれている。また右側には、面積が声道断面積と同じになる円の半径が示されている。ドイツ博物館にあったガラス管は半径がこれと同じなのだ。千葉らは、粘土でこの管を作って母音の研究をした。この研究によって、声道断面積とフォルマント周波数の関係を導き出し[17]、現代の**音声科学の基礎**を築いた。

フォルマントは声道での共鳴

声道は、図 4-1 に示したとおり声帯（声門）から口唇や鼻腔までの声の通り道である。声道の形をいろいろに変えることにより、様々な音色の言語音を作ることができる。母音の音色は口の中（口腔）における共鳴により作られる。

フォルマントは、音声生成の観点からは、声道における**共鳴**現象である[18]。2 章で述べたようにスペクトルではピークとして現れる。周波数の

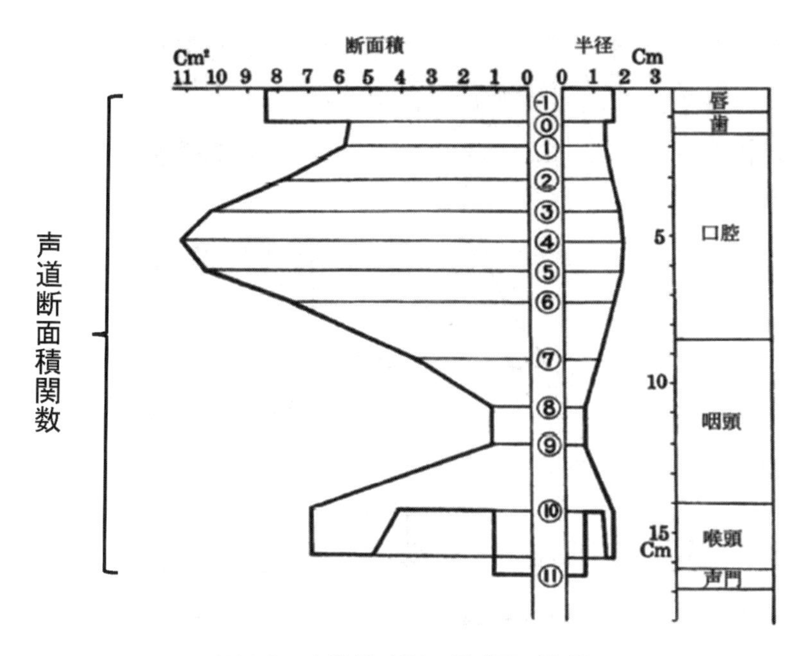

図4-9　声道共鳴器の模式図（[a]）

低いほうから**第1フォルマント**、**第2フォルマント**、…などと呼ばれる。前述の歌手のフォルマントは、オペラ歌手が作り出す響きのある共鳴である。

線形予測法（**LPC法**）[19]では、ある時点から前の信号の標本値から、その時点の標本値を線形モデルによって予測するという形で音声を分析する。この線形予測の考え方を利用して、信号のスペクトルを**全極型フィルタ**によってモデル化し、モデルの係数を推定する[20]。

ここでの**極**とは、システムを表す関数の値が無限大になるところである。共鳴のようなものであり、声道を表す関数では母音音声のフォルマントに対応する。**全極型フィルタ**とは、フィルタの特性がいくつかの極だけで表されているということである。

LPC法により母音のスペクトル包絡を求めると、スペクトルのピークすなわちフォルマントがはっきりと現れる。

LPC法の中で計算される係数（偏自己相関係数）は、声道断面積関数と密接な関係にある。音声から偏自己相関係数を求め、それから声道断面積関数を計算することができる。音声からその基になる声道断面積関数を求めることができるのだ。

このように、LPC法は母音の特徴をよくモデル化した優れた音声分析法である。音声情報処理の研究の中では、ノーベル賞級の最高の発明と言える。これは日本で発明され発展した。

ただし、LPC法は全極型のため子音に対する分析性能が十分でないので、本書ではその利用をさけ、フーリエ変換によるスペクトル分析を主として述べる。

♪ コラム 4-5

中学生が作った声道共鳴模型

いろいろな音声生成の実体模型がある。ここでは私が製作指導した安価な模型を紹介しよう。

中学生が夏休みの自由研究として作った声道模型を図4-10に示す[21]。断面が1cm×1cmの透明な直方体の棒をスライドさせて声道断面積関数を作ることができる。これは、[a]の声道断面積関数になるように調整したものだ。図4-9の左側と同じであることが分かる。

肺に相当するところは、浮き輪の空気入れポンプで作った。声帯に相当するところは、おもちゃの笛の振動部を利用した。どちらも100円ショップで手に入れた。模型の声帯に相当するところに、振動部を付け、ポンプで空気を送ると、反対側から“声”が出る。

この模型による音を以下に示すので、聞いてみよう。声道模型の外で鳴らせたもの：(音4-21)、[a]：(音4-22)、[i]：(音4-23)、[u]：(音4-24)、[e]：(音4-25)、[o]：(音4-26)である。まるで赤ん坊の声だ。夏休みの研究では、5つの母音を作り、録音して、3名で聞き取り実験をした。その結果、正解率は約75%だった。

大学の授業時間に、この模型で簡単な聞き取り実験をした。声道断面積関数は、[i] と [u] を用意した。声道模型の外で鳴らせた音を/a/とすることにし、声道模型を通過した音は/a/、/i/、/u/、/e/、/o/の、どちらかといえばどれに聞こえるかと質問した。その結果は以下のとおりだった。

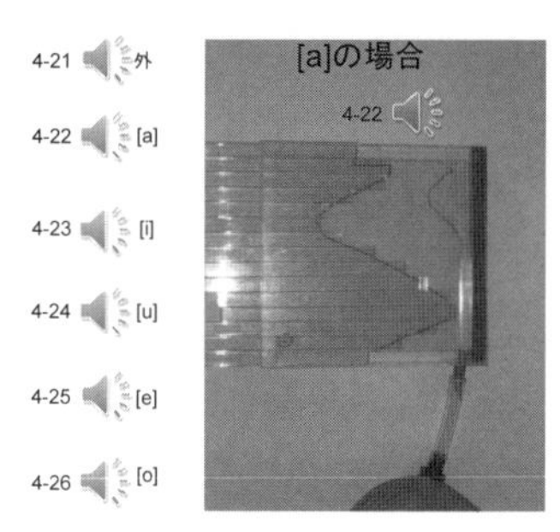

図4-10　中学生が作った声道模型([a]の場合)

模型	回答	/a/	/i/	/u/	/e/	/o/
[i]		5	8	2	3	0
[u]		0	0	11	3	4

[i] の多くは/i/と判断され、[u] の多くは/u/と判断されている。この結果は、聞いた印象よりも正解率が高いようだ。2章で述べた「う」と聞こえる音、「い」と聞こえる音もかなりあいまいであったが、大まかな傾向は一致していた。言語としての音声に対する人間の能力はかなり鋭いということを示している。

音源フィルタ・モデルによる音声合成

現在、人工音声は電子回路やコンピュータプログラムで作られる。これらはどのようなモデルや仕組みで作られているのだろうか。図 4-11 に示すように、現在は音声の生成を音源とフィルタでモデル化することが広く行われている。これを音源フィルタ・モデル [22] という。これは音響的なことを電気回路でモデル化した同型モデルである。

音源となる声帯振動波の高さは、声帯を調節して変化させることができる。音の高さの時間パターンを変えると単語のアクセントができる。声帯振動波は有声音となり、声帯振動の無い声は無声音となる。調音作用によってできる様々な音色の音のスペクトルは、**フィルタ**で作ることができる。

音源フィルタ・モデルのモデル化の方法を図4-12に示す。図の上部は、音源フィルタ・モデルの概要を示している。音声波形の生成のためには、音源の波形を生成してそれを調音作用のモデルに送る。

図の下半分に示すように、有声音の音源である**声帯振動波**は**パルス**（短時間で急峻(きゅうしゅん)な変化をする信号）でモデル化する。パルス音源の音の大きさは、パルスの振幅*A*vで制御する。つまり、*A*vを大きくすると大きい声に、小さくすると小さい声になる。またパルスの周期 *T* を変えることにより音声の高さを変えることができる。*T* が長いと低い音、短いと高い音になる。無声音の音源である乱流音源や破裂性音源は**雑音**でモデル化する。

調音作用は、フィルタでモデル化する。**フィルタ**とは、ろ紙のようなも

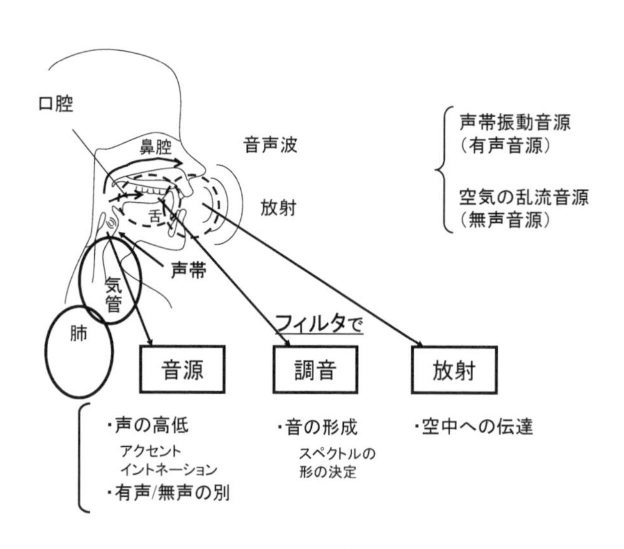

図4-11　人間の発声の仕組みと音声合成

ので、コーヒー・フィルタや掃除機のフィルタ、エアコンのフィルタのように、ある成分は通し、ある成分は通さないものである。ある周波数成分を通し他の周波数成分は通さないような音声用のフィルタを、電子回路またプログラムで作る。フォルマントは、通しやすい周波数成分を表している。これは、ふつう全極モデルと呼ばれる共振型のフィルタ特性を持つ回路またはプログラムで作られる。

ケプストラム法による音声合成

本書によく出てくるケプストラム法による音声合成方法について説明する。これは、音源フィルタ・モデルのひとつであり、次節で述べる音声合成スペクトルエディタ「HISAI（ハイサイ）システム」や8章の音声合成システムでも使用されている。図4-13に、**ケプストラム法**による音声合成方法を示す。

図の下の方に制御情報が示されている。音源のモデルの仕組みは、図4-12と同様である。基本周波数の情報に従ってパルスの周期が制御される。

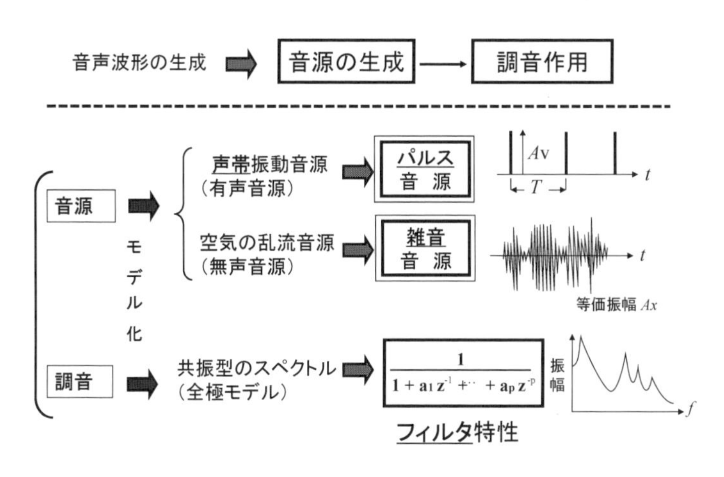

図4-12　音源フィルタ・モデルのモデル化の方法

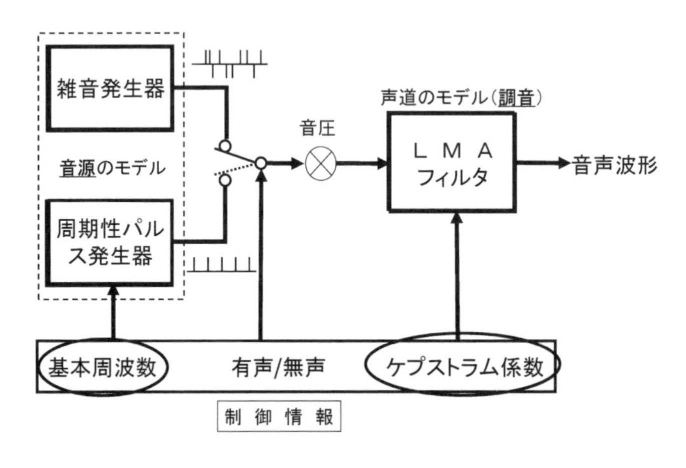

図4-13　ケプストラム法による音声合成方法

有声／無声の制御情報に従って音源が切り替えられる。音源信号は一定のRMS（実効値）で出力され、音圧情報に従って増幅される。音圧情報は、ケプストラム係数とともに送られてくる。**ケプストラム**（cepstrum）は、信号波形のパワースペクトルの対数のフーリエ変換として定義されている[23]。その値は**ケプストラム係数**ともいう。**パワースペクトル**は、振幅スペクトルの値を2乗したものである。

調音のモデルのフィルタとして、今井聖氏らが発明した**LMAフィルタ**[24]（Log Magnitude Approximation；対数振幅近似）が使用されている。このフィルタは、ケプストラム係数で特性が定まる。1章で述べたように、音の大きさに関する聴覚の特性は、対数関数に従っており、デシベルを単位として表される。このフィルタは、名称から分かるようにスペクトルの対数振幅を近似するもので、人間の聴覚の特性をよく考慮した高性能のものである。今井氏らはその後、これをさらに高性能にするため、メル・ソーン・スペクトルを近似するフィルタを開発している。6章で述べるように、メル尺度は音の高さの聴覚心理尺度であり、ソーン尺度は音の大きさの聴覚心理尺度である。このフィルタの中で使用されているメル・

ケプストラムは、現在では音声合成における標準的な音声制御情報のひとつになっている。

HISAI システムの音声合成部

音声の分析と合成をすぐ実行できるソフトウエアとして、「HISAI（ハイサイ）システム」がある。その有用性などについては、5章で述べることとし、ここではその音声合成部について説明する。

図4-14に、音源フィルタ・モデルである**HISAI システム**の操作画面を示す。横軸は時間である。上から、音声波形、音源の振幅パターン、有声音源の基本周波数パターン、有声音源か無声音源かの情報、声道フィルタ特性を表している。画面上の矢印で示した「Synthesize（合成）」をクリックすると、そのときの音源と声道の特性を用いて音声を合成することができる。分析例の音声（音4-16）は /siisaa/（シーサー）である。

HISAI システムによる /siisaa/ の音声合成の例を 動画 m4-2（所要時間1分54秒）に示す。分析・合成の速度を確認してもらいたい。

HISAI システムでは、基本周波数を描き変えることができるので、図4-15に示すように、徐々に高くなっていく音声（音4-19）や、まったく平板な高さの単語音声（音4-20）を簡単に作ることができる。また有声音源か無声音源かを簡単に描き変えることができるので、どのような単語も全部無声音の音声、すなわちささやき声（音4-18）にすぐ変えることができる。なお音4-17は**分析合成音**（分析した値を用いて合成した音）である。

そのほか、声道フィルタの特性を描き変えることができるので、音声の音色を手操作で変えることができる。詳しくは5章で述べる。母音の音色については、次章以降さらに深く考察していく。

波形

音源:
振幅

基本周波数
有声／無声

声道フィルタ
特性

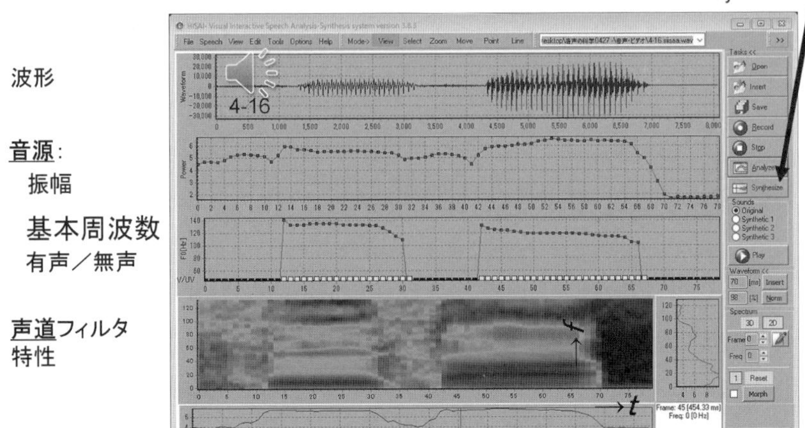

図4-14　HISAIシステムによる音声/siisaa/の分析と合成

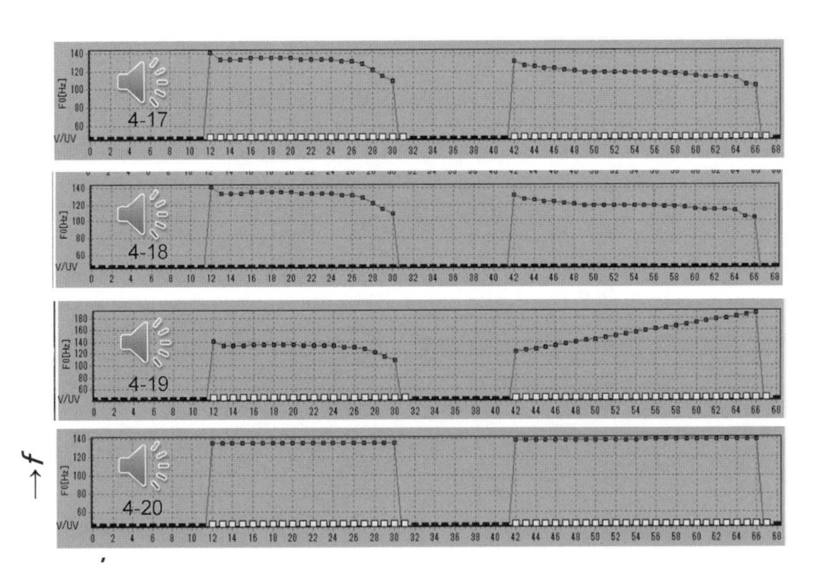

図4-15　いろいろな音源特性。　上から「分析合成音」「全無声音」「徐々に高くなっていく音声」「完全に平板な高さの音声」

まとめ

本章では、音声生成の生理的仕組みおよび音素の種類を説明し、音声波形の分析結果を述べた。さらに音声生成の音響モデルおよび現代の電子回路・プログラムによるモデルについて述べた。4章のまとめを以下に示す。

①肺からの空気が声帯を振動させ、声帯振動波ができる。声帯振動波の基本周波数が音声の高さになる。(図 4-1)

②声帯振動波が、声道である口腔や鼻腔を抜けて口や鼻から放射され音声になる。声道には操作・変形できる器官があるので、様々な音色の言語音を作り出すことができる。

③子音は、調音位置と調音様式で分類される。調音位置は声道中の調音の行われる場所を表す。調音様式は音声生成における音源の様式を表しており、有声音源、摩擦性音源、破裂性音源に分けられる。(図 4-2)

④有声開始時間（VOT）とは、破裂子音で始まる音節の破裂時点から母音の振動開始までの時間である。VOT は有声破裂音で短く、無声破裂音では長い。(図 4-4、図 4-5)

⑤母音は、発声時の舌の調音位置とあごの開きの広さで分類できる。舌の調音位置とは声道の中で狭くなったところである。(図 4-7)

⑥音声の生成は、声道特性を表すフィルタに音源信号を入力するような音源フィルタ・モデルで表すことができる。(図 4-11、図 4-12)

5章

脳が音色を感じる仕組み

聴覚の生理学 ～脳が音色を感じる仕組み～

Ⅱ（音声科学）の扉にある図（p.75）をもう一度見てみよう。図の左側の話し手の音声生成の生理については4章で述べた。本章では、音の入り口である聴覚の生理について解説する。

4章までに、音の物理的特性で最も重要なものとしてスペクトルをとりあげた。では、人間はどのようにしてスペクトルをとらえているのだろうか。音の物理的特性を脳の意識につなげる生理的仕組みはどのようになっているのだろうか。

それに答えるため、まず聴覚器官の構造について説明する。聴覚器官では内耳の**蝸牛**（かぎゅう）においてスペクトル分析が行われている。入力された音によって蝸牛の基底板の特定位置が大きく振れる。基底板における最大振幅の位置が脳に伝えられ、人間はスペクトルの形状を感じる。

本章の後半では、人工的なスペクトル分析機として音声合成スペクトルエディタ「HISAI」システムをとりあげ、その分析部について説明する。これを用いた分析の例として、犬の鳴き声をとりあげる。それを編集合成した音声を用いて犬の鳴き声の擬声語について考察する。

最後に“世界のどこにも存在しない音”の合成法を説明する。HISAIシステムではそのような音も創ることができる。世界に存在しない“ハートのこもった音声”を創ってみる。

外耳と中耳と内耳

聴覚の生理学の基礎として、聴覚器官を図 5-1 に示す。音波は、**外耳道**を抜けて、鼓膜（こまく）を振動させる。その振動が**中耳**を経て、**内耳**に達する。

内耳の**蝸牛**においてスペクトル分析が行われて、その電気信号が蝸牛神経を経て脳に達する。そして脳で音を感じる。

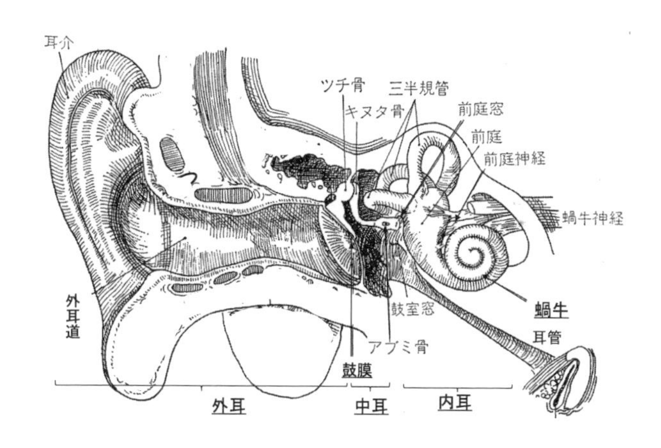

図5-1　聴覚の生理学：外耳と中耳、内耳[1]

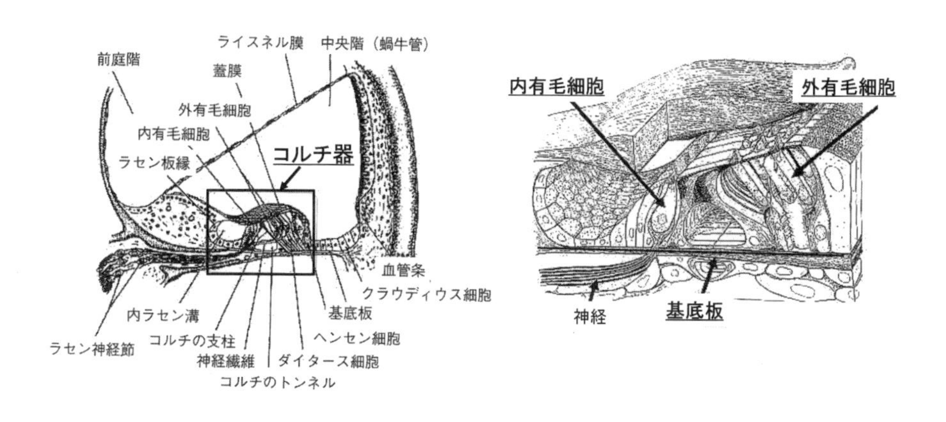

図5-2　蝸牛の構造[2]

図 5-2 に、内耳にある蝸牛の構造を示す。蝸牛はカタツムリのような形をしている器官である。その管の断面を左図に示し、四角で囲んだ部分である**コルチ器**を拡大して右図に示す。蝸牛の内部には、らせんに沿って**基底板**（**基底膜**）があり、それは蝸牛の奥まで達している。

コルチ器には 1 列の**内有毛細胞**と 3 列の**外有毛細胞**が並んでいる。ここで内・外とは蝸牛の回転の内側・外側である。内有毛細胞の毛の振動が電気信号に変えられ、神経を経て脳に伝えられる。外有毛細胞は信号を区別しやすくする働きをしている。外有毛細胞の働きによって**静けさの音**ができるという説 [3] がある。

基底板振動

生物物理学者のベーケーシは世界で初めて基底板の振動の様子を観察した。図 5-3 に、ベーケーシの研究の様子を示す。図の右側に示すように、進行波のエンベロープ（包絡線）の**最大振幅**の位置は、入力された信号の周波数によって異なり、入り口側では周波数が高く、奥の方では周波数が低かった。

図 5-4 に、蝸牛の基底板を引き延ばした模式図を示す。基底板は、入り口側（左）で狭く、奥の方で広い。弦楽器では、例えばギターの弦は、短くなるように指で押さえると高い音、長くなるようにすると低い音になる。つまり共鳴体が短いと固有振動数が高く、長いと低くなる。同様の性質によって、基底板は、入り口側では高い周波数の進行波が、奥の方では低い周波数の進行波が最大振幅になることが分かる。ただし、**基底板振動** [5] は、基底板の幅だけでなく密度や弾性、蝸牛の断面積、そこを満たすリンパ液の粘度によって決まる。

また、基底板の各位置から**蝸牛神経**が出ており、これはいくつかの神経を中継して脳まで達している。したがって、脳は最大振幅の位置を検知できる。

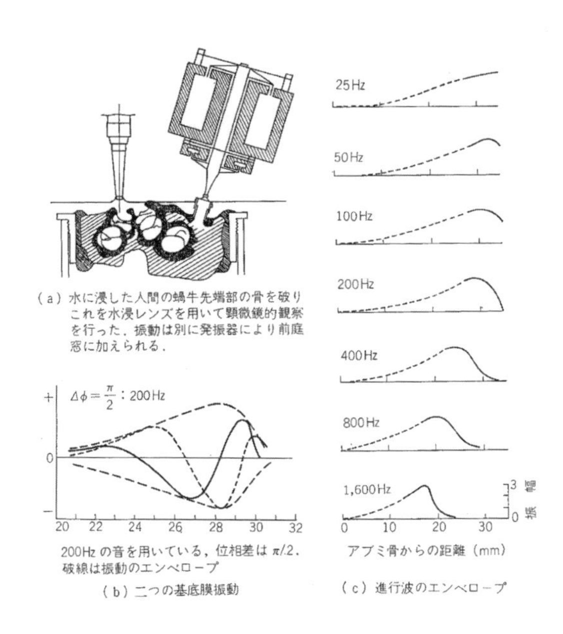

図5-3　ベーケーシの研究 [4]

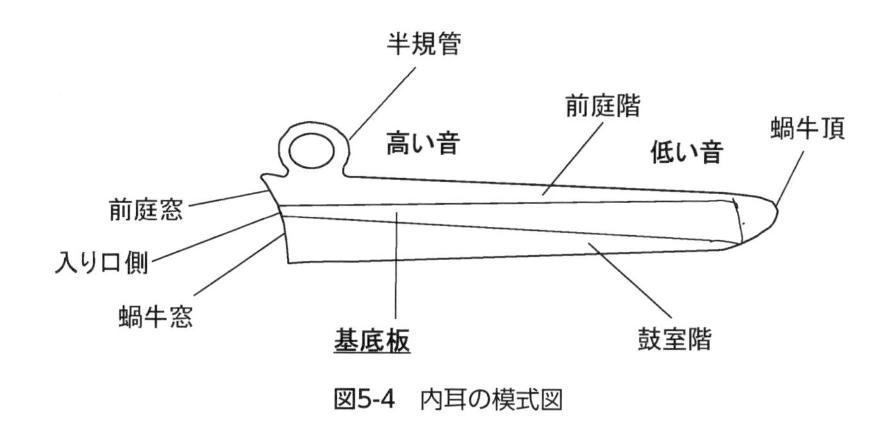

図5-4　内耳の模式図

2 種類の周波数の純音による振動の模式図を図 5-5 に示す。低い周波数（2kHz）（上の図）では奥の方、高い周波数（6kHz）（下の図）では入り口側で最大振幅になっている。

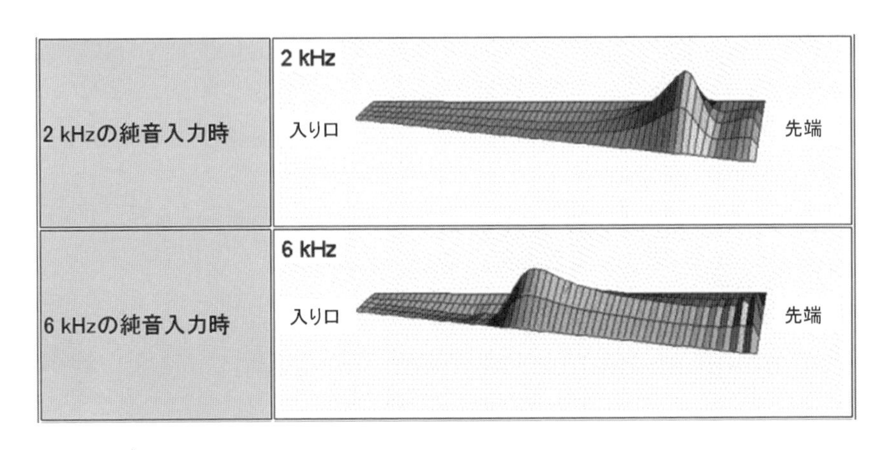

図5-5　基底板振動 [6]

では、2kHz と 6kHz の成分からなる複合音が入力されたらどうなるだろうか。答えは、**2つの山**ができる、である。2つの成分は別々に作用する。つまり複合音が2つの周波数成分に分解される。言い換えれば**スペクトル分析**が行われるというわけである。

これで音色の生理的仕組みが明らかになった。物理的なスペクトルの情報が脳に伝わって心理的な音色を意識できる仕組みが明らかになった。これはすばらしいことだ。物理的・客観的世界と主観的内面世界とが直接つながっていることを証明した。ベーケーシの研究はノーベル賞級の歴史的成果ではないだろうか。そのとおり、ベーケーシはこの研究によって1961年にノーベル賞を受賞したのだ。

基底板と音の高さ

上記のように基底板は奥に行くほど幅が広くなる。それで最大振幅の周波数は、奥ほど低く、入り口側で高くなる。このことをより正確に図5-6に示す。入り口側では、20000Hzの音で最大振幅になる。奥に行くほど徐々に周波数が低くなり、先端付近では200Hzになっている。

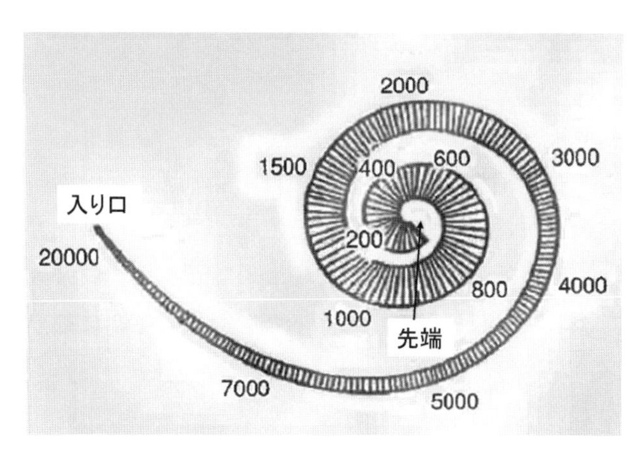

図5-6　基底板の幅と各周波数の最大振幅の位置[7]

メル尺度は、次章で説明するように、音の高さの心理尺度である。1000Hz純音の高さを1000メルとし、2倍の高さに聞こえる純音の高さを2000メルとするなどと定義されている。

この**メル尺度**と基底板上の最大振幅の周波数の位置は一致している。これは、心理尺度であるメル尺度の生理的根拠になっている。その詳細は、6章で述べる。

基底板振動は、音の高さを感じる仕組みとしての「**場所説**」の根拠となっている。「場所説」では、音の高さは、基本周波数成分によってできる基底板上の最大幅がどの場所にあるかによって決まるとする。メル尺度の実験で使われている正弦波では、メル尺度と最大振幅の周波数の位置がよく一致しているので、この説がある。

音の高さに関しては、他に「**時間説**」がある。これは、時間波形に同期した神経信号が出ていることを根拠にしている。時間波形から脳が音の高さを知ることができるとしている。複合音では時間情報も重要である。実態は、場所説と時間説の両方が効いていると考えられている[8]。

基底板と音色

ここで、基底板と音色について整理しておこう。共鳴は、特定の周波数で振幅が大きくなる現象である。基底板は、共鳴周波数が高いものから低いものへと共鳴器が並んだものに例えることができる。基底板の各点からは聴覚神経が出ていて脳までつながっている。それで、周波数ごとの波形の存在が分かる。すなわち（物理的）**スペクトル分析**が行われている。基底板でスペクトル分析が行われているので、基底板全体で（心理的）**音色**を感じているということになる。

音声合成スペクトルエディタ HISAI システムの操作法

音声合成スペクトルエディタ「**HISAI システム**」（Handy Interactive Speech Analysis-synthesIs system）[9] は、特定の音素の音色がどのような要因で起こっているのかを即座に調べることを目的とした分析システムである。これは、筆者らが開発したもので、**音声の分析・合成**がその場ですぐできる。しかも分析したパラメータ（数値情報）を**編集**することができ、それを元にして音声を合成し聴取することができる。スペクトルも描き変えることができる。したがって、音色の違いの要因を特定することができるのだ。

HISAI（**ハイサイ**）システムは、7 章で述べる「合成による分析」をその場ですぐに実行することを目的としたものである。スペクトルを編集できる音声合成システムは、HISAI システムだけのようである。ただしフォルマント周波数を編集できる合成システムはある。なお「ハイサイ」は琉球語で「こんにちは」（男性が使用）であり、製作者のベトナム人留学生 Do 氏が命名した。

HISAI システムの音声合成部については 4 章で説明し、同システムのデモ（**動画 m 4-2**）も示した。動画は、どの時刻からでも何度でも見ることができる。繰り返し見るとよいだろう。

ここでは、**音声分析部**について述べる。図 5-7 に HISAI システムの操作画面を示す。「Open（開く）」をクリックし Wave file を選択してファイル一覧を開く。その中からファイルを選択し波形を開く。

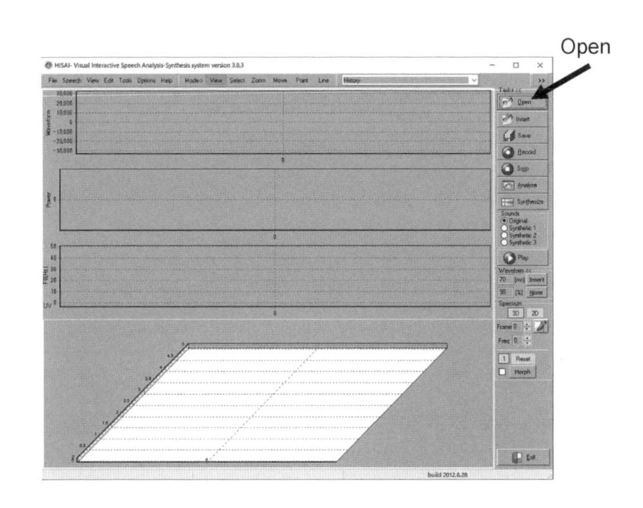

図5-7　HISAIシステムの操作画面

HISAI システムで使用する音声データは、WAV ファイル（拡張子は「.wav」、量子化は 2 進数 16 ビット整数型）で、標本化（サンプリング）周波数は 10kHz である。あらかじめ Audacity® などを使ってファイル形式と標本化周波数を変更しておく必要がある。

音声を入力した後の画面を図 5-8 に示す。最上部に音声波形が現れている。横軸は時間（*t*）である。「Play」をクリックすると、その音声が聞こえる。

「Analyze（分析）」ボタンをクリックすると図 5-9 のような分析結果が現れる。図の横軸は時間（*t*）で、上から**波形**（はけい）（**Waveform**）、**音圧**（**Power**）、**基本周波数（F0）**、**スペクトル包絡**を表している。基本周波数の図の最下部に黄色（本書の表示では白）と黒の点が並んでいる。これは、

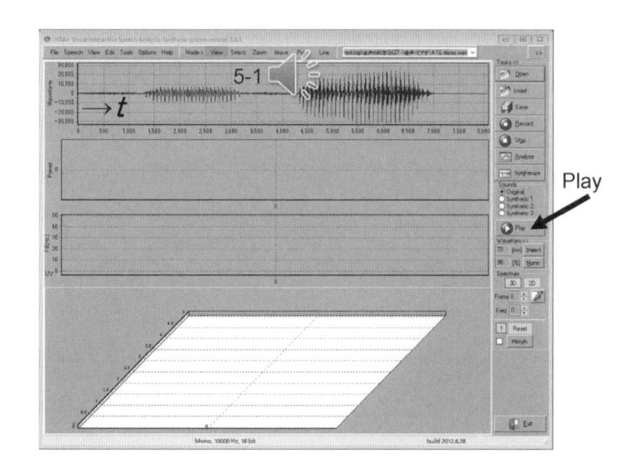

図5-8　音声を聞く（音声/siisaa/）

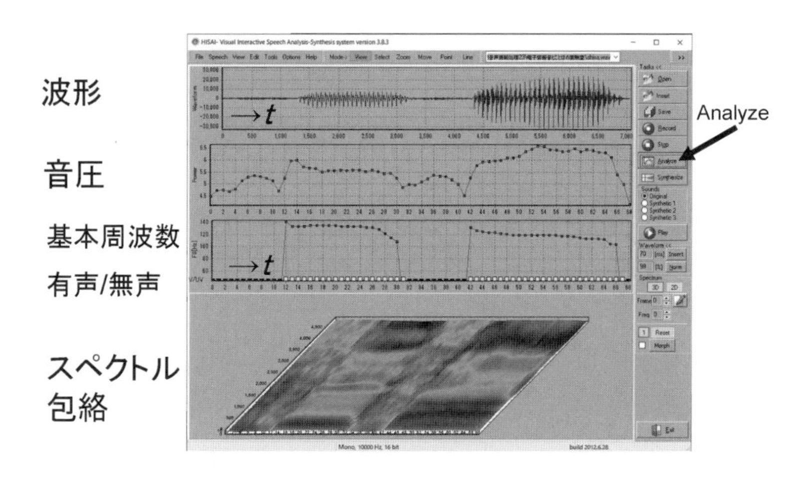

図5-9　音声分析

それぞれ**有声音部**と**無声音部**を表している。HISAI システムの分析のフレーム長は、25.6ms（ミリ秒）、フレーム周期は 10ms である。

「2D」のボタンをクリックすると、図 5-10 に示すように、最下部のスペクトル包絡が **2 次元（2D）表示**になる。スペクトル包絡の横軸は時間 (t)、縦軸は周波数（f）である。2 次元（2D）にした場合、スペクトル

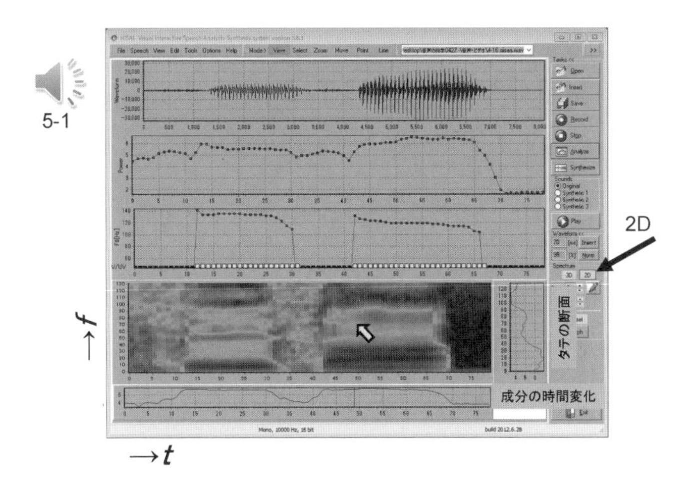

図5-10　スペクトルの2次元表示（音声/siisaa/）

包絡のある点をポインタで指し示すと、その点を通る縦直線での断面であるスペクトル包絡と、横直線での断面図である周波数成分の時間変化が、それぞれ図の右と下に現れる。

HISAI システムのスペクトル包絡は、3 章で述べたサウンドスペクトログラムそのものである。色は、成分の強いところを赤、中くらいのところを緑、弱いところを青で示してあるので、まるで地形図のように見える。ただし、白黒表示では分からないので、カラーの動画（**動画 m 5-1**）を参照されたい。

サウンドスペクトログラムは、その横軸が時間、縦軸は周波数、高さ軸は成分の強さであるので、本来3次元の立体である。HISAI システムでは、これを **3 次元（3D）** で表すことができる。「3D」のボタンをクリックすると図 5-11 に示すように、スペクトル包絡が 3 次元表示となる。

画面上部の「Move（動かす）」をクリックしておくと、3 次元のスペクトル包絡を動かすことができ、**視点**を変えて見ることができる。図を動かすと立体であることがよく分かる。スペクトル包絡の立体を動かす様子を図 5-12 に示す。これは動画（**動画 m 5-1**）にしてあるので見てもらいた

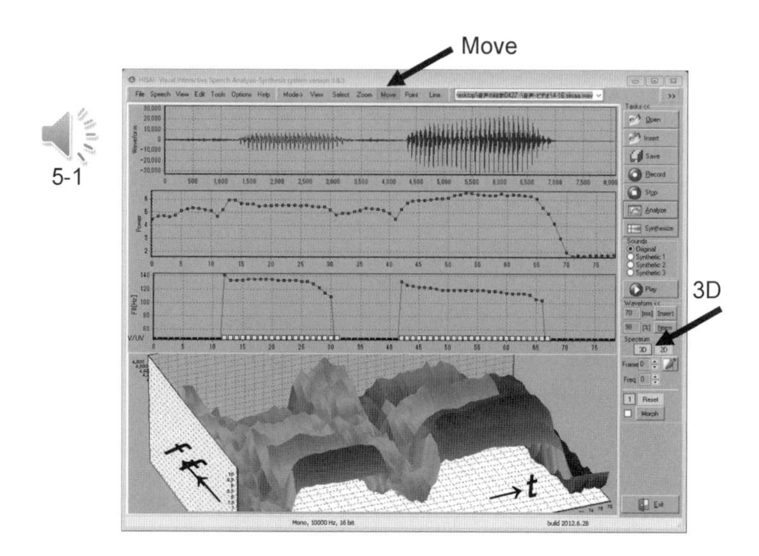

図5-11　スペクトルの3次元（3D）表示（動画 m5-1、音声/siisaa/）

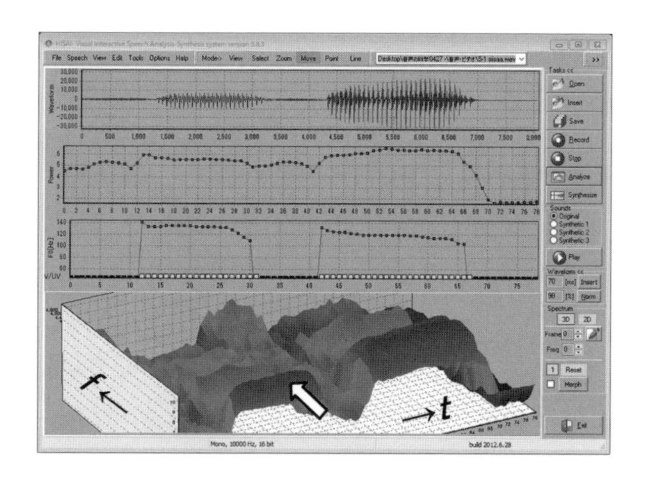

図5-12　スペクトルの立体的表示を動かす
（動画 m 5-1）

い。太い矢印で示した位置をポインタでドラッグして、スペクトル包絡を動かしている。

HISAIシステムで基底板振動に対応するのは**スペクトル包絡**である。このシステムではスペクトル包絡の時間変化が分かる。**基本周波数**とスペクトル包絡は、4章で述べたケプストラム法[10]で計算している。

音圧、基本周波数、スペクトルを**描き変え**て、その結果を元にして音声を合成することができる。もし合成音声の音色が変われば、描き変えた部分がその音色の原因になっているはずである。このようにして音声の音色の違い、すなわち音素の**物理的要因**を探ることがこのシステムの目的である。

♪ コラム 5-1

犬は何語で鳴く？

犬は何語で鳴いているのだろうか。図5-13に示すように**犬の鳴き声**を分析した。まず、図のように、分析したパラメータを用いて音を合成した（(音5-2)）。これは、犬の鳴き声とまったく同じように聞こえる。

次に、図の下部に示すように、音源情報を有声音に置き換えて人間の声の高さで合成した（(音5-3)）。すると、「わうわう」と聞こえる。実際に音を確認してもらいたい。

「わうわう」は琉球語での犬の鳴き声の**擬声語**だ。犬の鳴き声の擬声語は、日本語では「わんわん」、英語では「bow-wow」だ。琉球語は日本語や英語より正確な擬声語を持っていると言えそうだ。犬は琉球語で鳴いているのだ。

私たちは、音声認識システムの認識性能を評価するため、無意味単語の音声認識実験をしていた[11]。その時、無意味単語のひとつとして、犬の鳴き声も認識対象にした。当時は認識結果と擬声語との間の音素的類似度を測定しただけだった。

そのあと数年経って研究データを整理していたところ、犬の鳴き声の認識結果は「わうわう」であることが分かった。上述のようにHISAIシステムを利用すれば、これを簡単に耳で確認することができるのだ。このことは、さらにその数年後に気がついた。

同じようにして、いろいろな動物の“ことば”を分析できるかも知れない。

波形

音圧

基本周波数
有声／無声

スペクトル
包絡

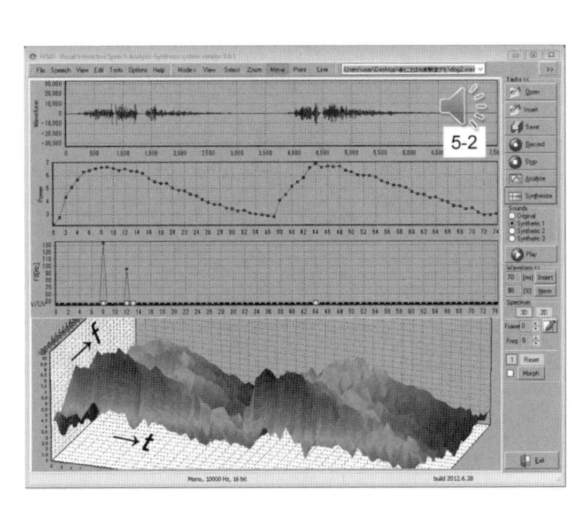

基本周波数
有声／無声

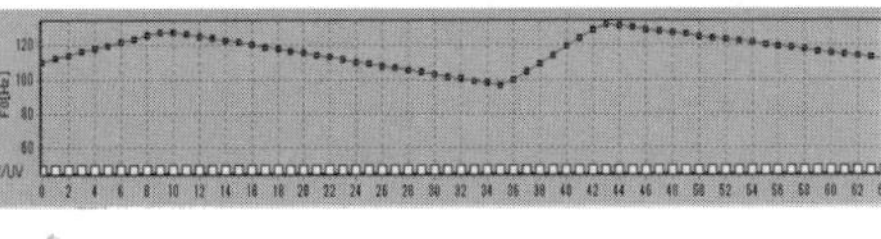

図5-13　犬の鳴き声の合成

コラム5-2

スペクトルを編集してハートのこもった音を創る

スペクトルを編集して自動車の形にし、音を合成すれば、**世界初の音**を作ったことになるはずだ。なぜなら、スペクトルが自動車の形をした音は、世界のどこにも存在しないからだ。

スペクトルでハートの形を作り音にすれば、これは世界初の**ハートのこもった音声**ということになる。心のこもった癒しの声ができるとは限らない。だが、どのような音声か聞いてみたいものだ。

じつは、“ハートのこもった音声”を作ってみた。これを図5-14に示す。どんな感じの音声か聞きたいだろう。だが、それは7章を読むまでは秘密だ。どうしてこのような音声になるのかを、7章で学ぶことを応用して明らかにするからだ。それを楽しみに、この後を読んでもらいたい。

じつは、本当の癒しの音声を作ることや、個人の声らしさを描き変えること、犬やピアノの声でしゃべらせることを音声合成スペクトルエディ

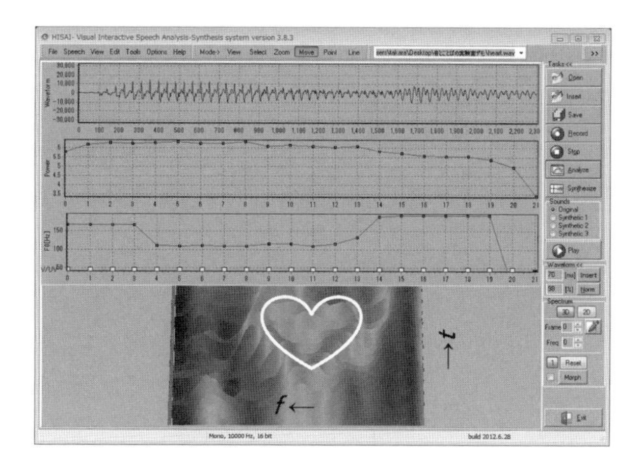

図5-14　“ハートのこもった音声”

タHISAIシステムで実行したい。だが、まだ試していない。
　HISAIシステムは、学生が遊びながら分析・編集・合成を繰り返して、音声の法則を発見することを期待して開発したものだ。定年退職後は私が中学・高校生と一緒にこのようなことをして楽しもうと思っている。

まとめ

5章では、脳が音色を感じるまでの生理的仕組みについて述べ、それと同様な働きをする音声分析システムについて説明した。本章の要約を以下に示す。

①耳の内耳で周波数成分の分析すなわちスペクトル分析が行われている。これが心理量である音色が存在する生理学的根拠である。（図5-5）
②内耳にある基底板上で最大振幅となる周波数の位置は、音の高さの心理尺度であるメル尺度と相似になっている。これが、メル尺度の生理学的根拠である。（図5-6）
③音の高さの生理学的根拠としては、基底板上の最大振幅の位置であるとする場所説と、神経信号の時間波形に現れているとする時間説がある。
④音声を分析・編集・合成できるソフトウエアとしてHISAIシステムがある。これにより、自然界には存在しない音も創り出すことができる。HISAIシステムは、「合成による分析」をその場ですぐに実行できる。

6章

音の心理物理学

音の三要素は心理現象

Ⅱ（音声科学）の扉にある図（p.75）をもう一度眺めてみよう。これまで音声の物理的側面と生成・聴取に関する生理的側面について述べてきた。本章では、生理と言語の間にある心理について解説する。

音の大きさ、高さ、音色は、**音の三要素**[1]と呼ばれている。聴覚心理学では、音はこれらの要素からできているものとしている。**心理物理学**は物理量と心理量の対応関係を調べる研究分野である。音の三要素の物理的要因は、主として、**音の大きさ**（Loudness）は音圧に、**音の高さ**（Pitch）は基本周波数に、**音色**（Timbre）はスペクトル包絡（ほうらく）に関係していると考えられている。

しかし、これら物理量と心理量は単純な関係にはない。音の大きさは主として音圧で決まるが、音圧が2倍になれば音の大きさの感覚も2倍になるというものではない。音の大きさは音の周波数にも関係する。音の高さは、基本周波数が2倍になれば2倍になるわけではない。音色は、スペクトルだけでなく音圧の時間パターンによっても変わる。

一般に、比例関係のような簡単な関数では表せない性質は**非線形性**と呼ばれている。人間は、このような**物理量と心理量**の非線形な関係を通して外界を認識している。極端な言い方をすれば、物理的な世界をひずんだ形で感じている。

だとすれば、音声合成や音声自動認識でも、この非線形性をむしろ積極的に取り入れるべきだろう。その方が人間の感じている音素の音色を正確に表すに違いない。このような考えで、スペクトルを聴覚心理的な尺度で表すシステムも提案されている[2][3]。

1章では音の大きさに関する物理量と聴覚心理量の関係について解説した。また5章では、基底板の振動周波数と音の高さの心理尺度の関係についても述べた。2章、3章、5章では、特にスペクトルについて詳しく説明した。

本章ではこれらのことも整理し、非線形な心理量について詳しく説明する。最後に“音は聞こえるのに音声が聞こえない”という、いずれ多くの人が経験することになる非線形な老人性難聴について、体験用の音声データを用いて解説する。この内容は、高齢化社会において重要なことであるが、一般には理解するのは難しい。しかし、ここまで学習した読者にはよく分かるだろう。

音の大きさの心理尺度であるソーン尺度

音の大きさは音圧で決まることを1章で述べた。しかし、音圧が2倍になれば音の大きさも2倍になるという単純な関係にはない。また音の大きさは、音の周波数にも関係する。

音の大きさについては、以下の3つの水準で考えることができる。

(1) 音圧レベル (Sound Pressure Level; SPL)：物理量
(2) 音の大きさのレベル (Loudness Level)：心理量
(3) 音の大きさ (Loudness)：心理量

(1) については1章で述べた。基準値を人間の聴覚の限界の最小音圧(20 [μPa] (マイクロパスカル)) とし、デシベルで表した物理量である。

音の大きさのレベルと音の大きさ (ラウドネス) は心理量である。音の大きさのレベルは、JIS (日本工業規格) では次のように定義されている。「ある音について、正常な聴力をもつ人がその音と同じ大きさであると判断した自由進行波の1000Hzの純音の音圧レベルに等しい値」。

この意味は3章でも述べた**等ラウドネス曲線**で考えると分かりやすい。図6-1に等ラウドネス曲線を示す。横軸は周波数、縦軸は音圧レベルである。等ラウドネス曲線は、同じ大きさの感覚を生じさせる音の音圧レベルを結んだ曲線である。地図の等高線が同じ高さのところを結んだ曲線、天気図の等圧線が同じ気圧のところを結んだ曲線というのと同じである。

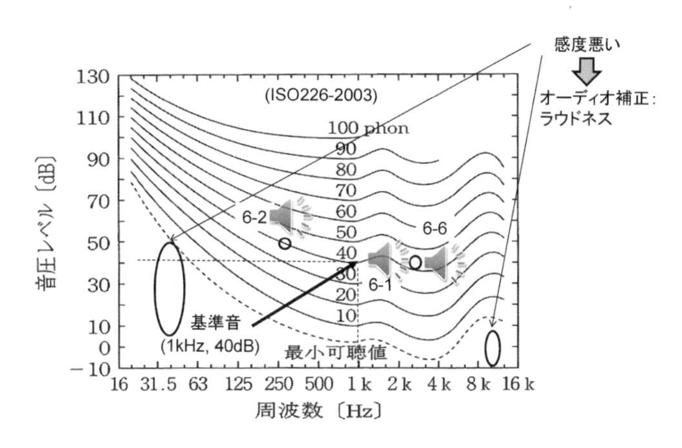

図6-1　等ラウドネス曲線[4]

例えば、1kHz、40dBの音（音6-1）と大きさが等しい250Hzの音（音6-2）の音圧レベルは50dBである。それは、図6-1の丸印のところに注目すると分かる。まず1kHz、40dBの音の大きさを表すのは図の矢印の点である。この点から等ラウドネス曲線に沿って250Hzの点に行く。この点の左の目盛を見ると分かるように、音圧レベルは、50dBである。音6-1と音6-2を聞き比べてみよう。同じ音の大きさであることが分かる。

次に1kHz、40dBの音（音6-1）と音圧レベルが等しい3kHzの音（音6-6）を丸印で示す。音6-1と音6-6を聞き比べてみよう。音6-6の方がとても大きく聞こえる。これは、音6-6が等ラウドネス曲線の上方にあるからである。**3kHz付近**では等ラウドネス曲線は下の方に曲がっているのだ。3章で述べたように、これが歌手のフォルマントが大きく聞こえる理由のひとつである。

音の大きさに関する聴覚の感度は、低い周波数及び高い周波数において悪いことが図から分かる。図の縦長楕円で示したように、この辺で曲線が上にあがっているからである。ステレオ装置で**ラウドネス**と呼ばれているものは、音のこの部分を増幅して聴覚を補償する機能である。これにより、ボリュームを絞って音が小さくなっても、低音も高音もよく聞こえるようになり、音の豊かさを感じさせる音楽になる。

音の大きさ（ラウドネス）は、2倍、3倍、…と感じる音の大きさを数量化した尺度である。その単位は、音圧レベル40dB、周波数1kHzの純音（音6-3）の大きさとし、これを**1ソーン**とする。図6-2に音圧レベル（横軸）と音の大きさ（縦軸）の関係を示す。実験によれば、2倍大きいと感じられる音、すなわち2ソーンの音（音6-4）は10dB強い音である。それぞれ聞いてみよう。さらに10dB増えると4倍の大きさに聞こえる。

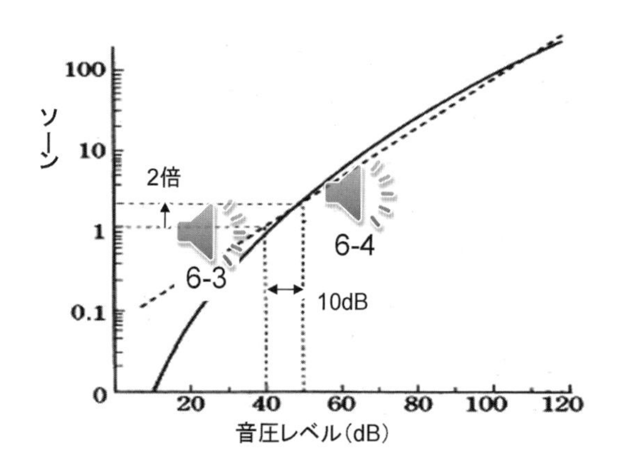

図6-2　音の大きさのソーン尺度[5]

音の振幅や強さが2倍になれば、音の大きさも2倍になるというわけではないことが分かった。また等ラウドネス曲線から分かるように、音の大きさは周波数によっても変わる。

音の高さの心理尺度であるメル尺度 〜1オクターブ高い音は2倍高いと感じられる音ではない〜

5章でも述べたように、**メル尺度**は、音の高さの単位であり、周波数1000Hz、音圧レベル40dBの純音の高さを1000メルとするものである。被験者が1000メルのn倍の高さと判断する音の高さがn × 1000メルである。例えば、1000メルの音の2倍の高さに聞こえる音は2000メルの高さの音である。では、メル尺度と周波数とはどのような関係になっているのだろうか。

図6-3に、周波数（横軸）とメル尺度（縦軸）の関係を調べた実験結果を示す。1000Hzは1000メル（音6-5）だが、2000メルは2000Hzではなく、3000Hz（音6-6）である。500メルは500Hzではなく、約400Hz（音6-7）である。それぞれの音を聞き比べてみよう。この関係が実感できる。メル尺度は、物理的な音の高さである基本周波数に対応し

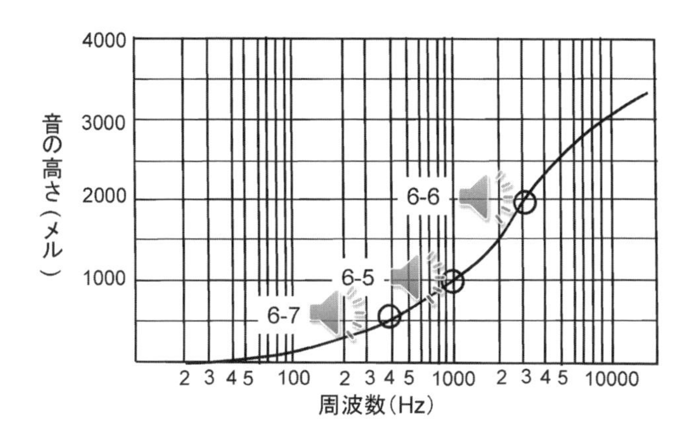

図6-3　周波数とメル尺度の関係[6]

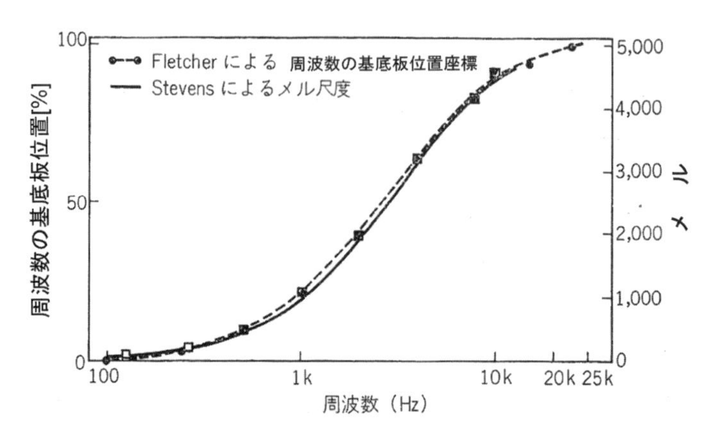

図6-4　周波数の基底板位置とメル尺度[7]

ているが、比例関係にはない。音の高さは、基本周波数が2倍になれば、2倍に感じられるというものではない。音の高さはメル尺度で表されるものである。なお、3つの音は同じ振幅で作ってある。しかし、3000Hz（音6-6）の音だけ大きく聞こえる。このことについては、すでに等ラウドネス曲線のところで述べた。

メル尺度と周波数の関係が比例的でないのは、5章で述べたように、メル尺度が内耳の蝸牛(かぎゅう)基底板の共鳴周波数の位置を反映したものだからである。この共鳴周波数の位置とメル尺度との関係を図6-4に示す。横軸は周波数である。縦軸は、各周波数の最大振幅の基底板位置（破線)、および音の高さの感覚尺度であるメル尺度（実線）である。両者はぴったり重なっている。

メル尺度は、現在では音声認識のためにスペクトルの周波数を表すための標準的な尺度になっている[8][9]。

音色とは何か

2章の冒頭で述べたように、**音色**について国語辞典には次のように書かれている。「音の強さや高さが等しくても、それを発する音源（楽器の種類など）によって違って感じられる音の特性。音に含まれる上音（じょうおん）の振動数や強さの比、その減衰度などによって決まる」。音色は、主としてスペクトル包絡によって決まり、波形（はけい）振幅の時間的減衰度も関係するという意味である。

そこで、2章、3章、5章では、スペクトルについて詳しく説明してきた。音声の音素の音色がスペクトルに大いに関係していると考えられているからである。特にスペクトルのピークであるフォルマントは、音が大きく聞こえるところだから、母音の音色を決定づけるはずである。これについては、次章で詳しく説明する。

また、音の大きさは、等ラウドネス曲線に示されているように周波数にも大いに関係している。等ラウドネス曲線を考慮し、ソーン尺度で表されたスペクトルを用いれば、従来の直線的に考えられたスペクトルとはまったく異なった音色がとらえられるはずだ。

このようなことから、音声自動認識システムでも、周波数をメル尺度で表し、振幅を等ラウドネス曲線も取り入れたソーン尺度で表したスペクトルを使用するのが有効であると考えられる[10]。このようにすれば、音素の音色を人間が感じるようにとらえることができるだろう。

研究の結果、あいまいな発音になった母音で特に有効だということが音声認識実験で示された。不明瞭になった音素が区別しやすくなったのだ。

音色と波形包絡

最近は、音色の定義を以下のようにした方がいいのではないかと言われている。**音色**[11]は「音源が何であるか認知するための手がかりとなる特性であり、音を聞いた主体が音から受ける印象の諸側面の総称」。大きさや高さが異なっている場合でも同一の音色（どの楽器かということ）であることは分かるので、この場合も含むようにしている。

音色は主として、スペクトルにより決まるが、**波形振幅**にも関係している。そこで、4章と5章で述べた音声合成スペクトルエディタ「HISAIシステム」を用いて、ピアノとサクソフォンの音色を比較しよう（図6-5）。

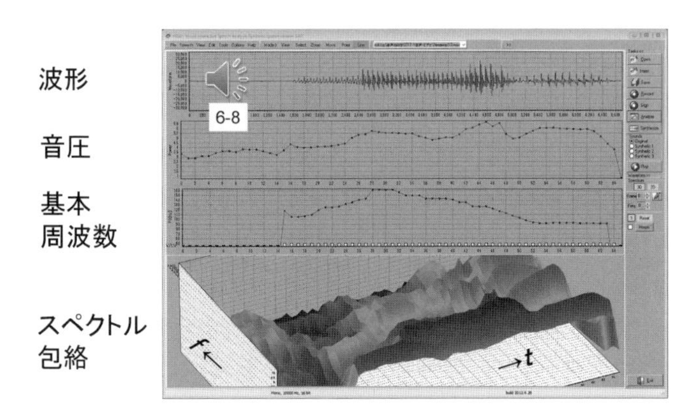

図6-5　音声合成スペクトルエディタHISAIシステム（音声/himawari/）

HISAIシステムでは、波形を分析して、音圧、基本周波数、スペクトル包絡の三要素に分解する。そしてこの三要素を用いて波形を合成することができる（音6-8）。したがって、**三要素を入れ替え**て音を合成すると、どの要素が音色に最も効いているかが分かる。

この手法は、琉球語[12]やベトナム語[13]の音声分析でも使われている。琉球語には、基本周波数によって音色が決まる珍しい声門破裂音という音素がある。これについては7章で詳しく説明する。ベトナム語には、音圧によって音色が決まる珍しい音素（声調）がある。

まず**サクソフォン**（サックス）**の音色**について検討した。図6-6に波形を示す。最上部（音6-9）はサクソフォンの音の分析合成音である。つまり、三要素に分解してその値をそのまま合成に使ったものである。聴いてみよう。これは、サクソフォンらしい音がする。

2番目の音6-10は、サクソフォンの基本周波数だけをピアノの基本周波数に変えたものである。聴いてみると音色はサクソフォンのようだ。すなわち基本周波数で音色は変わらないことが確認できた。

最下部の(音6-11)は、サクソフォンの波形包絡だけをピアノの波形包絡（HISAIシステムでは音圧と表記）に変えたものである。聴いてみると、これも音色はサクソフォンのようだ。すなわち波形包絡で音色は変わらない。

サックス

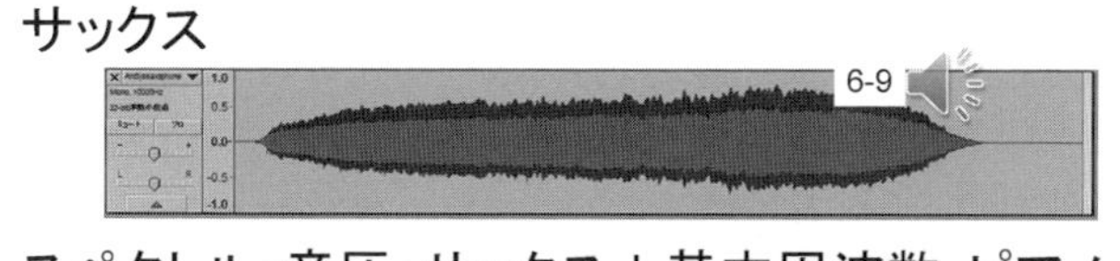

スペクトル・音圧：サックス＋基本周波数：ピアノ

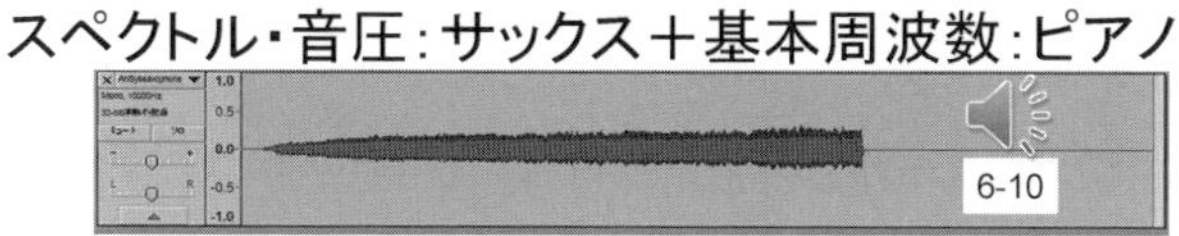

スペクトル・基本周波数：サックス＋波形包絡（音圧）：ピアノ

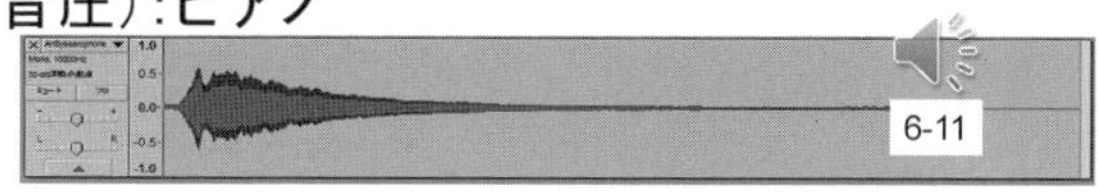

図6-6　サクソフォンの合成音の波形

ピアノ

スペクトル・音圧：ピアノ＋基本周波数：サックス

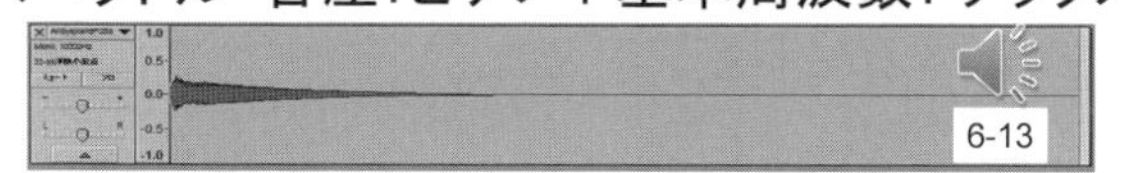

スペクトル・基本周波数：ピアノ＋波形包絡（音圧）：サックス

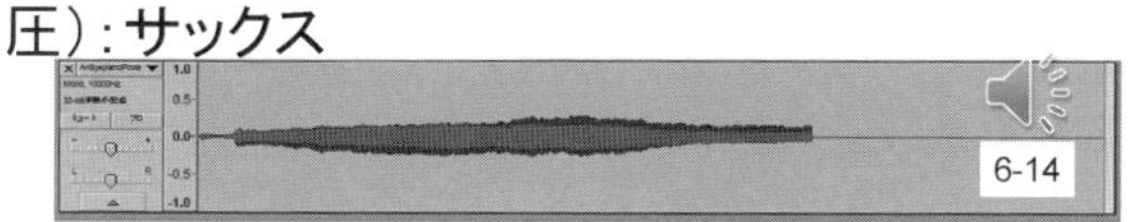

図6-7　ピアノの合成音の波形

次にピアノの音色について同様のことをする。図 6-7 に合成音の波形を示す。最上部の(音 6-12)は、ピアノの音の分析合成音である。聞いてみると、ピアノらしい音がする。

2 番目の(音 6-13)は、ピアノの基本周波数だけをサクソフォンの基本周波数に変えたものである。聴いてみると、音の高さはサクソフォンと同じだが、音色はピアノのようだ。サクソフォンと同様、基本周波数で音色は変わらないことが確認できる。

最下部の(音 6-14)は、ピアノの波形包絡だけをサクソフォンの波形包絡に変えたものである。聴いてみると、音色がサクソフォンのようになった。すなわちサクソフォンとは違い、ピアノ音では波形包絡で音色が変わることが分かる。

この結果、**ピアノの音色**は波形包絡にも関係することが確認できた。音色と波形包絡の関係は、楽器の種類によって異なると言える。

♪ コラム 6-1

音は聞こえるのに音声が聞こえない

このように言うと、不思議なことのように思うかも知れない。これは、音は聞こえるが言葉がうまく聞きとれないという意味だ。こういうことがありうるのだろうか。老人性難聴では、このようなことが起こるのだ。**老人性難聴**とは加齢しか原因が見当たらない難聴のことだ。ここでは、老人性難聴を模擬する音声を作成した。これを聞いて老人性難聴を体験してみよう。

老人性難聴の特徴は高い周波数の成分音が聞こえにくいということだ。図6-8に、中高年日本人の年齢別の平均聴力（純音に対する耳の感度）を示す[14]。横軸は周波数である。周波数が高いほど聴力は落ちていることが分かる。年齢別に見ると、年齢が高くなるにつれて聴力が落ちていくことが分かる。60歳くらいから3kHz以上の音に対する聴力が急激に落ちることが分かる。

老人性難聴を体験してもらうため音声を作成した。図6-9に老人性難聴を模擬する低域通過フィルタの特性を示す。このフィルタに音声を通すことで高周波数域の成分を抑えて聞こえにくくする。これは実在の71歳男性高齢者の聴力を模擬したものだ。1kHzから1オクターブ（周波数が2倍）ごとに24dB減衰する。

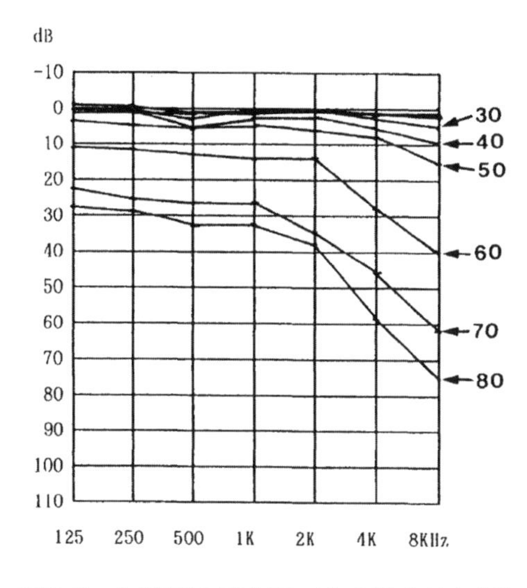

図6-8　年齢別の聴力図（右の数字は年齢）

作成した音声とそのサウンドスペクトログラムを図6-10下に示す。元の音声（原音声）は上に示すが、試聴する場合は、まず下の(音6-16)を聞き、次に正解（上、(音6-15)）を聞くのがいいだろう。その方がより難聴者らしい体験ができるだろう。

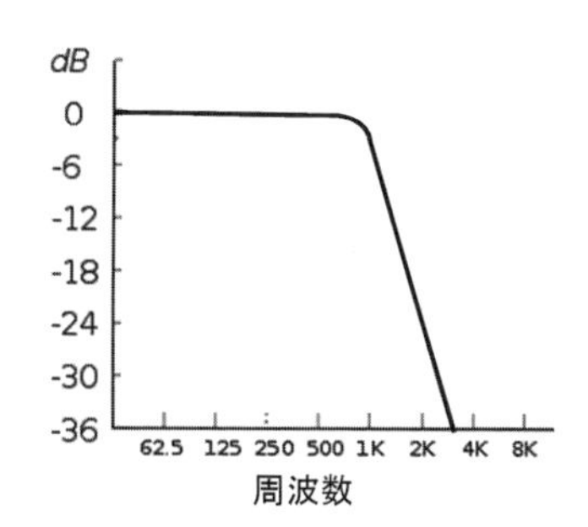

図6-9　老人性難聴を模擬する低域通過フィルタの特性

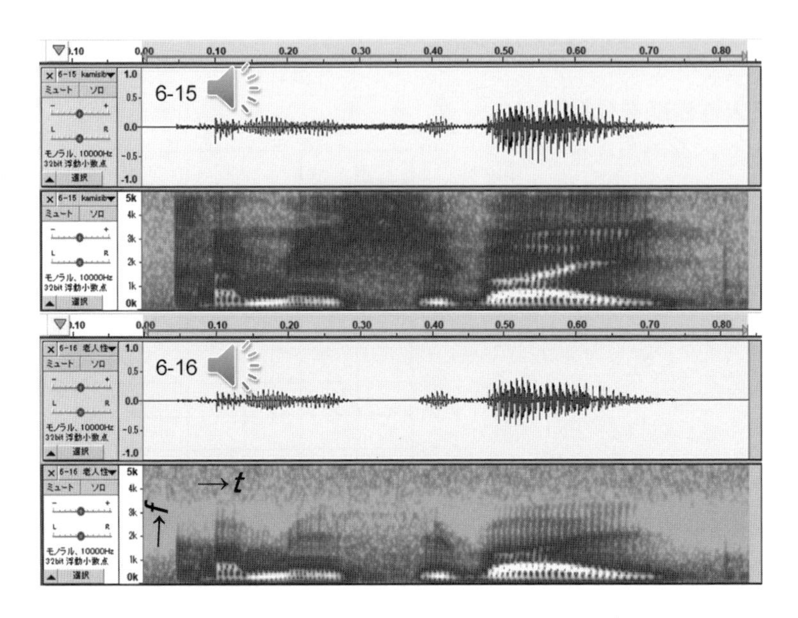

図6-10　老人性難聴を模擬した音声とそのサウンドスペクトログラム（下）と原音声（上）

どのように聞こえただろうか。高齢者にはこのように聞こえているのだ。高周波数成分が減っているので音も小さくなっている。だが、それよりも音色のはっきりしないことが重要だ。

フィルタを通した音声のサンドスペクトログラム（下図）と原音声のサウンドスペクトログラム（上図）を比較してみよう。私は、最初にこれらを見たとき、自分で作ったデータなのにびっくりして「あっ」と声をあげてしまった。高齢者の聴力はこのようなものだったのか。下図では、高周波数域の部分がそっくり無くなっているではないか。スペクトルが半分しか残っていない！これでは、高齢者は半分しか聞き取れない。

特に高周波数域に特徴のある/si/のところが大きく異なっている。この部分の波形も大きく異なる。この部分を聞き比べてみると、/si/が/ti/に聞こえるようだ。

この例の場合は、前後の情報のおかげでそれほど聞き間違いは起きない。だが、一般に前後関係が利用しにくい状況では聞き間違いがよく起こる。高周波数域の特性が異なる音素の間では特に聞き間違いが起こりやすいのだ。

低周波数域はよく聞こえるので、音は聞こえる。しかし音声がよく聞き取れず聞き間違いが起こりやすい、というわけである。

老人性難聴者は高周波数域が聞こえにくい。そのためか、高齢者には女性の声が聞き取りにくいという通説がある。女性は高齢者には声を低く発声すると良いと言われることもある。だが、**図2-12**を見ると分かるように、音の高さの基になる基本周波数はせいぜい500Hzくらいまでにある。高齢者が聞こえないのは、基本周波数ではなく、それより高い領域の成分だ。だから、基本周波数を低く発音しても効果はないはずだ。スペクトル包絡を低い方に移した音色で発声すべきだ。だが、それは難しい。高齢者には女性の声が聞き取りにくいということを示す実験的証拠もないようだ[15]。

高齢者がこのような聴覚特性を持っていると**認知症**が進んでいると思われやすい。それでそのような高齢者は人と話すことを避けるようになる。それによってますます認知症になる可能性も高くなる。老人性難聴の特性を正しく理解して、まずは正確な**補聴器**で聴力を補正すべきだ。そして、他者との会話を絶やさないようにすることだ。

聴力の劣化は視力よりも気づきにくいものだ。だが、これは高齢化社会において理解すべき重要なことではないだろうか。高齢者にとって聞き取りやすい音声や補聴器を考案することは、**高齢化社会**における音声研究の重要なテーマとなっている。

まとめ

本章では音の心理物理学について述べた。心理物理学では、物理量とそれをどれくらいに感じるのかを表す心理量との関係を数量的にとらえる。物理量と心理量の関係は非線形である。以下に6章の要約を示す。

①音の三要素は、聴覚心理的特性であり、音の大きさ、高さ、音色のことである。聴覚心理学では、音はこれらの要素からできているとされている。

②音の三要素のそれぞれに対応する主たる物理的特性は、音の大きさは音圧、高さは基本周波数、音色はスペクトル包絡である。

③音の大きさの心理尺度はソーン尺度、音の高さの心理尺度はメル尺度である。いずれも基準音の何倍に聞こえるかということを表している。

④音の大きさは、周波数にも関係する。感じられる音の大きさは周波数によって異なる。（図 6-1）音色は音圧波形の包絡にも関係する。波形包絡によって音色が決定づけられる楽器もある。

⑤老人性難聴とは、加齢しか原因が見当たらない難聴のことである。その特徴は高域の音が聞こえにくいことである。このため高周波数域の特性が異なる音素の間で聞き間違いが起こりやすい。（(音6-16)）

7章

音声の合成による分析
～なぜハートは愛 /ai/ なのか～

言語としての音声

言語としての音声は物理的世界と人間の内面的・心的世界を直接つないでいる。音声の物理的世界が人間の心的世界および言語的世界とどのようにつながっているのか、その一端を明らかにする。これが本書の前半の到達点である。

Ⅱ（音声科学）の扉にある図（p.75）をもう一度見てみよう。話し手から音声が発せられて物理的な音波となって聞き手に伝わり、これが生理的な信号となって脳で心理的処理が行われる。6章までにこのような説明をしてきた。本章では、音声の物理的側面から言語的側面に至るまでを総括的に述べる。

具体的には、母音のフォルマントの情報が母音の音色すなわち**音韻性**（音素らしさ）に変換される過程を述べることになる。4章の音声生成の仕組みで述べたように、共鳴により作られるスペクトルのピークが**フォルマント**である。これが内耳の基底板におけるスペクトル分析によって抽出される。

フォルマントはスペクトルにおけるピークであるので、強く聞こえる。したがって音声の音色を決定づける。そして、その音色が音韻性としてとらえられる。これが本書で述べようとしている最も重要な内容である。

母音の音韻性はフォルマント周波数によって決定づけられる。本章では、「合成による分析」の方法に基づき、音声合成実験によってこれを実証する。すなわち、ある母音のフォルマント周波数を変更して音声を合成する。そして合成された音声がどのように聞こえるかを確認する。

このように言語音における音素の音色は、基本的にはスペクトルで決まる。だが、6章の最後の方で述べたように、音色は、楽器音では波形包絡にも関係がある。また琉球語の珍しい音素である声門破裂音では、基本周波数がその音素らしさの基になっている。本章では、この声門破裂音を分析した結果についても述べる。

本章で母音のフォルマント周波数の意味を理解できるので、最後に、5章の最後でお待たせした“ハートのこもった音声”の音をお聞かせする。

音素的特徴と韻律的特徴

Ⅱ（音声科学）の扉にある図（p.75）をもう一度見てみよう。ここでは、これまでとは逆に上から下へと音声の言語的側面から物理的側面に至るまでを眺めてみよう。

言語としての音声の特徴は、分節的特徴と超分節的特徴に分けられる。音声を区切って、区切られた各部が一定の言語的な特徴を表すものと考える。**分節的特徴** [1] とは、その部分の特徴のことである。**音素的特徴**（音韻的特徴）といってもよい。4章で述べた音素・音声や音節、モーラの特徴のことである。

超分節的特徴 [2] とは、分節を超えた分節間の相対的特徴であり、アクセントやイントネーションのことである。**韻律的特徴**ともいう。アクセントは、単語内での特徴であり、イントネーションは単語を超えた文の長さでの特徴である。

言語学的な音素的特徴は、聴覚心理的には**音色**の違いとして現れる。音色は、これまでの説明から分かるように、物理的には主として**スペクトル**がその要因になっている。

言語学の用語である韻律的特徴は、聴覚的には音の高さや大きさの時間パターンとしてとらえられる。**音の高さと大きさ**は、物理的にはそれぞれ、

基本周波数と音圧が要因となっている

このように音声の特徴は、同じ対象でも、その原因をたどっていって、言語学的、心理学的、物理学的な観点からそれぞれ異なる用語で表されることが分かる。このことは、1章の図 1-1 ですでに示し、説明してきたことである。

本章では、主として音素的特徴について述べる。韻律的特徴については、8章の音声合成でとりあげる。

合成による分析

音声の分析法として最も有効と考えられるのは「合成による分析」[3] である。合成による分析法は、4章で述べた「モデル構成的研究法」のひとつである。

合成による分析の流れを図 7-1 に示す。この方法では、音声を分析するために、ある仮定に基づきモデルを設定し、それを基に音声を合成する。そして合成音声が十分な精度になっていれば、そのモデルを構成するパラメータ（数値情報）が妥当であるとみなす。十分な精度でなければ、モデルを改良する。これを繰り返し、モデルの精度を高める。

4章と5章で述べた音声合成スペクトルエディタ「HISAI システム」は、合成による分析を高速に行うためのソフトウエアである。音声を分析し、これを音の三要素に対応する音圧、基本周波数、スペクトル包絡に分解する。これらのパラメータを用いて音声

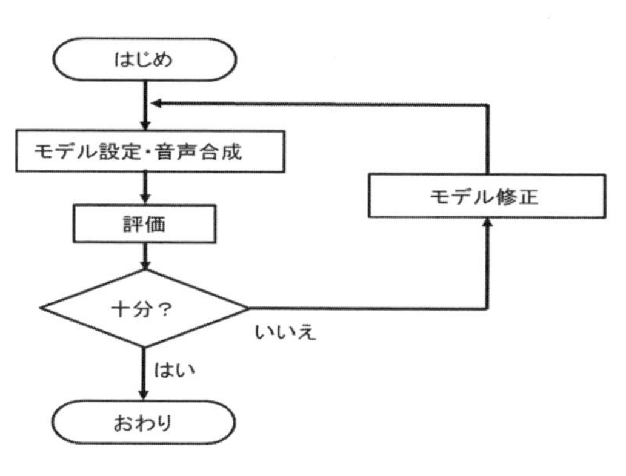

図7-1　合成による分析の流れ

を合成することができる。これらのパラメータは、図を描き変えるように簡単に書き換えられるようになっている。音は聴覚的には三要素からできているから、これらを描き変えて新たな音のモデルを作ることができる。モデルを変更して、音素の特徴が消えたり、残ったりすれば、音素の物理的要因をとらえたことになる。

2章で述べた「カエルの声に引かれる蚊」の研究は、合成による分析として実施したものである。蚊が引かれる要因を仮定して合成音を作成した。

筆者は、長く琉球語の研究を行ってきた[4]。琉球語の研究においては、合成による分析を基本的な方法論とした。その典型例として、声門破裂音の分析があり、このあと説明する。8章の琉球語の音声合成、日本語からの翻訳、古い琉球語「おもろさうし」の音声合成は、琉球語と日本語の関係を定量的に明らかにするための「合成による分析」としての研究である。

声紋はサウンドスペクトログラムのこと

3章で図 3-2 を用いて、サウンドスペクトログラムの説明をした。これは、スペクトルの時間変化を表示したものである。5章の図 5-11 で示したように、HISAI システムでは、これを3次元で表すことができるので、サウンドスペクトログラムが地形図のような立体であることが分かる。その立体を等高線で表示したものは指紋に似ているので、**声紋**[5]と呼ばれていた。分析フレームの長さによって、時間分解能と周波数分解能が変わることは3章で述べた。

2章の図 2-14 にスペクトルとスペクトル包絡を示した。もう一度見ていただきたい。図の横軸は周波数である。棒状の線スペクトルが周波数軸に沿って等間隔に並んで立っている。それらの先端を結んだものがスペクトル包絡である。

スペクトル包絡で音色が決まる。スペクトル包絡のピークの周波数成分が強く聞こえるので、これが音色の全体的印象を決定づける。特にスペクトルのピークの「周波数」、すなわちピークの位置が重要である。スペクトルのピークは、4章で述べた音声生成の観点からは、共鳴の周波数であり、**フォルマント**と呼ばれている。

母音の音色のもとになるフォルマント

2章および3章で述べたようにして、フリーソフトであるAudacity®を用いて、母音を分析してみよう。図7-2に母音「い」(/i/、(音7-1))の分析結果を示す。図から分かるように、分析フレーム長である「サイズ」は短く128であるので、2章で述べたように、図はスペクトル包絡を表している。

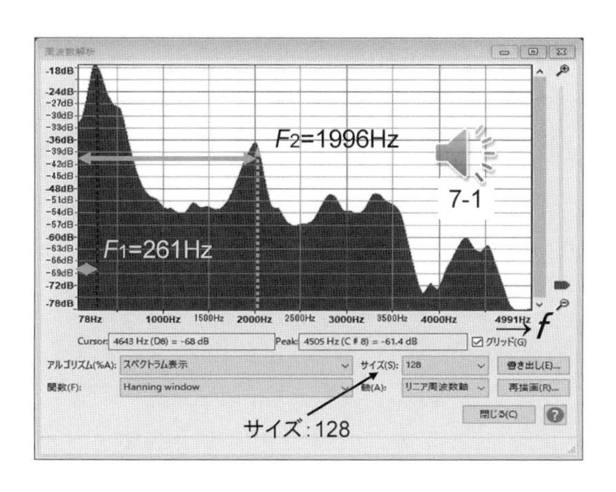

図7-2　日本語母音「い」(/i/) のスペクトル包絡

スペクトル包絡のピークは、周波数の低いほうから(図では左の方から)**第1フォルマント、第2フォルマント**、…と呼ばれている。2章と同様に、カーソルをピークに当てて、フォルマント周波数を計測する。

計測の結果は、/i/の第1フォルマント周波数(F_1)は261Hz、第2フォルマント周波数(F_2)は1996Hzである。

2章では、母音「あ」(/a/)の分析結果が示されていて、F_1 は718Hz、F_2 は1198Hzとなっている。

2つの母音のフォルマント周波数を比べると、第1フォルマント周波数は /a/ の方が高く、第2フォルマント周波数は /i/ の方が高い。言い換えると、/a/ では、第1フォルマントと第2フォルマントが近くにあり、/i/ では両者が離れていると言える。

フォルマント周波数と母音の配置

図7-3に示すように、**第1フォルマント周波数** F_1 を横軸とし、**第2フォルマント周波数** F_2 を縦軸にする。F_1 を横方向の値(座標値)、F_2 を縦軸の方向の値(座標値)とする点を打つ。例えば、実線の矢印は横座標が718Hz付近、縦座標が1198Hz付近の点を指している。この点は上で述べた /a/ ((音7-2)) で、2章の図2-12、図2-13の(音2-16)でもある。破線の矢印は、横座標が261Hz付近、縦座標が1996Hz付近の点を指している。これは、上で述べた /i/ ((音7-1)) を表している。

いま2つの点について述べた。多くの母音を分析し、フォルマント周波数を調べて、それを座標値として点を打つと、点の分布が得られる。/a/ は右端の破線で示した楕円の中あたりに集まる。また /i/ は左上の破線の楕円の中あたりに集まる。

/u/、/e/、/o/ についても多くの音声データを分析し、点を打つとそれぞれ破線で囲まれたところに集まる。ここで、実線の五角形の頂点(×印)は、男声の各母音の平均値すなわち点の分布の中心である。女声の平均値は男声の平均値より高い周波数のところにあるので、分布は楕円(長円)になる。図7-4左および図7-7には、女声の平均値も示してある。

例示した話者の /a/、/i/ の声は、男声の平均値から見ると、女声の平均値とは反対方向にある。したがって、より**男性的な**(女性的でない)**声**であるということが分かる。実際に音声を聴いてみると、平均的な男声より

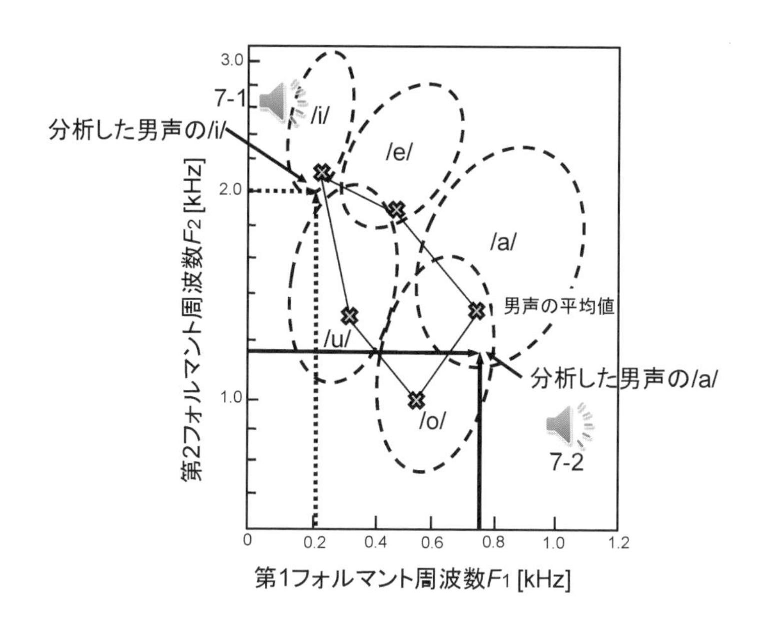

図7-3　母音のフォルマント周波数の分布[6]

もさらに男性的な印象を受けるだろう。

30年後に実証された母音の音色

4章の音声生成の仕組みで図4-7に母音の配置図を示した。これは、あごの開きと調音位置を指定して母音を配置したものである。図4-7の左右を反転し、90度左回転すると図7-4の右図のようになる。これを左図のフォルマントの分布図と比較すると、**母音の位置関係**がぴったり一致することが分かる。なお、図7-4の左図には、女声の平均値も破線の五角形で示してある。

つまり、20世紀初頭に言語学者により内省すなわち体感などで言語学的にとらえられた母音の配置[7]が、約30年後に物理測定で得られたフォルマント周波数による配置と一致している[8]。これは、言語学的な理論が

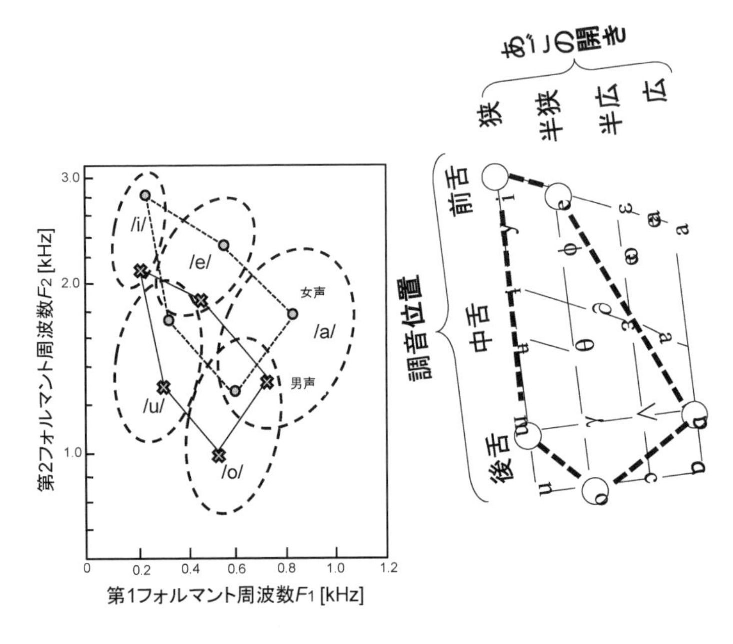

図7-4　フォルマント周波数と母音の配置

物理学的に実証されたということを意味している。科学技術の発展が、約30年後に言語学に大きく寄与したのだ。

じつはこれがこの本の最重要点である。これまでの音素的特徴を追求する長い説明は目標点に達した。これまでの説明は、これを示すためにあったようなものである。言語学的な音素的特徴は、聴覚心理的には音色の違いとして現れる。音色は、物理的にはスペクトルが主な要因になっている。スペクトルの中で強い成分はよく聞こえるから、それが音色を決定づける。スペクトルの強い成分であるフォルマントが母音の音韻性を決定することが証明されたのだ。

図7-4から母音の配置とフォルマント周波数との関係を要約すると、あごの開きが広いほどF_1が高く、舌の位置が前方にあるほどF_2が高い、ということになる。3章の「女性オペラ歌手の通る声」で、ソプラノ歌手

は高い声になると、F_1 も高くすることを述べた。F_1 を高くするためには、あごをより広く開けばよい。こうするとどの母音も /a/ に近い音色になることが分かる。

コラム 7-1

「ビーン」と「ブーン」はどちらが高い音の表現？

これは、2章のコラム「低い音の擬音語と高い音の擬音語」でとりあげた話題だ。「ブーン」と「ビーン」は擬音語としてどちらが高い音を表現しているだろうか。多くの人はビーンが高い音の表現、ブーンは低い音の表現だと答えるだろう。そのように感じる音色に聞こえるからだ。

そのような音色に聞こえる理由は、フォルマント周波数の分布から明確だ。ビーンの母音は/i/で、ブーンの母音は/u/だ。**図7-3**を見て分かるように、/i/と/u/の第1フォルマント周波数はほぼ同じで、**第2フォルマント周波数**がだいぶ違う。/i/では高く、/u/では低い。これが、聞こえた音の高低の印象を決定づけているのだ。

ところで、2章ではとりあげなかったが、もしかすると「ブーン」よりさらに低い音の表現は「ボーン」ではないだろうか。これはどのように説明できるのだろうか。答えは、**図7-3**を見て読者自ら考えてみよう。さらに低い音やさらに高い音の擬音語というのはあるのだろうか。

フォルマントの合成による分析

上の議論は母音の分析結果を述べたものである。じつは議論はまだ終わらない。分析結果が必ずしも原因の必要十分条件とは限らないからだ。逆に物理的なフォルマント周波数を変えると、言語的な母音の音色が変わるのかを確かめるべきである。フォルマント周波数を基に音声を合成し確認する必要がある。これが上で述べた音声の「合成による分析」である。

HISAI システムを使ってフォルマントを作り、音声を合成しよう。図 7-5 に示すように、まず /i/ の第 2 フォルマント周波数を低くする（①）。次にその結果の音の第 1 フォルマント周波数を高くする（②）。これらの音がどのように聞こえるかは、×印で示した男声の平均値から予想できる。読者も予想しておこう。

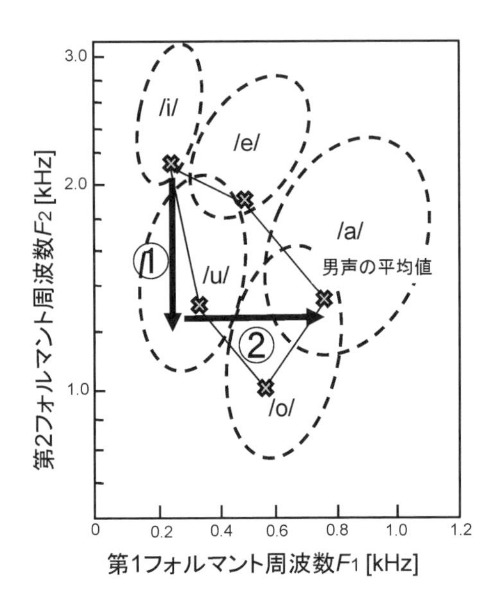

図7-5　合成による分析：フォルマント周波数と母音の音韻性

HISAI システムによる母音音声の合成とその結果

音声合成の様子を、図 7-6(1)～(3)に示す。各図の右側はすでに説明した HISAI システムの主画面である。左図は、ある時刻におけるスペクトルの包絡である。HISAI システムではこのスペクトル包絡を編集し、

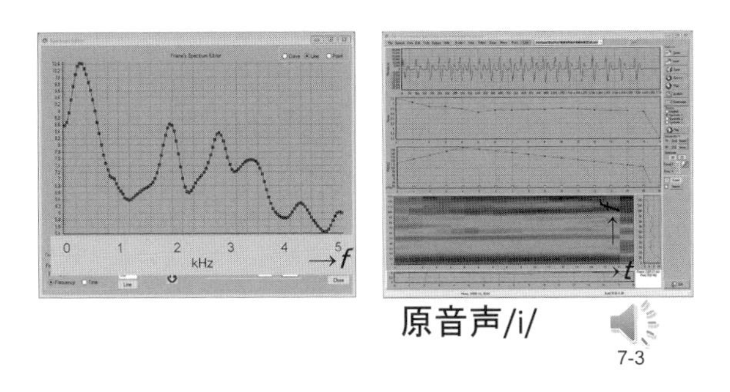

図7-6(1)　HISAIシステムで母音を作る

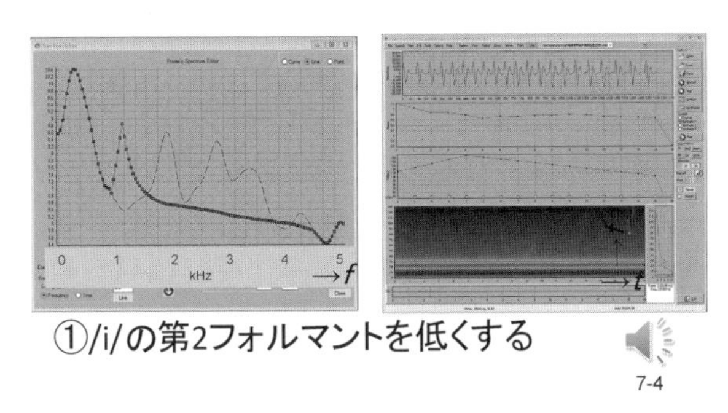

図7-6(2)　HISAIシステムで母音を作る

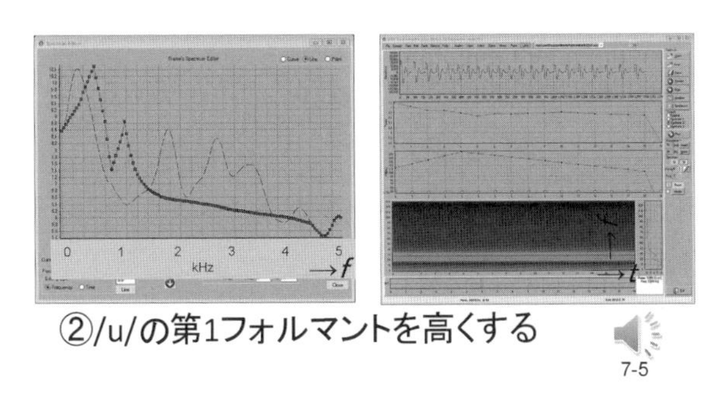

図7-6(3)　HISAIシステムで母音を作る

フォルマントを作り変えることができる。そしてある時間区間に繰り返し書き込むことができる。書き換えられたスペクトル包絡を用いて音声を合成する。

自然な合成音声にするため、基本周波数は「へ」の字パターンにしておく。基本周波数の時間変化パターンは、呼気の時間変化パターンと似ていると考えられるので、平板型アクセントであっても、この方が自然である。結果として、合成音声は、音韻性が明瞭なものになる。母音らしさがはっきりするのだ。あまり知られていないことだが、音声の場合、基本周波数パターンは音韻性（その音素らしい音色）に影響を与える。

図 7-6(1)（音7-3）は、基本周波数を「へ」の字パターンにして合成したものである。スペクトル包絡は、分析したものをそのまま用いた。左図のスペクトル包絡は、第 1 フレームのものである。この合成音声を聞いてみよう。これは、もちろん /i/ と聞こえる。

図 7-6(2)（音7-4）は、左図に示したように、(1) の第 2 フォルマント周波数だけを低くしたものである。左図には、元のスペクトル包絡を破線で、新しいスペクトル包絡を太い破線で示してある。第 2 フォルマントの山のピークが低い方（左の方）に移動していることが分かる。元の第 2 フォルマントの山を消したついでに近くの山も消しておいた。左図に示したスペクトル包絡を後ろのフレームすべてにコピーする。この結果は、右図のスペクトルを (1) のものと比べるとすぐ分かる。これで音声を合成した。この合成音声（音7-4）は /u/ と聞こえる。

図 7-6(3)（音7-5）は、(2) の第 1 フォルマント周波数だけを高くしたものである。このことは左図を見ると分かる。第 1 フォルマントの山のピークが高い方（右の方）に移動している。このスペクトル包絡をすべてのフレームにコピーして、音声を合成した。合成された音声（音7-5）は /a/ に聞こえる。

合成結果の音声は、まず①を行うと、/i/ が /u/ になる。次に②を行うと /u/ が /a/ になる。/a/、/i/、/u/ の順（音7-5、音7-3、音7-4）に聴くと音色の違いがよく分かる。読者の予想通りだっただろうか。

これでフォルマント周波数が母音の音色すなわち音韻性を決定づけることが実感できたものと思う。

物理的に異なるものを同じとみなす

それぞれの合成音声ができたときに音素を単独に聞くと、どの母音であるかあまりはっきりしない。だが、でき上がった音声を /a/、/i/、/u/ の順で聞くと、どの母音かよく分かる。一般に、音素を単独ではなく、複数個続けて聴くと音素らしさが向上するようだ。これは音素の音色が相対的にとらえられているからだと考えられる。同じ母音でも話者によってスペクトルはだいぶ違う。だが、繰り返し聞いて慣れてくると話者の違いが引き去られ、母音の**相対的な違い**だけがはっきりしてくるのだ。

例えば、図 7-7 に示す男声と女声の母音のフォルマントが形作る五角形を比べてみよう。話者の違いを引き去るというのは、五角形を平行移動して両五角形の重心を一致させることと同じである。図では、破線で示した女声の五角形を平行移動して太い点線で示した。このように重心を一致させると、各母音のばらつきが小さくなる。その結果、各母音中心の間の距離が相対的に大きいことになり、母音間の違いがはっきりする。

このように、絶対的な値を除去し相対的な特徴をとらえて、物理的には大きく異なるものを同じものとみなす。このようなことは、人間のパターン認識においていろいろなところで行われている。例えば、2 章で示したように同じ楽譜を使って、1 オクターブ違うメロディーを同じとみなして男声と女声で歌うことができる。

さらに、1 オクターブだけでなく、1 オクターブより小さい値だけ楽譜の音程をずらしたもの、すなわち移調したものは、私たちには同じメロディーの曲としてとらえられる。これは、じつはとても不思議なことだ。移調すれば、物理的な音の高さがまったく違うものになるからだ。これは、

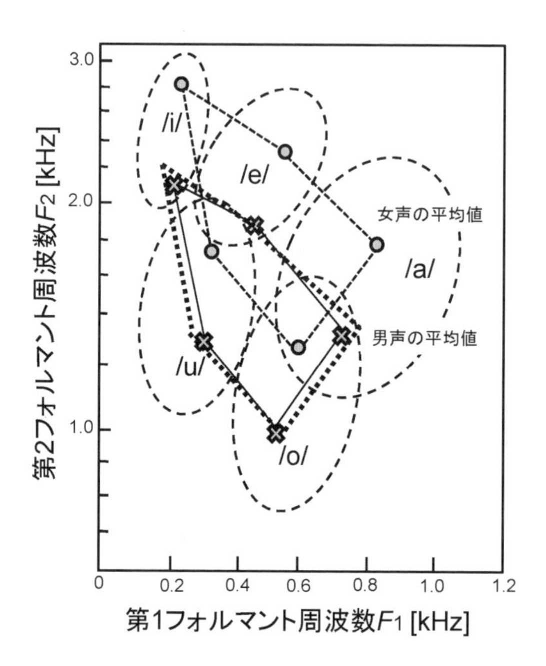

図7-7　男声と女声の母音フォルマント周波数の分布

音の高さの相対的関係だけを聞き取っているからできることである。ただし、絶対音感のある人にはだいぶ違って聞こえているのかも知れない。

物理的に異なるものを**同じとみなす**ことができるのは、人間の知能の中でとても重要な能力である。音声でも、物理的には多少異なるスペクトルのものを、同じカテゴリーに属するものとしてグループ化する。これが音素である。4章で述べた日本語のモーラ「ん」もその例である。複数種の音声を同じものとみなしている。

これまでの議論は、2つのフォルマント周波数だけで表された音素の音色に関するものであった。この考え方をスペクトルそのものに適用しようとする研究[9]がある。また人間には、まったく異なるものを同じとみなす、言語に関する重要な知的能力がある。これについては11章で述べる。

コラム 7-2

二通りに聞こえる不思議な音

これまでは、異なるものを同じとみなすことについての話だった。次に述べるのは、逆に、同じひとつの音声を異なった音素とみなすことについての話題だ。

バングラデシュ人の留学生とともに、バングラデシュ語の**鼻母音**(びぼいん)の研究をしていた時のことだった。バングラデシュ語には6つの母音の他にそれぞれ鼻音(びおん)化した母音がある。そのうち鼻音化した/i/である/ĩ/をバングラデシュ人が発音したとき、日本人である私にはそれが/u/に聞こえた。

不思議に思ったので、その母音のスペクトル分析をした。その結果を図7-8に示す。図の/ĩ/を示した実線がそのスペクトル包絡だ。矢印で示したように、これには/i/の第2フォルマント（$F_{2/i/}$）のほか、/u/の第2フォルマント周波数（$F_{2/u/}$）に近い位置にもうひとつのフォルマントがある。後者は**鼻音のフォルマント**と呼ばれているものだ。

この音素の「合成による分析」を行った。/i/のスペクトル（破線）に鼻音のフォルマント（太い破線）を加えた。図には/ĩ/に変換と示してある。そして、それを大きくしていき、音声を合成した。

鼻音のフォルマントを大きくするに従って、バングラデシュ人には、聞こえ方が/i/から/ĩ/へと変わっていった。日本人には、/i/から/u/へと変わっていったのだ。

聴覚は同じであるはずなのに、人種によって聞こえ方が違う音というものがあるのだろうか。…いや日ごろ使用している言語によって聞こえ方が違うのだ。人間は自分が慣れている言語の枠組みで音声をとらえる。それを明確に示す例になっている。

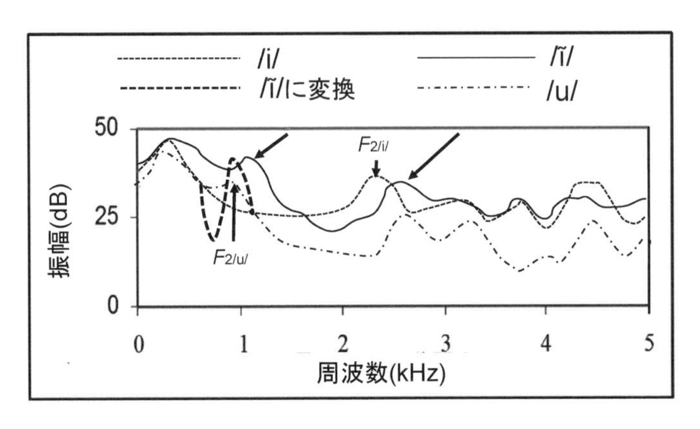

図7-8　2通りに聞こえる不思議な音 [10]

コラム 7-3

君と豚は似た者同士　～「っ」で始まる琉球語の奇妙なことば～

琉球語には、日本語には無い珍しい音素がある。例えば、「ん」で始まる単語がある。したがって、しりとり遊びはできないはずだ。「ん」で終わる単語を言っても、しりとりが終わらないからだ。

「ん」で始まる単語どころか、なんと促音「っ」で始まる単語があるのには驚く。「君」は「**っやー**」、「豚」は「**っわー**」だ。それで、コラムのタイトルを「君と豚は似た者同士」としたのだ。決して君の体型のことを言っているのではない。

琉球語の単語の始まりに現れる「っ」は、4章の「日本語子音の分類」で述べたように、**声門破裂音**(はれつおん)と呼ばれる子音で、/ʔ/と表記される。「っわー」と「わー」の区別は沖縄の人にとっても難しい。現在、「っわー」（豚）を正しく発音できる人は多くない。私が少年のころは、これを発音できるかどうかが方言の話題ではよく問われたものだ。

明治時代の東京帝国大学外国人教師のバジル・ホール・**チェンバレン**は、琉球語と日本語の関係を初めて西洋言語学の手法で研究した。彼は、声門破裂音を「西欧人には発音もできなければ聞き分けもできない音だ」と表現している。

日本語の促音「っ」は単語の始まりには現れない。語中か、まれに語末に現れる。そこで、私は声門破裂音の発音の仕方を教えるとき、次のようにする。「わっ」を続けて発声して「わっわっわっわっわー」のようにする。そして、最後の「っわー」を取り出す。

それでもできない人には、驚いた時に発する「うわー」の「う」を非常に短く発音するように言う。若い人なら漫画で、「うわー」の代わりに「っわー」と書かれたものを見たことがあるだろう。驚かすときには「わっ」で、驚いたときは「っわー」となる。なんと意味が逆であるのと同時に、音素の順も逆になっている！

琉球語には、声門破裂音と対立する音素でできた音節で「い゛」、「え゛」、「お゛」と表現したほうがいいようなものもある。これらの音声も漫画に親しむ世代なら想像しやすいのではないだろうか。

著名な国際学会で声門破裂音の研究成果を発表したとき、声門破裂音の音声を聞きたいので発音して欲しいとの質問があった。私は、質問した体格の良い高名な先生に「っやー　や　っわー　やん」(君は豚です)と失礼なことを言ってしまった。

琉球語の声門破裂音の合成による分析

声門破裂音とは、「声門閉鎖を形成した声門の下の気圧が、肺の収縮あるいは喉頭自身の低下などにより、その上の気圧より高くなると、呼気が急に声門を押しわけて流出し生じる」[11] 破裂性の音声である。

琉球首里方言の声門破裂音は、母音、半母音と撥音(はつおん) /N/ の前に現れる[12]。音韻論では、**音素**が存在するとは、**最小対立語**が存在することである。つまり当該の音素だけが異なるもうひとつの意味の異なる単語が存在することだ。声門破裂音は、多くの言語で「音声」として現れることはあるが、「音素」として存在することは珍しい。日本語では、琉球語だけにあり、西欧語ではデンマーク語にある。しかし、デンマーク語の声門破裂音は音節尾部に現れるのに対し、琉球語のそれは、音節頭部に現れるので、非常に特異である。

琉球語の声門破裂音はこれほど珍しい言語音であるが、これまでその音声の音響分析はほとんどされていなかった[13]。

声門破裂音に関する最小対立語の例を図 7-9 に示す。ここで /ʔ/ は、声門破裂音を示し、/ ’/ は、その対立音であり声門破裂音が無いことを表す。図では「君」と「豚」の最小対立語が示されている。分かりやすいように声門破裂音をひらがなの促音「っ」で表している。これがどのような音であるか、それぞれ音声（(音 7-8)、(音 7-9)、(音 7-10)、(音 7-11)）をまず聞いてもらいたい。なお、/j/ は専門的な記法であり、一般には /y/ で表される音である。

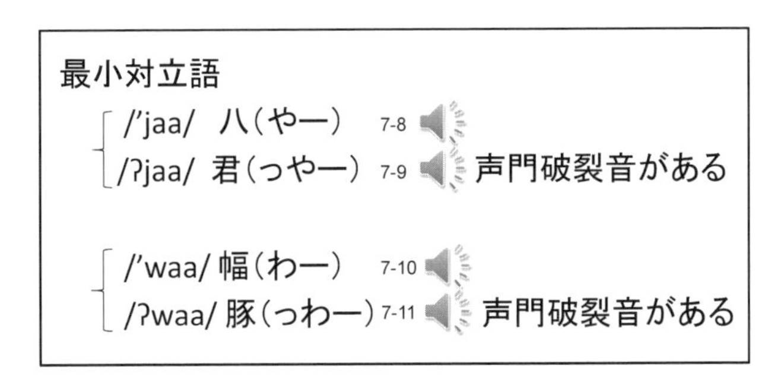

図7-9　声門破裂音の最小対立語の例

図 7-10 に声門破裂音の分析例を示す。この図からスペクトルはよく似ていることが分かる。フォルマント周波数の時間変化パターンを詳しく観

察し比較したが、対立語間で明らかな違いは見られなかった。矢印で示したように、基本周波数の**立ち上がりパターン**と音圧の立ち上がりパターンに違いがあるように見える。そこで、合成による分析法により、音圧、基本周波数、スペクトルのうちどれが音韻性に最も寄与するのかを確かめることにした。

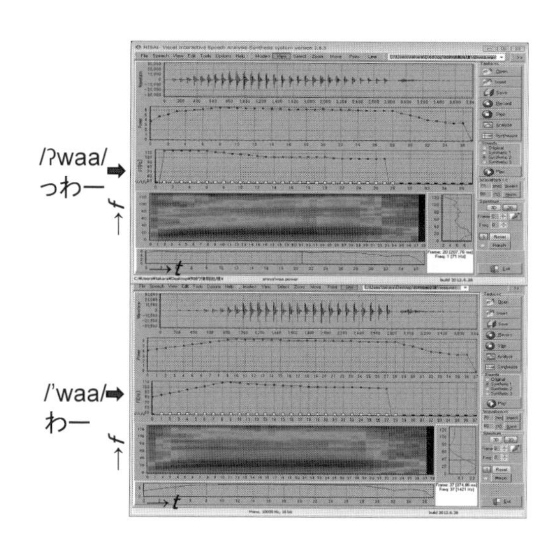

図7-10　声門破裂音の分析例

実験方法は、最小対立語を音圧、基本周波数、スペクトルに分析し、対立語の間でこれらを入れ替えて、音声を合成するというものである。そして合成音声が声門破裂音のある単語に聞こえるか、無い単語に聞こえるかを被験者に問う。被験者は、首里方言の話者男女各 1 人である。パラメータの入れ替えの組み合わせの数は、各単語で 8 種ある。それに元の音声を加えた 10 種の音声を作成した。

実験結果は、「基本周波数」を /ʔ/ から持ってきたものは、声門破裂音のある単語に聞こえ、「基本周波数」を / '/ から持ってきたものは、声門破裂音の無い単語に聞こえる傾向が強いというものだった。音圧やスペクトルでは、その傾向は強くなかった。つまり、声門破裂音の有り無しは**基本周波数**で決定されるのだ。

そこでさらに、基本周波数が立ち上がっていく速さだけを変えた実験を行った。聴取実験の結果、立ち上がり時間が 50ms（ミリ秒）未満の場合は声門破裂音の有る単語に聞こえる傾向が強く、50ms 以上の場合は声門破裂音の無い単語に聞こえる傾向が強かった。

以上のことから、**声門破裂音**の有り無しの音韻性は基本周波数のパターンで決定されるということが明らかになった。音素の音韻性は、「スペクトル」が担うということは、本章の母音のフォルマントの例でも示されたように、これまでの常識である。「基本周波数」が担うのは非常に珍しいことだ。ただし、基本周波数のパターンの違いは 0.1s（秒）以内の短時間に起こる。それで、高さの違いではなく、音色の違いとして感じられるのである。

声門破裂音のある単語とその対立語とでは、声門破裂音以外の音素は同じなので、スペクトルは、声門破裂音のところも含めてよく似ている。スペクトルがほぼ同じである音素を区別するためには、音圧か基本周波数を使用するほかないというわけだ。

基本周波数の特性を音韻性の対立に役立てていることは、有声子音と無声子音の対立の場合とよく似ている。声門破裂音は無声破裂音、対立音は有声破裂音に似ている。

それで、コラムに書いたように、/ʔi/、/ʔe/、/ʔo/ をそれぞれ「い」、「え」、「お」とすれば、/'i/、/'e/、/'o/ は有声音だから、濁音のように「**い゛**」、「**え゛**」、「**お゛**」と表すのが自然で音を想像しやすい。

日本語の**促音「っ」**は、母音部が突然無音になるということが主要な物理的特徴である。基本周波数が突然無くなるのだ。時間を逆にすれば声門破裂音と同じだ。したがって声門破裂音をひらがなでは促音「っ」で表すことは、とても合理的である。

コラム 7-4

ハートのこもった音声を聞く

5章の最後の方で **“ハートのこもった音声”** を作ったことを述べた。いよいよそれを聞かせよう。

その音声をHISAIシステムで取り込む。この音声を分析し、スペクトルを見る。すると**図5-14**で示したハートの形が現れる。これを**図7-11**に再掲する。**動画 m 7-1**「ハートのこもった音声」を見てもらいたい。

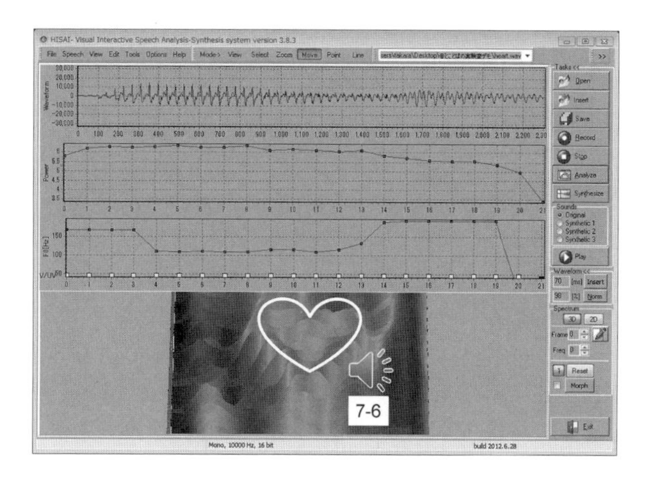

図7-11　ハートのこもった音声

音声は動画で見たように「あい」と聞こえるではないか。なんと…、ハートは愛なのだ〜〜〜！！

講演などで、このような実演をすると、聴衆に大いに受ける。これまで世界に存在していなかった音を聞いてみると、意味を持つような音声になっているのだ。素晴らしいことを発見したと思うだろう。しかし、なぜ「love」(英語で愛) にはならないのか。鼻母音のように、聞く人の言語によって聞こえかたが違うのだろうか。

なぜそのように聞こえるのか種明かしをしよう。母音のフォルマントについて説明した今こそ理解してもらいたい。**図7-12**に示すように、「あい」と発声したもの（**音7-7**）の遷移部にはハートの形の一部がある。じつはそこを使ってハートを作ったのだ。

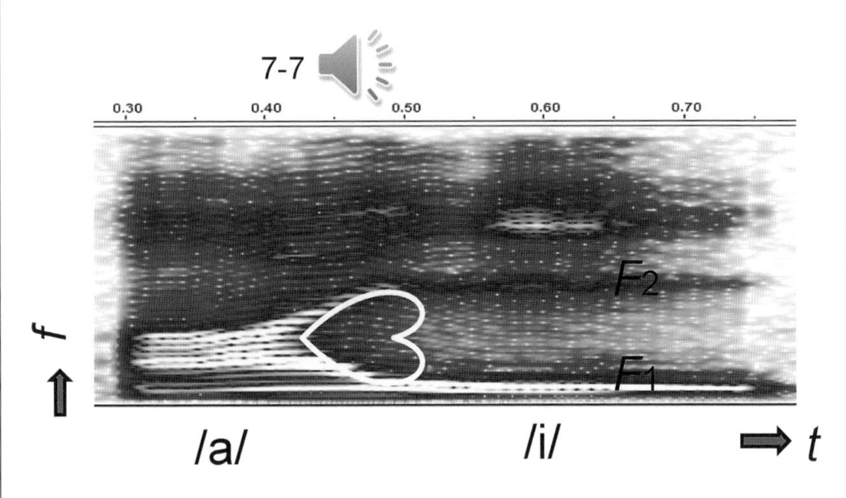

図7-12　ハートは/ai/（愛、AI）です

本章の「母音の音色の基になるフォルマント」で述べたように、/a/ではF_1とF_2は近い。そして/i/ではF_1とF_2は離れている。フォルマント周波数はゆっくりと変化するので、ハートの一部のような形ができることが分かる。

母音のフォルマント周波数の遷移の仕方を知っていたので、この部分を利用して作ったのだ。これが「あい」いう発音になっていて、日本語では音と意味もうまく一致した。時間を逆にして「いあ」（「いや」に聞こえる）でも作ることはできる。だが、これでは意味も逆になってしまい、ハートにそぐわない。

学生のレポートの中に、**ハートの部分**だけを取り出すとどういう音になるか、という鋭い質問があった。しまった、確認していなかったことを追及されてしまった。レポートでよかった、と思った。実際どうだろうと思って、あとから確認した。

これは、今回は **動画 m7-1** の後半でお聞かせした。結果は、それでも「あい」と聞こえるのだ。短い遷移部にも音素らしさが残っている。そのように聞こえるわけは、このあと11章で説明することになる。

私は、いつかは本物の心のこもった音声・癒(いや)しの音声を作りたいと思っている。癒しの音声を人工的に作り出すことは、世界中のだれも成功していない。

音声によって心が通じ合うことの原理については、ある仮説とそれを実証するためのモデルがある。これについては、最終章で述べる。

まとめ

本章では音声の物理的世界が人間の心的世界および言語的世界とどのようにつながっているのかということの一端を明らかにした。音声のスペクトルから、フォルマントを経て、言語の音韻性になっていく過程を解説した。7章を要約すると、以下のようになる。

①母音の音韻性（その母音らしさを表す音色）は、スペクトルの形状で決まる。特にスペクトルの強い成分でピーク（山の頂上）となっているフォルマントの周波数で決まる。(図7-2)

②母音の音韻性は、低い周波数の第1フォルマント（F_1）と2番目に低い周波数の第2フォルマント（F_2）の周波数で決まる。あごを広く開くほどF_1が高くなり、舌の位置を前にするほどF_2が高くなる。(図7-4)

③バングラデシュ語の鼻母音の例のように、聞く人の言語によって、同じ音でも異なって聞こえることがある。聴取者はその人の言語の枠組みの

中で音声の音韻性をとらえている。

④琉球語に存在する声門破裂音は、基本周波数パターンにより音色が決定づけられる世界的にも珍しい音素である。

動画 m7-2「音声科学の歌」は、これまでの 4~7 章の要点をまとめて歌詞にし、筆者が作曲したものである。一休みしながらこれを聞いてこれまでの復習をしていただければ幸いである。

Ⅲ 音声工学

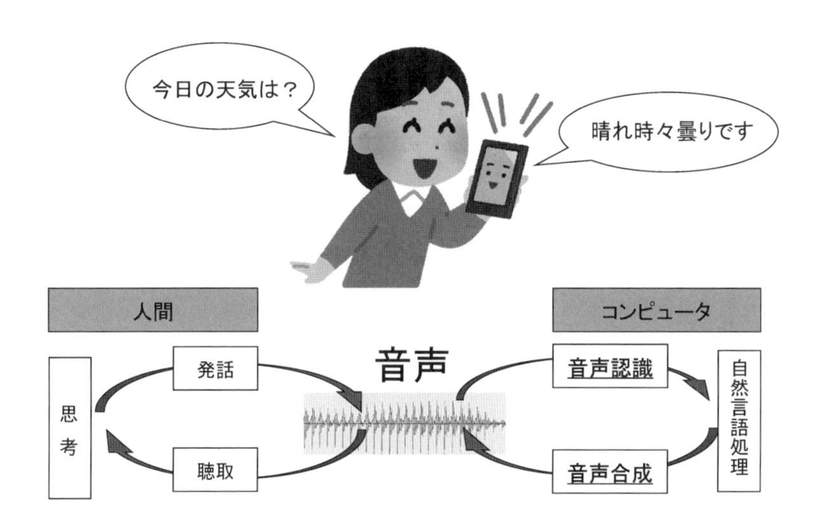

8章

AIがしゃべる人工音声
～琉球語もしゃべる～

音声の人工合成とは

本章の中扉Ⅲ（音声工学）の挿絵にもあるように、現在、世の中には人間のことばを理解し、人工的なことばを発する情報システムが出現している。これらはどのような仕組みになっているのだろうか。本章では、筆者らが作製してきた「テキスト音声合成システム」を例にして、日本語テキストの文音声合成の仕組みを解説する。

まず、ひとつひとつの音素を合成する音声合成器について説明する。これは、4章の最後に述べたケプストラム法による音声合成方式で作られている。次に、テキスト(文)音声合成（Text-to-Speech Synthesis）について説明する。音素をつないでいくと単語になり、それらをつなぐと文になる。

筆者らは、琉球語の音声分析を進めるため、日本語の音声合成システム[1]を基にして、琉球語の音声合成システムを作製した。そしてこれを発展させ、汎用のテキスト音声合成システム[2]（General Speech Synthesis System; GSSS）を開発した。これは、800種とも言われる琉球語の方言をすべて合成できるようにするためである。

琉球語（**琉球方言**ともいう）は、本土方言と並ぶ日本語の大方言である[3]。すなわち日本語は本土方言と琉球方言からなる。琉球語は、日本語の歴史的変遷を**地理的に保存**しているとも言われる。琉球語の中には中世日本語や古代日本語と同じ音素を持つ方言が現存しているからである。したがって、GSSSでは、現代日本語だけでなく、**中世日本語**や**古代日本語**のシステムも作製できることになる。

GSSSは広く日本語のテキスト音声を合成できる。そこで、これを例として日本語のテキスト音声合成システムの仕組みを解説する。代表的な方言として、琉球語の標準語と言われる首里の方言をとりあげて詳しく説明する。もちろん日本語（東京方言）についても解説する。

GSSSは、日本語・琉球語だけでなく、他の言語・方言のテキスト音声合成システムにも拡張することができる。これは、ベトナム語、タイ語、ミャンマー語、バングラデシュ語、中米スペイン語、エチオピア語などのテキスト音声合成システムですでに応用されている[4]。

琉球語のテキスト音声合成システムでは、日本語（東京方言）の文字列から、琉球首里方言のテキスト音声を合成することができる。つまり日本語から琉球語への翻訳が組み込まれている。また、古い琉球語で書かれた琉球の万葉集とも言われる「おもろさうし」の音声を合成するシステムも最後に紹介する。

音声合成システムのかなめとなる音声合成器

筆者らが開発した音声合成システムでは、そのかなめとなる**音声合成器**として、4章で説明した「ケプストラム法による音声合成」方式を採用している。これは、図4-13に示したように、音源フィルタ・モデルによる合成器である。フィルタの制御情報は、スペクトルと等価な情報であるケプストラム係数である。音源の制御情報は、有声・無声の情報と有声部の基本周波数である。

4章と5章で述べた音声合成スペクトルエディタ「**HISAIシステム**」では、同じ合成器が使用されている。HISAIシステムの分析結果である数値情報は出力することができる。したがって、この出力結果は、次に述べるテキスト音声合成システムの音声合成単位として使用できる。新しい言語・方言の音声合成システムを作る場合には、HISAIシステムを活用することができる。

テキスト音声合成システム

テキストとは文字列のことである。図 8-1 に、日本語の**テキスト音声合成システム**の流れを示す。システムの入力は、日本語の漢字仮名交じり文で、出力は文音声である。テキスト音声合成システムは、前半のテキスト解析部と後半の音声合成部からなる。

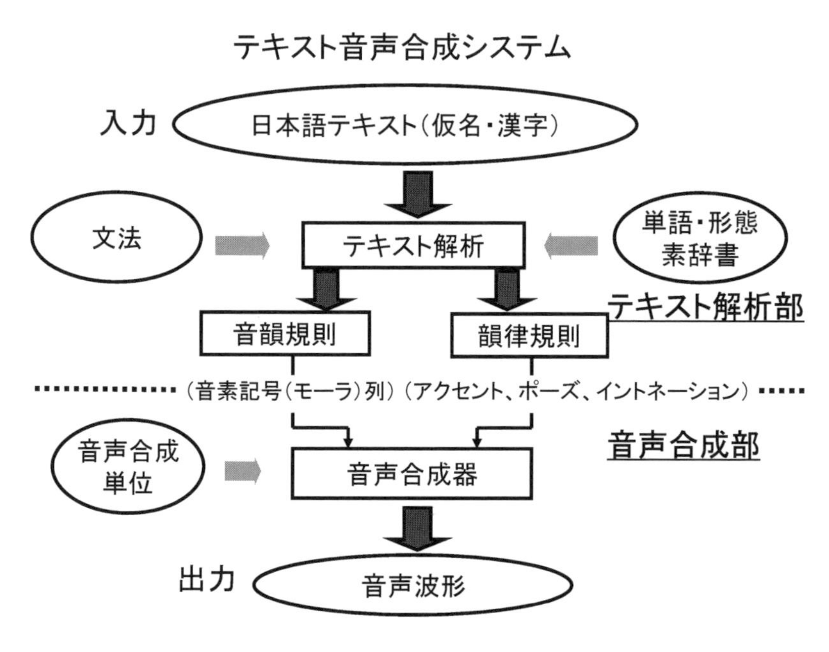

図8-1　日本語のテキスト音声合成システムの流れ

テキスト解析部では、文字列を解析し、単語辞書などを用いて文を単語ごとに切り出す。漢字を仮名に直し、これを音素記号列にする。これは**音韻規則**と呼ぶプログラムで行われる。アクセント型を判定し、さらに文法を用いてポーズ（無音の休止）やイントネーション（文の音の高さのパターン）の情報を作り出す。これは、**韻律規則**と呼ぶプログラムで行われる。

筆者らが作製したシステムでは、音声合成の単位として、4章で述べたモーラを用いている。モーラを用いることは、日本語のテキスト音声合成システムでは有効な方法[5]であり、琉球語でも同様である。

音声合成部では、テキスト解析部から送られてきた音素記号列情報とポーズ情報に従って、あらかじめ分析・保存されている音声合成単位（モーラ）を接続して、フィルタ特性の時系列を作る。音声合成単位にある子音の情報等を利用して、モーラ間が連続的になるように接続する。長音は、母音部を2倍に伸ばして、促音「っ」は、1モーラ長の無音を挿入して、プログラムで自動生成する。撥音（はつおん）「ん」は母音として取り扱う。

アクセント情報・イントネーション情報に従って基本周波数のパターンを生成する。これを、有声／無声情報とともに、音源として音声合成器に入力し、テキストの音声を生成する。アクセントとイントネーションについてはこのあと説明する。

琉球語のテキスト音声合成システムでは、前半のテキスト解析部で琉球首里方言に**翻訳**する。つまり、テキスト解析部の出力は首里方言の音声記号列である。

合成のための制御文字列から音声へ至るまでの後半部の音声合成部については、このあと詳しく説明する。

汎用音声合成システム

首里方言のテキスト音声合成システムを開発した後、これを発展させ、**汎用音声合成システム**を開発した。これを用いると、規則を取り換えることにより、どのような方言・言語の音声合成システムも簡単に作ることができる。プログラミングをせずに新しい方言・言語の音声合成システムを作ることができるのだ。

汎用音声合成システムを図8-2に示す。音声合成部の基本的な部分はそれまでのシステムを基にし、音声合成の規則をプログラムから切り離し、データ化した。つまり、音声合成規則を**特徴データ化**することにより、音声合成に必要な接続単位（モーラ、拍、音節）・アクセント規則を取り換えられるようにした。インターバル（ポーズ）規則は、モーラ規則に含ませ、イントネーション規則の一部は、アクセント規則に含ませて実行できる。音声合成規則をプログラムから分離することにより、合成したい言語（方言）の特徴によく合った合成規則が使用できるようになった。

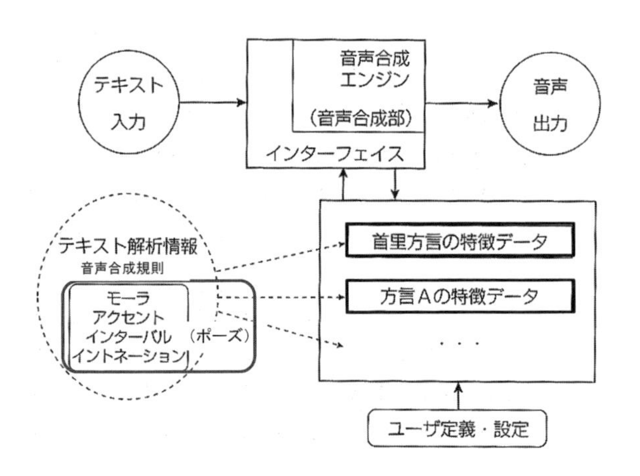

図8-2　汎用音声合成システム

テキスト解析部　～琉球語への翻訳～

琉球語のテキスト音声合成システムにおけるテキスト解析部の説明を行う。テキスト解析部では、日本語のテキストから琉球語のテキストへの翻訳も行う。

7章で述べたように、「合成による分析」の研究の一貫として**琉球語の翻訳システム**[6][7]を作製した。琉球語と日本語がどれだけ似ており、また異なっているのかということを、翻訳システムを作製することによって実験的・定量的に明らかにした。

琉球語への翻訳システムの流れを図8-3に示す。音声合成部は最後の方に小さく描かれている。まず**形態素解析**が行われる。形態素解析は、漢字仮名交じり文を形態素（意味を持つ最小の言語単位。単語とほぼ同じ意味）に切り分ける処理である。単語の読み（発音）も得られる。これから音声を合成すれば、普通の日本語テキスト音声合成システムになる。

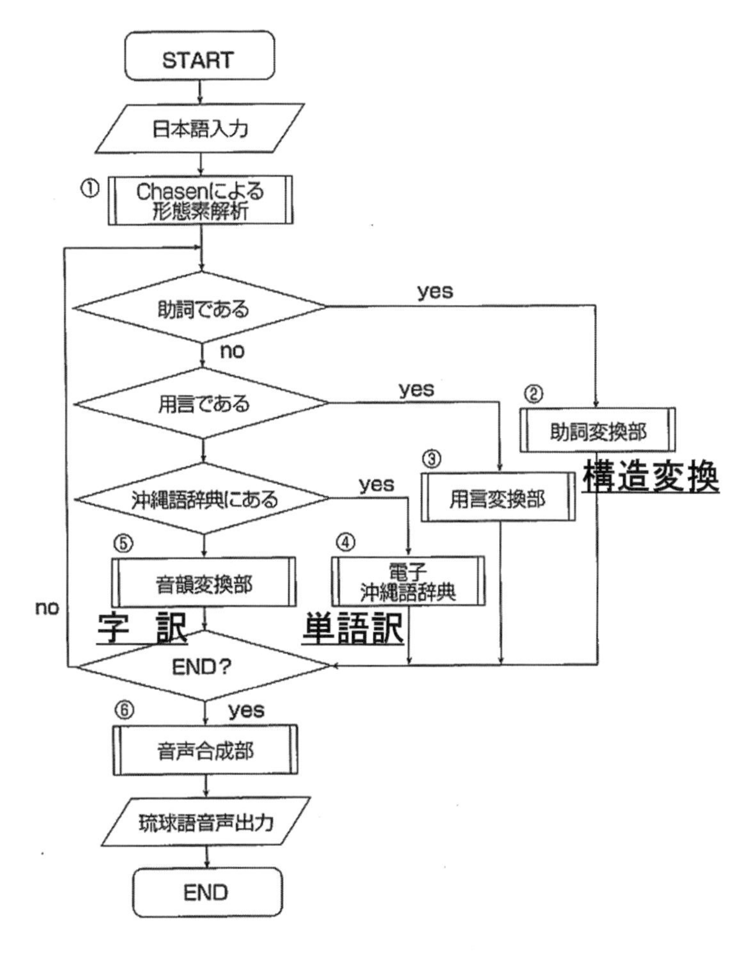

図8-3　琉球語への翻訳システムの流れ

これ以降が日本語から琉球語への翻訳部である。一般に翻訳は、最も簡単な「**字訳**」から単語辞書を使用する「**単語訳**」、さらに文法を考慮した「**構造変換**」を伴うもの、日本語と英語の間の翻訳のように「意味までさかのぼる」ものがある。この順で高度化していく。本システムでこれらに対応するところは、下線太字で示してある。意味処理は特に行っておらず、漢字によって意味を識別する。

本システムの音韻変換部は、琉球語と日本語に存在する音韻対応法則に従って「字訳」を実行する。**音韻対応法則**としては、「沖縄語辞典」[8] に示されている言語学的知見から確実度の高いもの 30 項目を選んだ。音韻対応法則の一部を図 8-4 に示す。音素記号で分かりにくいものは、右側に仮名表記を示してある。特に（29）と（30）は重要である。これについては 4 章の「あごの開き・舌の位置と母音音声」でも述べた。母音に関する対応法則なので、音素列のほぼ半数に関係する。この法則だけでだいぶ琉球語らしくなる。例えば /ame/（雨）は /ami/、/kumo/（雲）は /kumu/ である。/e/ は /i/ に、/o/ は /u/ に変わっている。

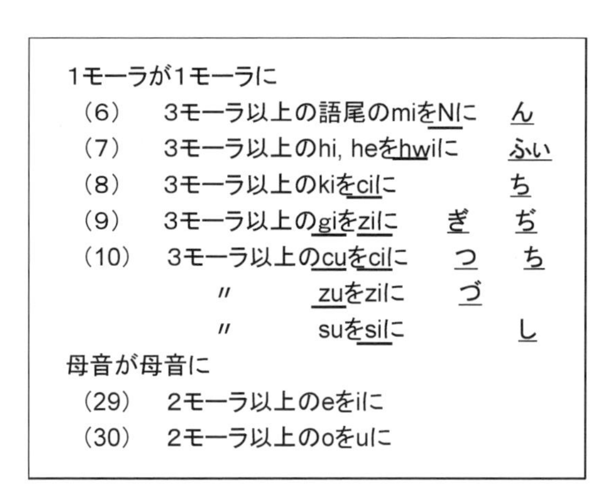

図8-4　琉球語への翻訳システムの音韻対応法則の一部

音韻対応法則に従って実行するので、辞書に登録されていない**新語**も琉球語に変換することができる。例えば、/terebi/（テレビ）は /tiribi/ になる。これは琉球語話者にとっては、自然な新しい琉球語のように感じられる。

音韻対応法則だけを用いて翻訳をすると、音素正解率は49%になった。評価用単語と評価基準が異なるが、正解率が70.9%になるという調査結果[9]もある。これはかなり高い値である。琉球語は、日本語とずいぶん異なっているように感じられるが、日本語の方言だとみなされるのはこのためである。

単語訳では、「**沖縄語辞典**」を電子化したものを使用した。電子辞典から対応する単語を見つけ出す。これを使うと音素の翻訳正解率は61%になった。

琉球語と日本語は、助詞に少し意味のずれがあり、また用言の活用語形が異なる。このようなことを考慮した**構造変換**を行うと翻訳正解率は80.4%になった。

以上のことから、琉球語と日本語との間の言語的法則性は、現在約80%の精度で解明されているということが明らかになった。

音声合成部への入力文字列

図8-1の中央部に示した音素記号など文字列情報について説明する。音素は、基本的には**訓令式**のローマ字（「si」「ti」「hu」など）で表すが、慣用の**ヘボン式**（「shi」「chi」「fu」など）も使用できるようにしてある。琉球語のモーラに対しては専門家が使用する**音素表記**法[10]も使えるようにしてある。

促音「っ」は「Q」と表し、**撥音「ん」**は「N」と表す。**長音**は同じ母音を2つ書いて表す。カタカナの長音記号「ー」も使用できる。日本語では「ん」は3つの音声［m］、［n］、［ŋ］からできていることは、4章で述べた。このシステムでは、「んー」と発音して録音・分析し、母音と同じものとして扱っている。聞こえ方は同じなのでひとつの音声で十分である。

アクセントの型は、単語の後ろに「:0」「:1」「:2」のように書いて表す。日本語（東京方言）では、図 8-7 に示すように、*N* モーラからなる単語には *N*+1 種のアクセント型がある。そのうち 1 種は平板型である。このシステムでアクセント型を明示しない場合は、平板型とみなされる。首里方言の単語のアクセント型は平板型と下降型の 2 種だけである。

単語の間には、**インターバル**（無音区間）を置く。インターバルを表す記号の時間長は音素などと同じように特徴データとして設定・変更できる。無音区間長は、現在のところ「^」は 1ms（ミリ秒)、「/」は 50ms、「.」は 140ms、「;」は 250ms、「　」（空白）は 50ms に設定してある。

琉球語の入力例文

図 8-5 に琉球首里方言の入力文の例を示す。入力例文の前半の文は、**首里の昔話**の冒頭の部分である。この例文とその続きの話の発話音声を分析し、この音声合成システムの制御情報のうち定数にするものの値を決定した。

Nkasi syuinakai ataru^hanasi yaibiisiga:1
むかし 首里に あった 話 ですが

iQpee:1^churawinagu tuzi:1syooru:1Qchunu:1 uibiitaN:1
大そう 美しい女を 妻に している 人が いました。

NkasiNkasi arutukuruNkai:1 taNme-tu:1^Nme-ga
むかしむかし あるところに おじいさんと おばあさんが

meNse-bi-taN:1 8-17
いらっしゃいました

図8-5 首里方言の入力文の例

後半は「**桃太郎**」の出だしの部分を首里方言に翻訳して入力したものである。「桃太郎」の合成音声（(音8-17)）を聴いてもらいたい。首里方言は分からなくても、これが「桃太郎」の話だと答えられる人は多い。桃太郎の話は、多くの人が幼いころ日本語で聞いたことがあるからだ。見て分かるように、首里方言の発音は日本語と似ている。

基本周波数の藤崎モデル

藤崎モデル[11]は、テキスト音声合成の基本周波数を制御する方法として、非常に高精度のものである。このモデルは、脳から発する基本周波数の生成の「指令」と、基本周波数の時間パターンが音声器官を通過して曲線的で鈍(なま)った形になることを表した「音調曲線」とからなる。図1-1およびII（音声科学）の扉にある図（p.75）で言えば、話し手の「心理」を表すモデルである。

藤崎モデルの**指令**は、単語や単語列を発するための「**句指令**」とアクセントを作るための「**アクセント指令**」からなる。それぞれの出力として**音調曲線**がある。それら音調曲線の和が実際の音声の基本周波数パターンによく一致するように指令の大きさと時刻を調節している。

図8-6に、藤崎モデルを用いて単語のアクセントのための基本周波数（F0）のパターンを生成するアプリの操作画面を示す。横軸は時間で単位は［×10ms］である。この図は首里方言の4モーラの下降型アクセント単語の例である。図の下部は指令と音調曲線を表している。図の上部は音調曲線の和であり、実際の基本周波数パターンと比較するために用いる。

横軸は時間である。下図の時刻「-5」の付近に縦線がある。これが**句指令**である。その結果の**句音調曲線**は太い点線で示してある。これは、実際の音声が始まる50ms前に指令が出ていることを示している。**アクセント指令**は直線で示してある。この例では、80msから始まり、290msで終っている。その結果の**アクセント音調曲線**は、薄い色の曲線で表されている。

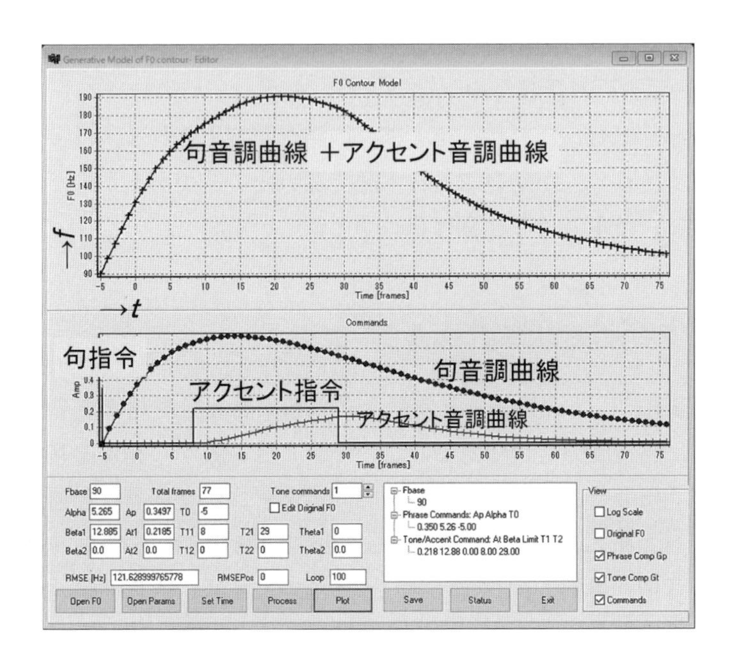

図8-6　藤崎式F0生成モデルのエディタ

指令から遅れて鈍(なま)った形になっているのが分かる。

句とアクセントの音調曲線を各時刻において加算したものが図の上部に示されている。測定された基本周波数のパターンとこの音調曲線とを比較し、よく一致するように図の左下にある「指令」の大きさや時刻を表す**特性値**が自動的に決定される。

本音声合成システムでは、各アクセント型の特徴データとしてこれらの特性値を記憶しておく。音声合成時にはこの特徴データを読み出し、基本周波数のパターンを生成する。

藤崎モデルは、音声の**鈍り現象**をよく近似するものである。基本周波数のパターンがこれほど鈍っている（曲線的になっている）ものだとは普段気づかない。じつは、連続音声のスペクトルもずいぶん鈍っているのだ。それで、スペクトルの鈍り現象も、藤崎モデルを用いてモデル化されている。これについては、11 章で述べる。

日本語のアクセント型

日本語のアクセント型を図 8-7 に示す。日本語（東京方言）では、*N* モーラ単語には *N*+1 種のアクセント型がある。音の高さが下がるのが何番目のモーラかによって、アクセント型が決まる。図の横方向にモーラ（拍）数、縦方向にアクセント型が示されている。

型＼拍数		1拍の語	2拍の語	3拍の語	4拍の語	5拍の語	6拍の語
0型	平板型		ホシ(ガ) 星(が)	ツミキ(ガ) 積み木(が)	ミカヅキ(ガ) 三日月(が)	サツマイモ(ガ) 薩摩芋(が)	オコノミヤキ(ガ) お好み焼き(が)
1型	頭高型		ウミ(ガ) 海(が)	ミンカ(ガ) 民家(が)	フジサン(ガ) 富士山(が)	ヒノクルマ(ガ) 火の車(が)	アクシデント(ガ)
2型	中高型			アマド(ガ) 雨戸(が)	ヒマワリ(ガ) 向日葵(が)	ミホンイチ(ガ) 見本市(が)	オノボリサン(ガ) 御上りさん(が)
3型	中高型				アオゾラ(ガ) 青空(が)	カミシバイ(ガ) 紙芝居(が)	ガイセンモン(ガ) 凱旋門(が)
4型	中高型					ニシニホン(ガ) 西日本(が)	セカイキロク(ガ) 世界記録(が)
5型	中高型						オボロヅキヨ(ガ) 朧月夜(が)
N型	尾高型	メ(ガ) 目(が)	ハナ(ガ) 花(が)	オンナ(ガ) 女(が)	オトート(ガ) 弟(が)	ケーヤクショ(ガ) 契約書(が)	ジューイチガツ(ガ) 十一月(が)

図8-7　日本語（東京方言）のアクセント型[12]

例えば、4拍の単語では、1型、2型、3型、*N*型アクセントはそれぞれ、高低低低、低高低低、低高高低、低高高高である。0 型アクセントも低高高高だが、後ろに「が」などの助詞を付けた場合も下がらない。*N*型アクセントでは、助詞の前で下がる。

このように言語学的には、アクセントは**高低の 2 値**で表される。だが、これによる実際の基本周波数の**時間パターンは曲線**になっている。藤崎モデルはこのことをモデル化したものであり、高低の 2 値パターンはアクセント指令、実際の基本周波数のパターンは音調曲線である。具体的な例は、次の首里方言のアクセントで示す。

琉球語の平板型アクセント

琉球首里方言には、平板型アクセントと下降型アクセントがある。首里方言話者の男女各1名が発声した2～5モーラの平板型単語19語、下降型単語19語の基本周波数パターンを分析した[13]。アクセント型およびモーラ数別に、時間軸を伸縮して長さをそろえ、周波数を対数目盛で表して上下に平行移動してそろえて、パターンを平均化した。このパターンから上述の藤崎式F0生成モデルエディタによって藤崎モデルの特性値を得た。以下に示す基本周波数のパターンは、この特性値から生成したものである。

図8-8に首里方言の**平板型アクセント**の基本周波数のパターンを示す。横軸は時間で単位はモーラである。上から、2モーラ、3モーラ、4モーラ、5モーラ長の単語のパターンである。首里方言には1モーラの単語はない。平板型と言いながら「へ」の字の形をしている。これは呼気の力の大きさを表している。途中から力がゆるみ、高さもゆっくり下がっていくのだ。まさに「へ」一板型であり、ダジャレで覚えやすい。このパターンで作った(音8-1)、(音8-2)、(音8-3)、(音8-4)を聞いてもらいたい。

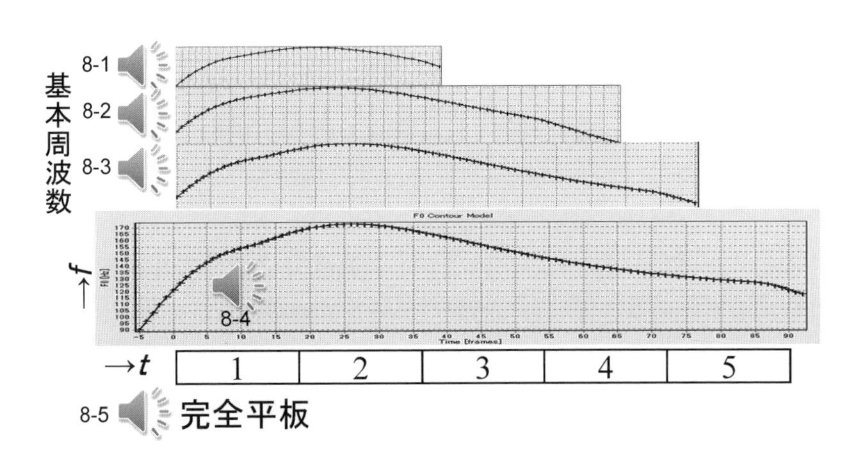

図8-8　首里方言の平板型アクセントの基本周波数パターン

7章の「HISAIシステムによる母音音声の合成とその結果」で述べたように、これが自然な平板型なのだ。人間の呼気に関係しているので、日本語のほか世界中の言語で、平板型アクセントがあればこれと同じになっているはずである。HISAIシステムで、定規で引いたような完全に平板な基本周波数パターンで単語を合成することができる。これを(音8-5)に示す。この場合は、鼻にかかったような歪(ひず)んだ音声になる。

琉球語の下降型アクセント

図8-9に下降型アクセントの基本周波数パターンを示す。またこのパターンで作った単語音声を(音8-6)、(音8-7)、(音8-8)、(音8-9)に示す。これらの音声を聴いてみよう。横軸と縦軸の目盛は、図8-8と同じである。

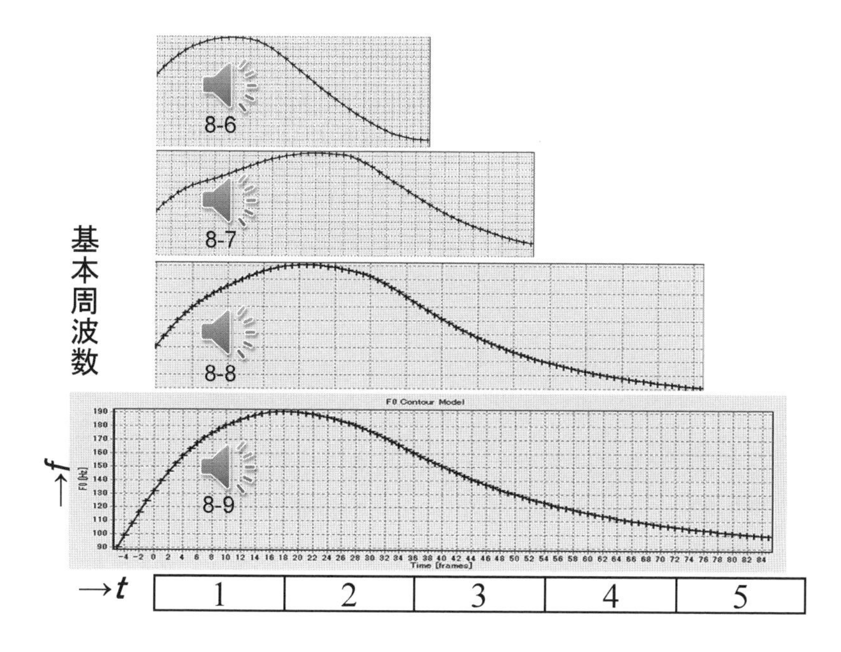

図8-9　首里方言の下降型アクセントの基本周波数パターン

言語学の専門書[14]には、琉球首里方言の**下降型アクセント**単語は、2モーラ単語では1モーラ目だけが高く、3モーラ以上の単語では2モーラ目まで高く後は低い、と書かれている。読者にはそのように聞こえるだろうか。物理的特性であるこの図から、そのことが何とか読みとることはできる。これを明確に示すことができる人間の言語的知覚能力の高さには驚くばかりだ。

言語学ではアクセントは高いモーラ、低いモーラと2値で表される。だが基本周波数は実際にはこのような曲線になっているのだ。このような曲線から高低アクセントを感じることができるためには、前述の藤崎モデルの逆変換の機構が必要と思わずにはいられない。この仕組みについては、11章でモデルを用いて考察する。

アクセントに関する聴取実験の結果

音声合成の研究における音声評価の仕方を理解してもらうため、どのように**聴取実験**が行われるのかを具体例で示そう。

首里方言のテキスト音声合成システムを評価するため、アクセント規則に関する合成音声の聴取実験を行った。平板型は、一般に日本語を含め声立て（声の出しはじめ）だけの標準的な基本周波数パターンであるのでとりあげず、ここでは首里方言の下降型アクセントを評価した。

聴取者は方言ニュース・キャスター1名である。使用単語は、3モーラから5モーラまでの下降型アクセントの2単語ずつ計6単語を選定した。

合成音声は、下降型として、上述の基本周波数パターンを用いたもの(A)（音8-10）を使用した。他に、モーラ接続方式の異なるものおよび基本周波数パターンの近似の仕方の異なるものの2方式を使用したが、ここではこれらについては省略する。

比較のため日本語（東京方言）の第2モーラだけが高いアクセントパターンを用いたもの(B)（音8-11）、日本語（東京方言）の第1モーラだけが高いアクセントパターンを用いたもの（C）（(音8-12)）、琉球語の平板型の基本周波数パターンを用いたもの（D）（(音8-13)）を使用した。これらの音をそれぞれ聴いてみよう。

6種類の合成音声を作成し、6種から2個ずつペアにして、このペアをランダムに提示して「より首里方言らしいもの」を強制選択させた。

6単語の中には被験者の語彙に属さない単語もあったので、これを除いた。4種の合成音声について集計した結果を図8-10に示す。

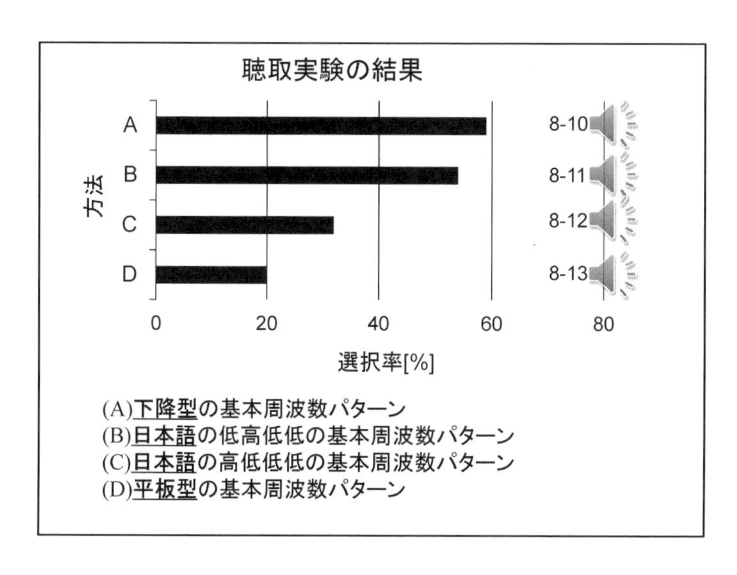

図8-10　アクセントに関する聴取実験の結果

下降型アクセント（A）が平板型アクセント（D）より高い選択率であることから、下降型アクセント単語を平板型で合成すると不自然であることが分かる。すなわち首里方言には下降型アクセントと平板型アクセントの区別があることが確認できる。日本語の（B）、（C）の選択率が低いことから、首里方言の下降型アクセントは、日本語の各アクセントとは異なるものであると言える。ただし2モーラ目だけが高いもの（B）は似ていると言える。なお、実験では琉球語の地名 /akaNmi/（赤嶺）が使用されたが、例示した合成音声は、現在の人名 /akamine/（赤嶺）である。

♪ コラム 8-1

甲子園での沖縄選手の名前

沖縄の人の姓や地名は特殊で、他県ではほとんど見られないものが多い。甲子園で沖縄県出身の選手の名前が呼ばれると、珍しい姓と思う人が多いだろう。モーラの並びが特殊だ。

だが沖縄では、よく聞く名前だが全国放送のアナウンサーがその名前を発音すると何か変だ、と感じる人が少なくない。沖縄ではそのように発音されていないと。モーラの並びとしては正しいが何かが違う。

なぜ不自然な感じがするのか。変だと感じてもこれに答えきれる人は多くないと思う。じつは、これはアナウンサーの**アクセントが変**なのだ。

上で述べたように首里方言ではアクセントは平板型と下降型しかない。前述の「日本語のアクセント型」の例で言えば「低高高高」（平板型）と「低高低低」（下降型）が似ている。

これを漢字の発音のまとまりなどから「高低低低」や「低高高低」で発音すると、首里方言としては違和感がある。「高低低低」は、近年東京方言でも増えつつあるようだが、特に違和感が強い。図8-10で例示した合成音声は、現在使用されている人名だ。これを聞いてこの違和感を体験することができる。

首里方言は琉球語の標準語ともいうべきものだ。沖縄の人の姓の発音は、昔から首里方言のアクセントで沖縄中に広まっていったものと考えられる。

NHKの放送では、方言のアクセントという**言語遺産**を尊重した発音でアナウンスして欲しいと思う。

イントネーション規則

図 8-11 に、**イントネーション規則**を示す。横軸は時間で、基本周波数が時間とともにだんだん低くなっていくように設定してある。普通の話しことばの文では呼気がだんだん弱くなるので、声の高さもだんだん低くなる。音の高さは基本周波数で決まるから、基本周波数をだんだん低くしてある。低くなっていく直線の傾きは、首里方言の話者に首里の民話を読んでもらい、その音声の基本周波数パターンから決定した。

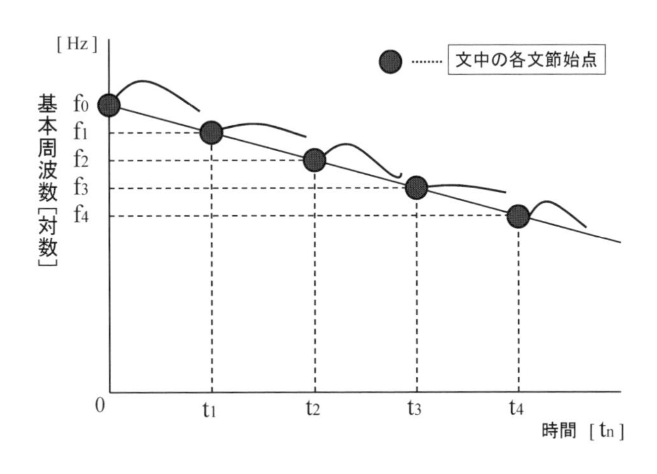

図8-11　イントネーション規則

文末に到達すると、次の文で基本周波数の初期値に戻る。**息継ぎ**で高さが戻ることと同じである。疑問文など、しり上がりのイントネーションは、単語アクセントのひとつとしてアクセント規則に加えることで実行できる。

音声合成システムと合成例

図 8-12a～c に琉球語テキスト音声合成システム（Ryukyu Dialect Speech Synthesis；RDSS）の操作画面を示す。RDSS は、システム名は

琉球語の音声合成となっているが、どのような方言・言語の合成システムにも変更可能な前述の汎用音声合成システムである。この画面では、「**琉球方言**」、「**標準日本語**」、「**石垣方言**」が設定されている。ここで「琉球方言」とは首里方言のことである。「標準日本語」とは図 8-7 の日本語のアクセント型を組み込んだものである。このシステムの最新のものとして 2018 年に**石垣方言の音声合成システム**を作った。

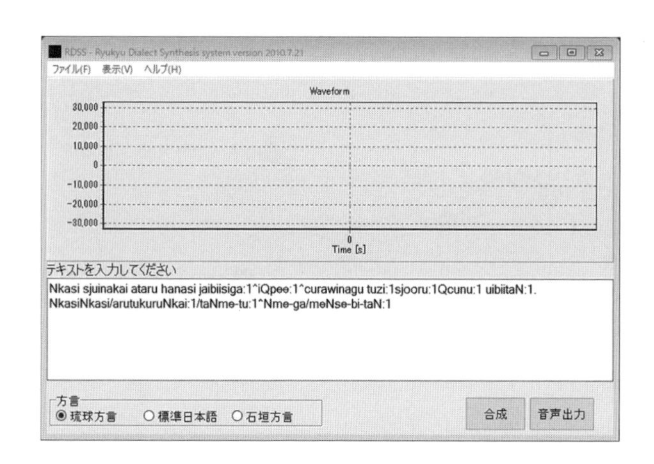

図8-12a　琉球語のテキスト音声合成システム（RDSS）の操作画面で例文を入力

このシステムではテキスト入力部に、合成したい文字列を入力する。図 8-12a の例では、図 8-5 の入力文例を入力してある。

音声合成を行うには、図 8-12b に示すように「合成」をクリックする。入力文字列に規則違反のエラーがなければ、1 秒以内に音声波形が現れる。

図 8-12c に示すように、「音声出力」をクリックすると、スピーカーから合成音声が流れる。

このシステムを使って以下の合成音声を作った。その様子を**動画 m 8-1**「汎用音声合成システムによる音声合成」（所要時間 2 分 36 秒）で示す。合成速度などを確認してもらいたい。各音声を音データでも聞いてみよう。

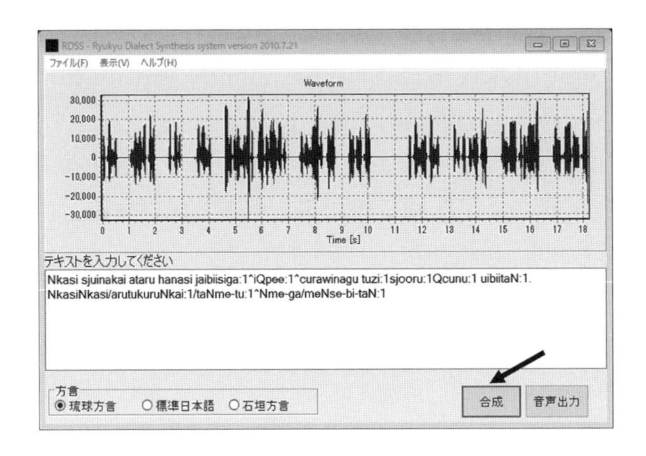

図8-12b　RDSSの「合成」をクリック

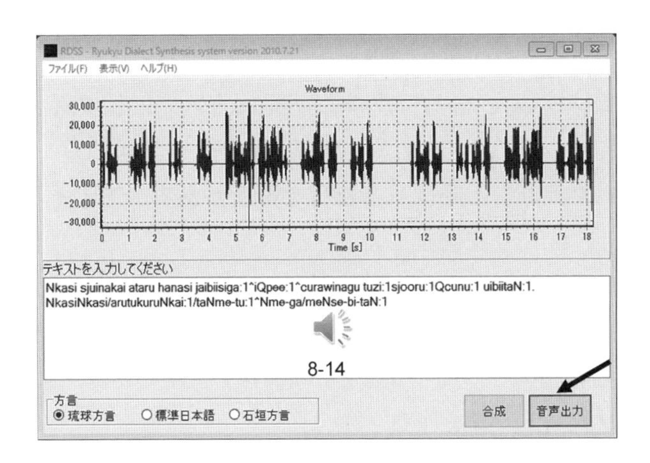

図8-12c　RDSSの「音声出力」をクリック

（1）takara:1　（標準日本語）（音8-15）

（2）Nkasi syuinakai ataru^hanasi yaibiisiga:1 iQpee:1^churawinagu tuzi:1syooru:1Qchunu:1 uibiitaN:1.
NkasiNkasi arutukuruNkai:1 taNme-tu:1^Nme-ga meNse-bi-taN:1

（琉球方言）（音8-14）

（3）iidusitu mutiriQka- tataminu pi-rxhumuN yanadusitu mutxriQka-txnana-pakuN （石垣方言）（音8-16）

（善い友達と睦ぶと畳の縁を踏む、悪い友達と睦ぶと綱縄を履く；善い友達と仲良くすると 穏やかに過ごせる、悪い友達と仲良くすると綱縄で縛られる。）《石垣のことわざ》

新たな方言・言語の音声合成システムを作る

汎用音声合成システムを用いて**新たな音声合成システム**を作る方法を理解することを目的に、その作成手順を具体的に説明する。例は石垣方言のテキスト音声合成システムの場合である。

（1）**モーラ・データ**を作る

HISAI システムでモーラ音声を分析し、ケプストラムを出力する。モーラ名をファイル名にし、拡張子部を消す。石垣方言では首里方言にはない中舌母音と呼ばれる特殊な母音があるので、それを「x」とし「kx, sx, tx, …」を追加した。

（2）**モーラ接続規則**を作る

既存の似ているモーラの情報をコピーして代用できる。石垣方言では「sx」などの情報として「si」などの情報を使用した。

（3）**アクセント・データ**を作る

必要なアクセントの単語音声を HISAI システムで分析し、F0 を出力する。これを「藤崎式 F0 生成モデルのエディタ」（図 8-6）で読み込み、「**特性値**」を得る。これらをアクセント・データに加える。

古い琉球語「おもろさうし」の音声合成

古い言語でも必要な情報が残っていれば、これまで述べた音声合成の技術を使って、その音声を合成できるはずである。ここでは古い琉球語で書かれた文書をとりあげ、その音声合成方法を解説する。

「おもろさうし」(1531～1623年)[15]は、琉球王朝によって編纂された古い琉球語で記された歌謡集である。「オモロ」というのは、奄美諸島および沖縄諸島に伝わる古い歌謡である。「おもろさうし」は、およそ12世紀から17世紀初頭までに歌われた島々村々のオモロを採録したもので、沖縄最古の歌謡集である。その中には歌謡1,248首が収められており、琉球の万葉集とでも呼ぶべきものである。

「おもろさうし」のうち琉球王府の祭祀で使われたものは**「王府おもろ」**と呼ばれている。「王府おもろ」を詠唱する者は、おもろ主取（ぬしどり）と呼ばれ、代々安仁屋（あにや）家がその任を担ってきた。「王府おもろ」のうち5曲は、安仁屋真苅（まかる）から山内盛彬（やまのうちせいひん）に伝承され、山内によって楽譜に採録され、歌声がテープに収められた[16]。楽譜にはローマ字表記の歌詞が添えられている。現在は、安仁屋眞昭（さねあき）氏に継承されている。「王府おもろ」は現在でも音声で再現可能である。

王府おもろの「合成による分析」の研究がある[17]。すなわち、ひらがなで書かれた「おもろさうし」の歌曲を自動的に歌い上げるシステムを作製することにより、これまでの研究の知見を検証している。**「おもろさうし」の音声合成システム**の流れを図8-13に示す。

まず、**「読み生成部」**で、ひらがなで表記された歌曲（テキスト）を音声記号に変換する。どのように発音するのかが言語学的に明らかになっていない音節もあった。この場合、山内の記述したひらがなの歌詞と楽譜に添えられたローマ字表記の歌詞を対照してこれを優先した。発音が不明のものは、現代の首里方言の発音で置き換えた。

「楽譜生成部」では、小節ごとにメロディーを生成し、歌詞に挿入句を

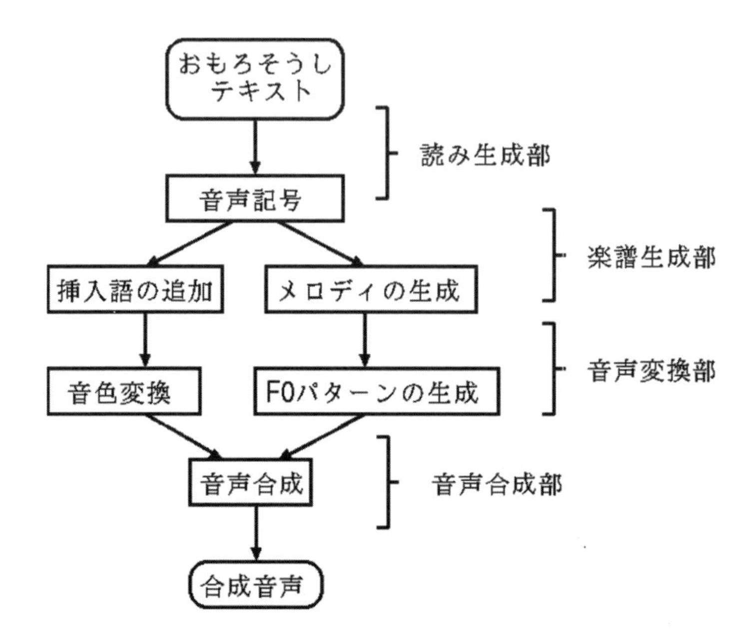

図8-13 「おもろさうし」の音声合成システムの流れ

付けて楽譜の歌詞部を生成する。「おもろさうし」は、詩のように書かれた文字列をそのまま朗読するのでなく、「おもろさうし」特有の挿入句を歌詞に付け加えて歌われている。

メロディーは小節ごとに3つのパターンにグループ化できることが山内の楽譜から明らかになった。歌詞モーラの後にどのようなモーラが続くかということについては規則性がある。歌詞に続くモーラ以外の挿入句はほぼ同じで /NNjii/ である。

「**音声変換部**」では、スペクトルを「おもろさうし」らしく変換し、基本周波数（F0）を生成する。ただし、使用できる音声資料の話者が1名なので、音声のオモロらしさと個人性を分離できない。そこで基本周波数（F0）だけを分析し規則化した。譜面上でまったく同じである小節を5曲で比較した。山内の詠唱した音声のF0パターンはよく似ていた。山内は譜面通りに歌っていると言える。ただし、譜面の示す高さよりすべて1全音だけ低いことが分かった。移調して歌っているのだ。「F0パターンの生成」は山内の音声の高さを再現するように作製した。

「**音声合成部**」は、上述のテキスト音声合成システムとほぼ同様である。音声合成の制御方式は以下のとおりである。上述の楽譜の歌詞部を音素系列にして入力する。楽譜における音符の高さと長さの情報から、モーラの有声部の基本周波数とモーラ長を生成する。

作製した「おもろさうし」の音声合成システムの楽譜と**基本周波数を評価**した。「王府おもろ」のうち5曲のひらがなの歌詞をシステムに入力した。生成された楽譜の音符の高さと長さを数値化し、元の5曲の楽譜と比較した。その結果、正解率は67%であった。

「王府おもろ」に存在する法則性がこれくらいの精度で解明されたと言える。「おもろさうし」の中で詠唱法が不明な他の曲の歌詞を入力した場合、約70%の精度で正しく詠唱することが期待できる。

琉球語は、古い日本語と似ていると言われている[18]。琉球語のテキスト音声合成方式を応用すれば、汎用音声合成システムを使用して**奈良時代の日本語音声**を再現することも原理的には可能である。

まとめ

本章では、日本語のテキスト音声合成システムの仕組みについて説明した。8章の要点は以下のとおりである。

①音声合成器は、音源のモデルと調音のモデルからできている。調音のモデルは通常フィルタで構成する。これを音源フィルタ・モデルという。(図4-12)

②テキスト音声合成システムは、テキスト解析部と音声合成部からできている。テキスト解析部では、入力されたテキスト（文字列）から、音声合成に必要な情報を引き出す。その情報に基づき、音声合成部では音声

を合成する。(図 8-1)

③汎用音声合成システムを用いて、プログラミングせずに任意の方言・言語の音声合成システムを構築することができる。(図 8-2)

④日本語から琉球語へ翻訳するシステムは、文の翻訳で音素正解率が80.4%である。琉球語の新語も生成することができる。これにより、琉球語と日本語との間の法則性がこの精度で解明されたと言うことができる。(図 8-3)

⑤琉球首里方言のテキスト音声合成システムを評価するため、合成音声の聴取実験を行った。その結果、首里方言の下降型アクセントは日本語のアクセントとは異なるものであることが明らかとなった。(図 8-10)

⑥「おもろさうし」の音声合成システムは、約 70%の精度で自動的に楽譜を生成し、「おもろさうし」を詠唱することができる。この精度で「おもろさうし」に関する法則性が解明されたと言える。

動画 m8-2「琉球ことばの科学」は、7~8 章の琉球語に関する内容等をまとめて歌詞にし、半自動作曲システムを用いて筆者が作曲したものである。一休みしながらこれを聞いてこの 2 つの章の復習をしていただければ幸いである。

音声自動認識
～自分で進化していく機械～

音声のパターン認識

Ⅲ（音声工学）の扉の図（p.155）にも示されているように、現在、世の中には、人のことばを理解するアプリやロボット、スマート・スピーカーなどが出てきている。（動画 m9-1「音声認識ロボット yasty」を参照されたい。）また最近は会話をする人工知能の話題で持ちきりだ。それらは、どのような仕組みになっているのだろうか。本章では、音声の自動認識について解説するとともに、今評判の生成型人工知能 ChatGPT の話題も提供する。

まず、音声自動認識の研究の歴史を解説する。筆者は、1977 年ごろに音声自動認識の研究を始めた。その後の研究の歴史は、筆者が専門家として体験し見聞きしてきたことである。

画像や文字・音声の認識は、あるパターン（型）をとらえて分類することを意味するので、「パターン認識」と呼ばれている。パターンは多変数の量とみなすことができるので、ベクトル（後述）で表される。そこで、まず初めにベクトルとパターン認識の仕組みおよび機械学習について説明する。

次に、音声認識のための音声分析法と単語音声認識の仕組みを説明する。音声は、同じ単語でも、音素長のばらつきが大きい。また同じ音素でも発声者によるスペクトルのばらつきが大きい。長さのばらつきに対処するため DP マッチング法が、そしてスペクトルのばらつきに対処するため統計的手法が使われる。

新しい音声認識の方法として、創発性（後述）のモデルである遺伝的アルゴリズムを用いる方法と、ニューラルネットワーク（ニューラルネット）を用いる方法を紹介する。

最後に、会話システムについて述べる。まず最も初期の会話する人工知能であるELIZA（イライザ）の仕組みを解説する。今評判のChatGPTは、これを起源としている。ChatGPTの使用例を示し、使用上の注意を述べる。

音声自動認識方法の変遷

人工知能は、もともとは**記号処理**によって人工的な知能を創ろうという考えで研究が行われてきた。これは、記号そのものの処理が知能であると考えられたからである。言語など記号で表されている情報が脳の働きによって論理的に処理されるのが知能である。言語が脳の中を駆け巡っているとも言える。

一方、あやふやな情報が統計的に処理されて、より確実なものを求めていくのが知能だとする考え方がある。統計的手法によるパターン認識などがそうである。またニューラルネットもそれに含まれる。

図9-1に音声自動認識の方法の変遷を示す。音声自動認識においても記号処理の方法が試みられていた。

第1世代	1950～1960年代	ヒューリスティック
第2世代	1960～1980年代	テンプレート (DPマッチング, オートマトン)
第3世代	1980～1990年代	統計モデル (GMM-HMM, N-gram)
3.5世代	1990～2000年代	統計モデルの識別学習
第4世代	2010年代	ニューラルネット (DNN-HMM, RNN)
4.5世代	2015年～	ニューラルネットによるEnd-to-End

図9-1　音声自動認識方法の変遷[1]（下線は筆者による）

1952年、米国で世界初の音声自動認識に関する本格的な論文[2]が出た。私事だが、これは筆者が生まれた年だ。1950年代は、いろいろなパターン認識の手法が音声認識に適用されて手探りの状態であった。

1960年代になると、音声の時間方向に沿ってパターン認識の手法が適用され、**DPマッチング法**が開発された。これによって音声の時間方向に沿った曖昧(あいまい)性の問題が改善された。これについては後述する。

1980年代の初期、DPマッチング法と統計的手法を融合した方式が提案された。話者によって音素のスペクトルにばらつきがあるという問題が、これによって改善された。1980年代以降、音声自動認識に関する研究の流れは、統計的手法である隠れマルコフモデル（Hidden Markov Model; HMM）と脳細胞のモデルであるニューラルネットに絞られてきた。どちらも音素に関するばらつき・曖昧性を解決するための手法であり、両者の競争の時代が10年ほど続いた。

1990年代には、隠れマルコフモデルが主流になった。音声認識では音声特徴の時間変化をとらえなければならない。これが当時のニューラルネットでは難しかった。

2010年ごろ、隠れマルコフモデルとニューラルネットの混成方式が発表され、ニューラルネットでも時間特性がとらえられるようになった。これは深層ニューラルネット（Deep Neural Network; DNN）による方法と呼ばれ、現在のニューラルネット全盛時代の始まりとなった。

多くの変量をセットで表すベクトル

音声認識システムなどパターン認識システムでは、多数のパラメータ（数値）をセットにしたものでパターンを表す。数値のセットはベクトルとして取り扱うことができる。ここでは、ベクトルとは何かということから、パターン認識にどのように使われるのかということまでを説明する。

ベクトルとは、力などのように大きさと方向を持った量であり、矢印で表すことができる。方向と大きさの異なる力 a, b が 1 点に加えられると、合わせた力（合力）の大きさと方向はどのようになるだろうか。これは中学で学ぶ内容である。答えは図 9-2 に示すように 2 つの力 a, b が辺となっている平行四辺形の対角線 c になる。

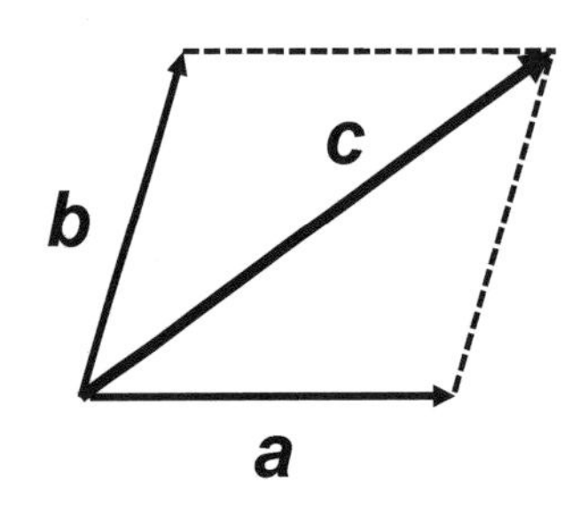

図9-2　ベクトルの加算aとbの合力c

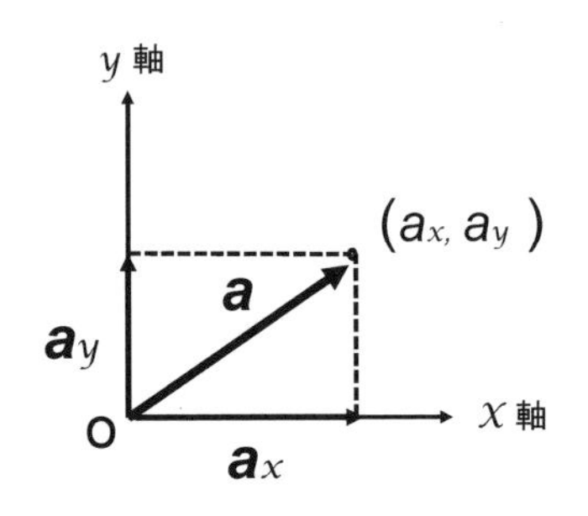

図9-3　位置ベクトル

加算の結果がこのような性質を持っている量をベクトルといい、高校の数学 [3] で本格的に学習する。ここでベクトル $\boldsymbol{a}$ を図 9-3 のように、x 軸と y 軸が直角に交わる点 O から、ある点に向かう矢印としよう。このように表したベクトルの x 軸方向のベクトル $\boldsymbol{a}_x$ の大きさと y 軸方向のベクトル $\boldsymbol{a}_y$ の大きさは、それぞれベクトル $\boldsymbol{a}$ の x 成分、y 成分と呼ばれる。これらのベクトルの大きさは、その点の x **座標**、y 座標とも呼ばれる。すなわちベクトルは、座標（a_x, a_y）という**数**（すう）**のセット**と等価である。一般に、数のセットに平行四辺形の法則（線形性）が成り立つようにしたものは**数**（すう）**ベクトル**と呼ばれる。

この例の数ベクトルは、2 個の数からできているので、2 次元ベクトルと呼ばれる。縦、横、高さの方向がある 3 次元空間の 1 点は 3 次元ベクトルで表される。音声などのパターン認識ではこの**次元の数**が 10～1000 くらい、またはそれ以上になる。このようにパターンの特徴は、複数の特徴量をセットにしてベクトルとして扱うことができる。ただし、特徴量の間には線形性が成り立つとは限らない。パターン認識でベクトルを使用するときにはこのことに注意する必要がある。

パターン認識の仕組み　―似ているものは近い―

文字・図形・音声などの「特徴」を抽出・判別し、これを属すべき**カテゴリー**（同じものの所属する部類）に対応付ける操作を**パターン認識**またはパターン識別という。「**特徴**」は一般に複数の数値のセットで表され、個々の数値が似ているか否かを判定する。そこでパターンはベクトルで表すことが多い。

このパターンを表すベクトルを**特徴ベクトル**という。すなわちパターンの特徴を数量化し、その数値をセットにしたものである。特徴ベクトルの間の距離をパターン間の**非類似性**の尺度とすることができる。つまり似ているものはベクトルが表す点の位置が近く、似ていないものは遠くにある。ベクトルが表す点の間の距離は、それぞれの成分（セットの中の各数値）の間の違いの合計で表すことができる。

例えば、7章で述べたように、第1フォルマント周波数と第2フォルマント周波数を、特徴ベクトルの数値セットとして使用すると、この2つの数値で音声スペクトルの「特徴」を表すことができる。

図9-4に、第1フォルマント周波数（F_1）を横軸とし、第2フォルマント周波数（F_2）を縦軸にした母音の配置図を示す。これは、図7-3を簡略化したものである。男声の各母音の平均値だけを示してある。

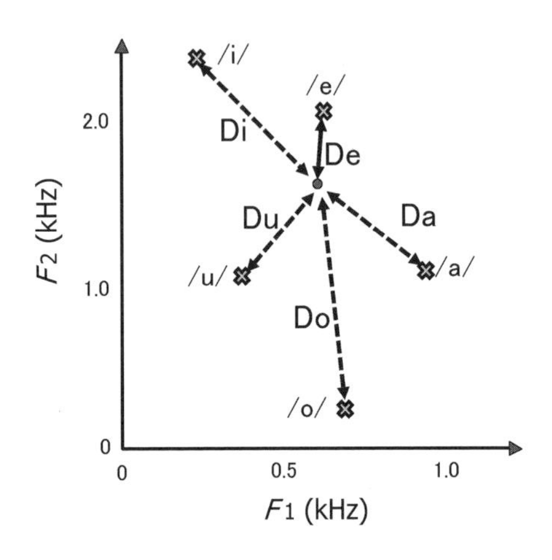

図9-4　パターン認識における類似度の考え方

例えば、図の中央付近にある点（F_1＝0.6kHz, F_2＝1.7kHz）で表されるパターンが入力されたとしよう。各カテゴリーの平均値とこの点との間の距離が計算される。距離は矢印で表されている。これらの距離で最も小さいもの De が選ばれる。De は入力パターンとカテゴリー/e/ の代表点との間の距離である。このようにして、入力パターンは /e/ であると判定される。

人工知能における学習・訓練

新しいワープロを使いこんでいくと、自分の望む漢字がだんだん出やすくなっていくのを経験したことがあるだろう。これはワープロが使用者の使う漢字の「くせ」を学習しているのである。簡単な学習方法では、複数の漢字候補の中で、最近使用したものを最上位に持ってくる。これだけで、自分がよく使う漢字が出やすくなる。

また最近、人工知能の話題で、人工知能は学習しているということを聞いたことがあるだろう。

機械による学習は、教えられるという意味で「訓練」とも呼ばれる。これについて考えるため、改めて国語辞典[4]でその意味を調べておこう。辞典には次のように書かれている。

《学習》：経験によって新しい知識・技能・態度・行動傾向・認知様式などを習得すること、およびそのための活動。

《訓練》：一定の目標に到達させるための実践的教育活動。訓育・徳育と同義にも用い、また技術的・身体的な場合にも用いる。

このようなことができる知能機械をめざして、コンピュータが発明されたころから研究が進められてきた。機械学習の研究は、音声認識のようなパターン識別・分類の研究分野で行われた。

そして史上初の学習する機械（回路）として**パーセプトロン**[5]が発明された。これは、神経細胞のモデルであり、徐々に学習させることができる。パーセプトロンは、カテゴリー境界を修正していき、学習が進むとパターンを正しく分類できるようになる。人工的な機械学習では、「徐々にできるようになること」が学習の意味の一部になっている。国語辞典の「経験によって」や「一定の目標に到達させるため」がこのことを意味しているものと思う。

しかし、パーセプトロンには分類できるパターンに制約があり、**限界**のあることが理論的に示された。パーセプトロンが作り出せるカテゴリー境界は、2 次元の直線や多次元の平面だけである。したがって非線形な境界を持つパターン群には適用できない。パーセプトロンを多数接続すれば、脳のモデルになるのではないかと期待されたが、理論的限界を乗り越える方法は約 20 年間見つからなかった。

その間、パーセプトロンとは異なる学習方式も開発された。その中のひとつに、このあと述べるマルコフモデルのような、**確率統計的**情報を自動的に学習する方式がある。1980 年代には、パーセプトロンを階層的に接続した階層的ニューラルネットが開発された。これについてはこのあと述べる。階層的ニューラルネットは、パーセプトロンの限界を打ち破ることが理論的に明らかであった。しかし、少ないデータで多数回の学習をすると、無理な学習とも言うべき「過学習」を起こすなどの問題があった。**過学習**とは、訓練を続けていくと訓練用パターン以外の入力に対して認識率が低下していく現象である。

その後、多数の訓練用データが入手可能になり、コンピュータのメモリ量・計算速度が格段に向上して、2010 年ごろに階層的ニューラルネットの能力が十分発揮できる時代になった。また、インターネットの普及により、入手できる文字情報が格段に増加し、言語情報による学習もしやすくなった。学習方式もさらに改良され、現在の人工知能隆盛の時代になった。

音声波から特徴ベクトルへ

単語は音素が出てくる順で並んだもの（時系列）である。音素はその音色で区別される。音色は物理的にはスペクトルで表される。したがって音素の並びは**スペクトルの時系列**（並び）で表される。そこで音声認識では、**音声の特徴ベクトル**としてスペクトルの時系列を使うことが多い。

音声波からスペクトルの時系列が得られるまでの様子を 3 章の「サウンドスペクトログラム」で示した。そこでは、時間分解能と周波数分解能の関係が述べられている。フレーム周期は、音素の変化の様子が分かるように、音声認識では 10ms（ミリ秒)、フレーム長はその 2 倍の 20ms 程度とすることが多い。

スペクトルはさらに情報圧縮されて、ケプストラムやメル・ケプストラムに変換されることが多い。これらは、4 章の「ケプストラム法による音声合成」で紹介した。これらは音声認識でも有効なパラメータである。

スペクトル包絡（ほうらく）の時系列については、図 3-2 の Audacity®や、図 5-10 の HISAI システムの図を見てもらいたい。

単語音声認識の仕組み

単語音声認識の基本的な仕組みを説明する。図 9-5 に、**標準パターン**を用いる単語音声認識の方法を示す。まず、あらかじめ必要な語数の単語音声を分析し、標準パターンとして蓄えておく。単語音声が入力されると、これが分析され、標準パターンと比較される。そして、入力パターンに最も近い（似ている）ものが選ばれて**認識結果**として出力される。

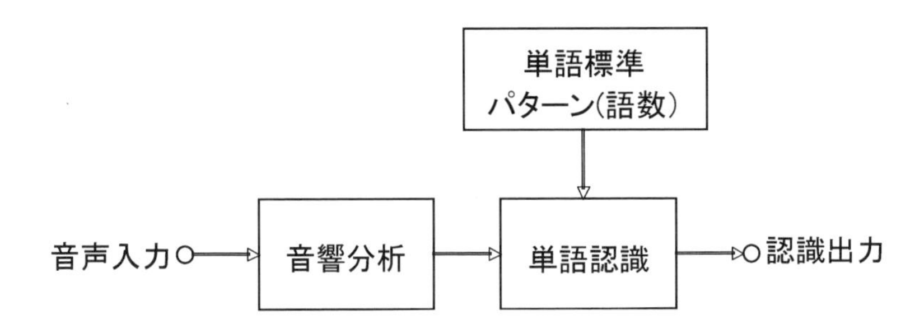

図9-5　標準パターンを用いる単語音声認識方法

単語音声は、同じ単語でも発声するたびに長さが違う。これは標準パターンとの比較（**マッチング**）において問題になる。このことが、ベクトルで表される文字・画像などの一般のパターン認識とは異なる音声パターンの特徴で、難しいところである。図 9-6 の(a)に標準パターンのひとつ A(t) を示す。横軸は時間で、グラフは、数のセットで表される特徴ベクトルの、あるひとつの成分を表している。同様に、図 9-6 の(b)に入力パターン B(t) を示す。これの長さ T_B は標準パターンの長さ T_A より長い。

図 9-7 の（c）に、A(t) と B(t) の比較の様子を示す。灰色で示された部分が A(t) と B(t) の違いを表している。B(t) は長いので、A(t) の値がないところ（T_A～T_B）との比較もされている。これは不合理である。そこで B(t) の長さを A(t) と合わせなければならない。これが B_1(t) である。図 9-7 の（d）にその比較の様子を示す。

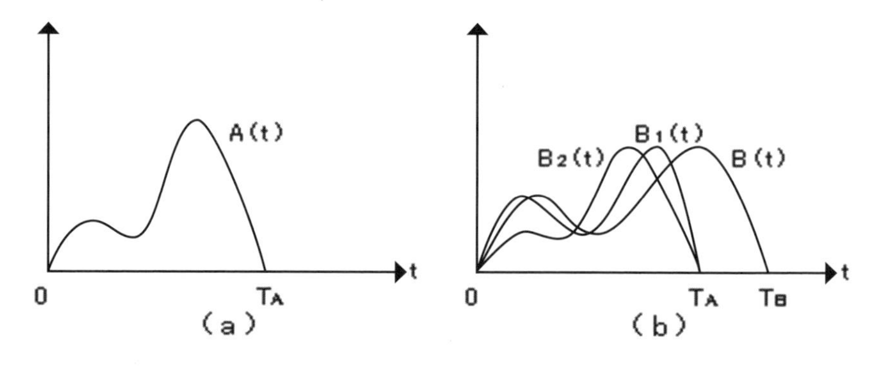

図9-6　不等長の単語

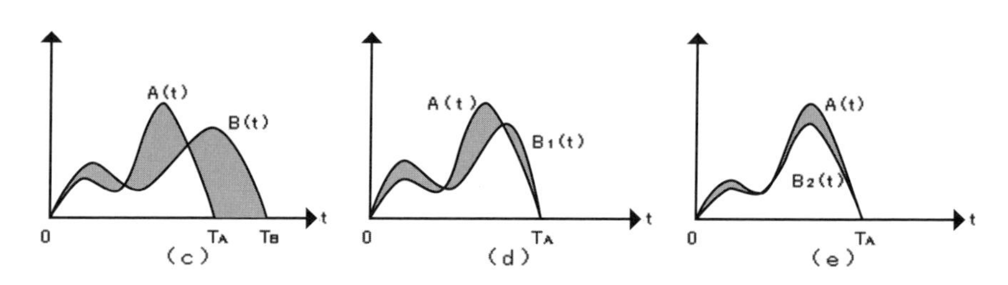

図9-7　不等長の単語の比較

これで合理的な比較ができたが、単語音声は、発声ごとに全体の長さが違ううえに、音素によって**長さのばらつき**の大きさが異なる。特に母音部の長さのばらつきは大きい。早口でしゃべると単語の中で短くなるのは母音部である。母音部をだいぶ長くして高さを変えると歌になる。それくらい伸ばせるのは、母音部である。母音部は伸縮自在である。単語の部分部分によって伸縮度を変える必要がある。伸縮の度合いは、図 9-7 の(e)に示すように、灰色の部分を小さくするように設定すべきである。これを行うのが次に述べる DP マッチング法である。

DP マッチング法　～時間を曲げる～

単語音声は、発声ごとに全体の長さが違ううえに、音素によって長さのばらつきの程度が異なる。単語の部分部分によって伸縮度を変える必要がある。すなわち時間軸を曲げる（ワープする）必要がある。これを最適に行う手法を解説する。

アルゴリズムとは、問題を解決する定型的な手法・技法である。コンピュータなどで、演算手続きを指示する規則のことである。日本語では「**算法**」ともいう。このあと、遺伝的アルゴリズムなどが出てくる。

ダイナミックプログラミング（**動的計画法**、DP）は、累積距離が最も小さい経路を見つけることができる有名な最適化のアルゴリズムである。日本電気中央研究所の迫江氏らが、上記の図 9-7 の(e) の問題を解決するため DP を応用した[6]。1970 年代の単語音声の自動認識では世界一の性能となった発明である。**DP マッチング法、ダイナミック時間ワープ法（DTW）**などとも呼ばれている。

図 9-8 で DP マッチング法の説明を行う。図の横軸には図 3-1 で述べた特徴ベクトルの時系列としての単語パターン A が示されている。特徴ベクトルはフレームの番号（時刻）順に左から右へ並べられている。例えば「パソコン」という単語を発声したとすると、横軸の $\boldsymbol{a}_1$ が「パ」、$\boldsymbol{a}_2$ は「ソ」、$\boldsymbol{a}_3$ は「コ」、$\boldsymbol{a}_4$ は「ン」の音を表すようなものである。ただし実際には「パ」なども細かく複数のフレームで表されている。縦軸には同様に単語 B の特徴ベクトルの時系列が下から上の順で並べられている。図 9-7 の(c)～図 9-7 の(e)のグラフは、このベクトル系列の、それぞれのベクトルの特定のひとつの成分を表している。

横軸のベクトルの番号が i で、縦軸のベクトルの番号が j の点を、座標点（i, j）という。図には、点 c が例示されている。すべての座標点、すなわち i が 1～I で j が 1～J の点には、ベクトル $\boldsymbol{a}_i$ と $\boldsymbol{b}_j$ の間の距離が計算されて記憶されている。それらの距離を、ある 1 本の経路に沿って加

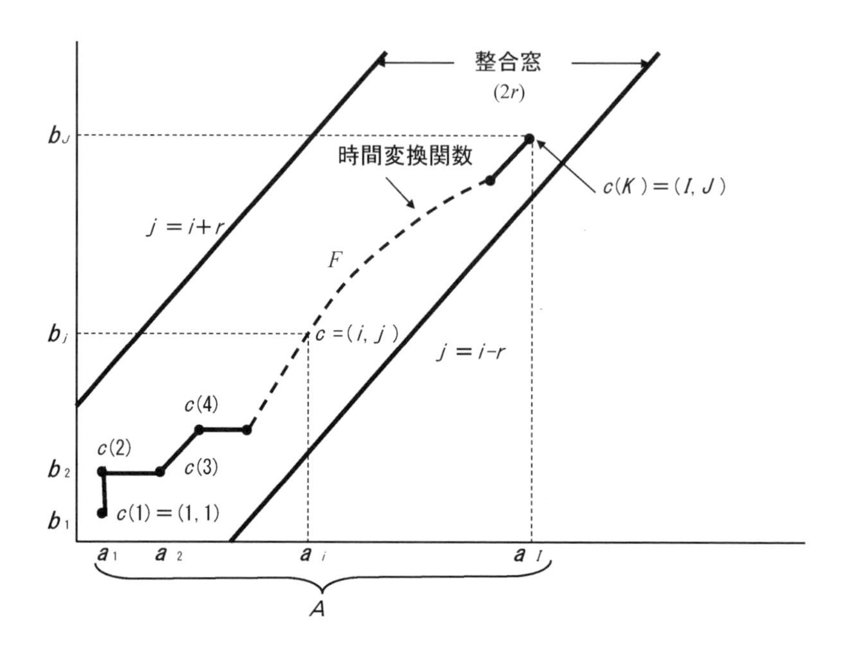

図9-8　DPマッチング法

えていった総計が、単語 A と単語 B の間の距離である。図には「時間変換関数」と示された経路が例示されている。

図 9-7 の(d)に対応する経路は、(1, 1) 点から (I, J) 点に引いた直線である。図 9-7 の(e)の問題は、図 9-8 では A と B の間の距離が最小になる経路を見つけよ、と言い換えられる。この問題に迫江氏らは、最適化のアルゴリズムであるダイナミックプログラミングを使用したのである。最適経路は一般に曲線になる。それでこの方法は、ダイナミック時間ワープ（曲げる）法とも呼ばれている。

音声の確率統計的モデル

単語音声の時間方向のばらつきについては、DP マッチング法で解決された。しかし、特徴ベクトルのばらつきが課題として残された。発声者によるばらつきを回避するため、DP マッチング法では、カテゴリーあたり複数個の標準パターンを用いたり、カテゴリーの中での**平均パターン**を用いたりすることが行われていた。そこで平均パターンを用いる方法を高度化して、分散（ばらつき具合）も利用する方法が提案された[7]。これは、確率統計的手法と DP マッチング法を併用する方式になっている。

この**確率統計的モデル**の概念図を図 9-9 に示す。この図で特徴ベクトルは、2 次元のものとしている。したがって（x、y）平面上の 1 点で表される。図では（x、y）平面の上に、確率 P（x、y）が z 軸（縦軸）方向に描かれている。前節で述べたように、単語は特徴ベクトルの時系列で表される。**平均ベクトルの時系列**とは、複数の単語から抽出された特徴ベクトルの時系列を、同一時刻で平均して得られるベクトルの時系列である。図では、平均ベクトルの時系列を実線の折れ線で示してある。

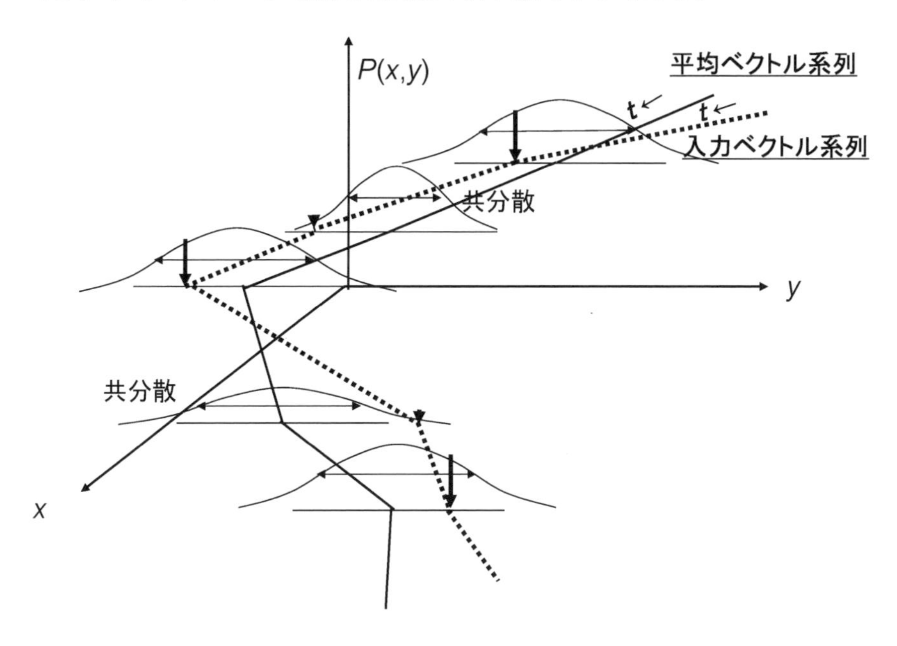

図9-9　音声の確率統計的モデルの概念図

ある時刻の特徴ベクトルは2次元平面上の1点で表される。したがって、特徴ベクトルの時系列はそれらの点の連なりになる。図ではこれらの点の間を破線直線でつないである。パターンの分布は平均ベクトルの周りでばらついたものとなっている。図では、5つの時刻における分布を、細い線の山のような形で表している。ばらつきの大きさは**共分散**と呼ばれている。図では共分散が横矢印（⟷）で示されている。入力音声の時系列は破線の折れ線で示されている。その上の下向きの黒い矢印の長さが入力パターンの確率統計的な「**尤度**（ゆうど）」（もっともらしさ）である。

この論文[8]が出たころから、現在主流となっている隠れマルコフモデルも多く使われるようになった。

確率的表現のための隠れマルコフモデル

音声自動認識において、隠れマルコフモデルは1980年代から現在まで主流の方法である。隠れマルコフモデルを図9-10に示す。

隠れマルコフモデルは、図の中の小円で表される「**状態**」と、状態間の矢印で表される「**状態遷移**」とからなる。ふつう状態には**記号出力確率**が付いており、状態遷移には**状態遷移確率**が付いている。図9-10はもうひとつの表現法で、2種の確率がどちらも状態遷移に付いているものである。$b_{22}(y)$ などbで表されているものが記号出力確率であり、$a_{22}(y)$ などaで表されているものが状態遷移確率である。ここの添え字の22は、状態2から状態2への遷移であることを表している。状態遷移確率はひとつの遷移につきひとつあるが、記号出力確率はひとつの遷移につき出力記号の数だけ確率がある。図中の太字の楕円で囲んだ例では出力記号が2つあり、それぞれの記号の出力確率は、0.3と0.7である。

観測された記号系列（入力パターン）を作ることができる状態遷移を、始状態（図では状態1）から始まり、終状態（図では状態4）で終わる系列で調べる。その系列に沿って、記号出力確率と状態遷移確率の積を掛け

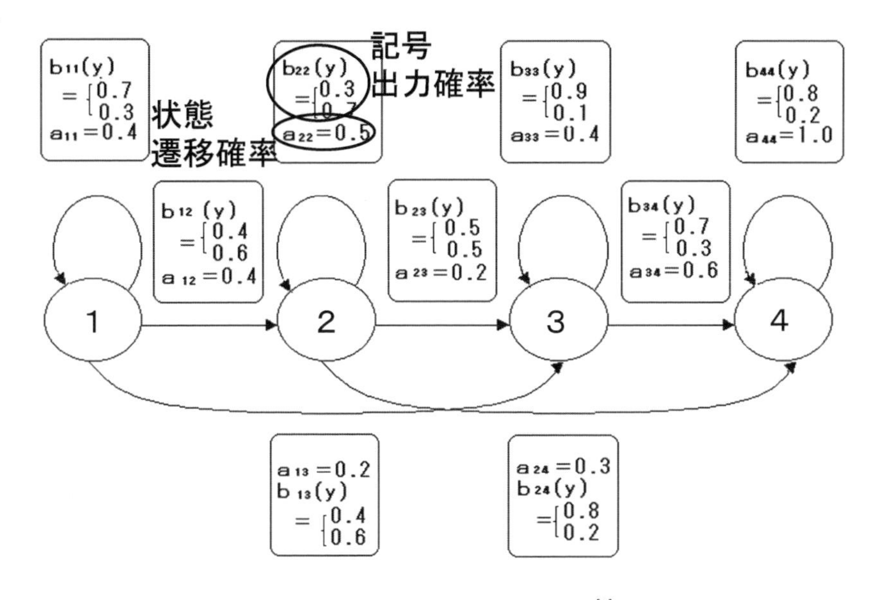

図9-10　隠れマルコフモデル [9]

算していく。可能なすべての系列の掛け算の結果を合計する。これが入力パターンの**尤度**（ゆうど）となる。

入力パターンを、すべてのカテゴリーの隠れマルコフモデルと照合して尤度を計算し、尤度が最大であるカテゴリーを認識結果として出力する。

隠れマルコフモデルには、記号出力確率と状態遷移確率を、学習用データを用いて最適に計算する（学習または訓練という）方法が備わっている。

また尤度を効率よく算出する方法も存在する。その方法のひとつに**トレリス法**がある。これは、前述のDPマッチング法に似ている。また後述するようにニューラルネットの計算法にも似ている。そこで、脳の中でもマルコフモデルと同様の計算が行われているのではないかと考えている研究者もいる。

「創発性」のモデルである遺伝的アルゴリズム

人間の脳の機能そして知能は生物進化の賜物(たまもの)である。そこで人工知能の研究分野では、生物進化の過程を人工知能の中に取り入れようとする試みがある。これを**遺伝的アルゴリズム**[10]という。遺伝的アルゴリズムでは、集団の進化の過程で新しい個体を作り出す。この作り出すことはアイディアなどの創出などにも応用できるので、遺伝的アルゴリズムは創発性のモデルとも言われる。

「創発」[11]とは、進化論・システム論の用語で、生物進化の過程やシステムの発展過程において、先行する条件からは予測や説明のできない新しい特性が生み出されることである。遺伝的アルゴリズムを使えば、新たなアイディアなどを創発する、創造性のある人工知能を作ることができるのだ。

言語は進化の過程で人類が獲得したものである。**言語の獲得と進化**とは関係がありそうだ。この節では遺伝的アルゴリズムに関する基本事項を述べ、次節で単語音声認識に応用した例を紹介する。言語の獲得に応用した例は 11 章で紹介する。

遺伝的アルゴリズムで使用する用語を図 9-11 に、アルゴリズムの流れを図 9-12 に示す。図 9-11 の左側が 19 世紀に成立したダーウィンの**進化論**、右側が、20 世紀後半に確立された**分子生物学**を表している。遺伝的アルゴリズムでは**染色体**という用語が使われることが多いが、ここではその代わりに染色体中に含まれる DNA（デオキシリボ核酸）を用いる。DNA は遺伝情報を担う物質であり、現在では、この用語が一般によく知られているからである。

図 9-11 を説明する。生物の設計図は **DNA** に書き込まれている。これを**コード化**という。DNA の内容が解読されて、その情報に従って生物の**個体**ができる。これを**デコード化**という。個体は、**適応度**に応じて集団の中から**選択**される。選択された個体が親になり、両親の DNA に交叉(こうさ)、突

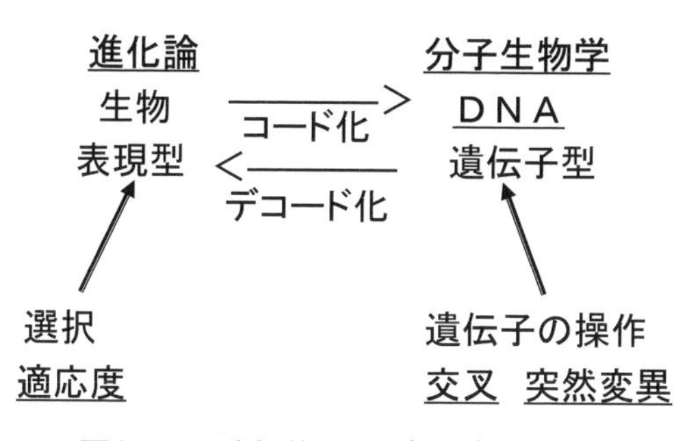

図9-11　遺伝的アルゴリズムの用語

(1)初期化
ランダムなDNAを持つ個体をm個生成し、初期世代の集団とする。

(2)選択
適応度の違いにより個体を選択する。選択された個体群で、ペアを確率的にn個作る。

(3)交叉
各ペアを親として、DNAの組み換えにより新しい(子の)個体を生成する。親および子の個体群の中から、適応度の違いにより、m個の個体を残す。

(4)突然変異
各個体ごとに、DNA上の選択された一部を他の値に置き換える。

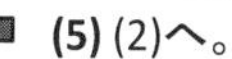

(5) (2)へ。

図9-12　遺伝的アルゴリズムの流れ

然変異の**遺伝子の操作**が行われ、子の個体ができる。DNAに含まれている遺伝情報を**遺伝子型**、個体そのものの形や性質を**表現型**という。

図9-12では、個体群にどのような操作が行われ、それが次の世代にどのように伝えられていくのかということが示されている。また、どのようなものが残っていくのかが分かる。

遺伝的アルゴリズムは、交叉と突然変異によりまったく新しい個体を作り出す。作り出すこと、すなわち創発性をモデル化したアルゴリズムだと言える。**発明**のように新しいものを作り出す。応用の仕方によっては、新しいアイディアも作り出せる。遺伝的アルゴリズムは「プロフェッショナルの**研究のアルゴリズム**」[12] にも似ている。

遺伝的アルゴリズムを特定の問題に応用するには、その問題をどのように**コード化**するか、**適応度**をどのように設定するかの2点だけを決めればよい。これらが決まれば、あとは通常のアルゴリズムを実行するだけである。

11章の言語獲得のモデルでは、遺伝的アルゴリズムが応用されている。このモデルでは、聴取における生理情報から言語情報への変換を遺伝的アルゴリズムで学習する。これにより、発声者が意図している音素を読み取ることができるようになる。

遺伝的アルゴリズムによる隠れマルコフモデルの構造選択

遺伝的アルゴリズムを使用した具体的な例として、隠れマルコフモデルの構造選択への応用を紹介する。この中で、遺伝的アルゴリズムの用語が具体的な例により説明される。

隠れマルコフモデルには、記号出力確率と状態遷移確率を最適に計算する方法、および尤度を効率よく算出する方法があることを上で述べた。残された問題は、最適なモデル構造を決定することである。モデル構造を決定するために遺伝的アルゴリズムを応用した研究[13][14] がある。

図 9-13 に、隠れマルコフモデルの構造を**コード化**する方法を示す。モデルの状態間接続を表す矢印を行列で表す。行列の行番号は、状態間矢印の始点の状態番号、列番号は終点の状態番号を表している。その始点番号の状態からその終点番号の状態に向かって矢印があれば、行列のその要素を1、無ければ0とする。例えば、行列の2行3列の要素は1になっている。これは、状態2から状態3に向かう矢印があることを示している。状態接続図の矢印を確認してもらいたい。また1行4列要素は0になっている。これは状態1から状態4に向かう矢印が無いことを表している。

このようにして隠れマルコフモデルの構造は行列で完全に表される。

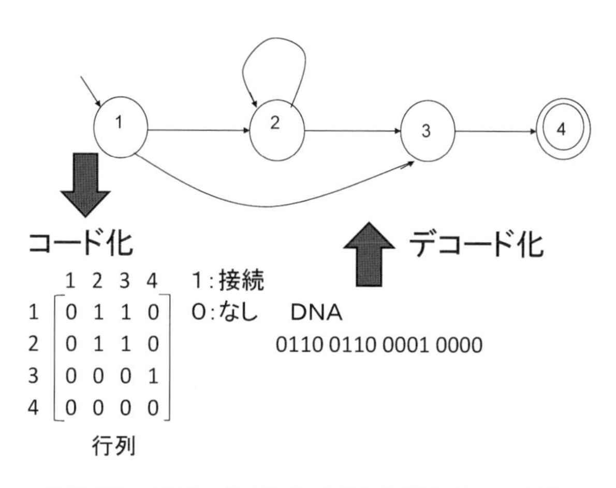

図9-13　隠れマルコフモデルの構造のコード化

DNAは、行列の4行の文字列を1本に並べたものである。逆に、DNAから行列を作って隠れマルコフモデルの構造に**デコード化**することができる。

遺伝子操作の例を図9-14に示す。**交叉**の方法としてここでは「1点交叉」が用いられている。親である2つのDNAから、右から4番目と5番目の間の1点で交叉して右側が交換されて、2つの子供のDNAができている。また、ある確率で**突然変異**を起こすようにする。この例では、右から6番目のDNAの値が0から1に突然変異している。

適応度は、隠れマルコフモデルによる単語音声認識実験の認識率とする。このようにすると認識率の高い個体が残っていく。

比較のため最もよく使用されている**単純構造のマルコフモデル**についても実験を行った。**単純構造**とは、遷移先が自分自身か他の1個の状態だけであるものである。1世代として30個体を準備し、30世代まで実行した。これは、当時の普通のコンピュータで、1週間動かし続ける必要のある計算の量だった。

認識実験の結果を図9-15に示す。横軸は時間（世代）である。5世代目で、単純構造マルコフモデルの認識率を超えている。この時点で優秀な構造が現れていることになる。遺伝的アルゴリズムは、優れたモデルを作り出せるのである。

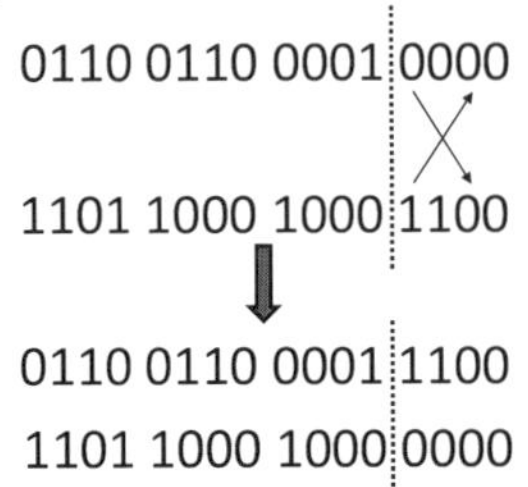

突然変異：
0110 0110 0001 0000
0110 0110 0011 0000

図9-14　遺伝子操作の例

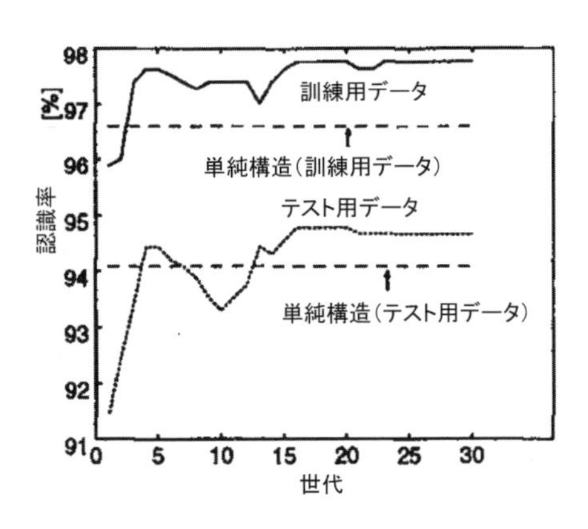

図9-15　遺伝的アルゴリズムによる単語音声認識実験の結果

ニューラルネットワークによる音声認識

人工知能の分野では最近、ニューラルネットワーク（ニューラルネット）が脚光を浴びている。ニューラルネットは、図9-16に示す**パーセプトロ**

ンと呼ばれる神経細胞のモデルを多数並べて脳のモデルにしたものである。前述のようにパーセプトロンには分類できるパターンの種類に制約があり、性能に限界があることが理論的に示されていた。パーセプトロンの出力をある関数で制限して多重に接続できるようにしたものが、1980年代に発明された階層型ニューラルネットである。ニューラルネットは非線形の分類もできる。ニューラルネットには、理論的にはパーセプトロンに存在した限界がない。

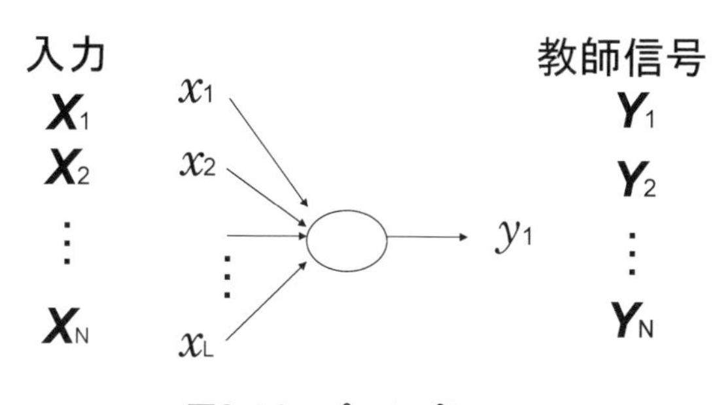

図9-16　パーセプトロン

ニューラルネット[15]で代表的な**階層型ニューラルネット**を図9-17に示す。神経細胞が階層的に接続されている。図の例は3層からできている。ひとつひとつの丸が神経細胞で、これは複数の入力とひとつの出力を持っている。それぞれの入力には結合の強さを表す数値が付いている。この結合の強さは変更可能である。

入力としてベクトル X_1、X_2、…、X_N、を与え、それに対応して、それぞれ教師信号ベクトル Y_1、Y_2、…、Y_N を与えて、訓練する。**教師信号**とはネットワークの出力の目標となる値である。教師信号ベクトルの値とネットワークの出力の値との違い（誤差）が最小となるように、結合の強さの値を変更する。この変更の仕方は理論的に知られており、式で与えられている。この変更がここでの「訓練」である。すべての Xi と Yi による訓練の結果、各 Xi に似たベクトルが入力されると、それに対応する Yi に似たベクトルを出力できるようになる。すなわち Xi と Yi の関係が学

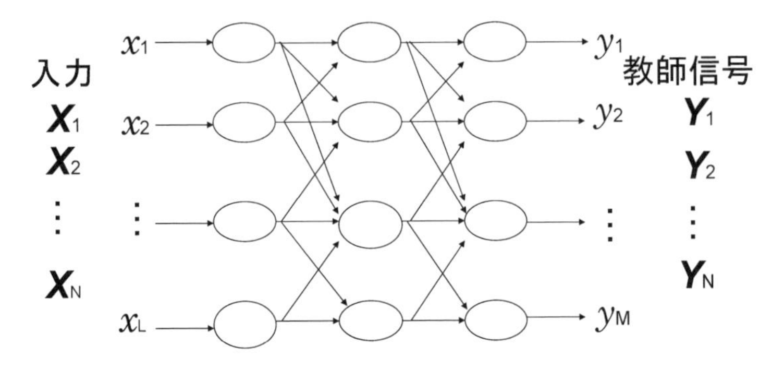

図9-17　階層型ニューラルネット

習される。この関係は非常に複雑なものもあるが、取り扱える複雑さには理論的に限界がない。上述のパーセプトロンでは実行不可能な関係も学習できる。この訓練の方式は、誤差を出力側から入力側へ伝搬させるので、**誤差逆伝搬法**と呼ばれている。

前述のように、隠れマルコフモデルのトレリス法は、この誤差逆伝搬法におけるネットワークの出力の計算法とよく似ている。また隠れマルコフモデルでは訓練は終端から逆向きに行われる。これはニューラルネットの誤差逆伝搬法によく似ている。

ニューラルネットは、1985年ごろ誤差逆伝搬法が開発され、その可能性が評価されて、情報処理の分野で一大ブームになった。音声認識の研究でも、1990年ごろには隠れマルコフモデルとともに学会を二分する手法だった。だが、隠れマルコフモデルが主流となり、2010年ごろまでニューラルネットの研究が下火になっていた。その理由は前述のように音声の時間変化を取り扱うのが難しかったからである。また**層の数**が多くなると誤差逆伝搬法が効果的に働かないので「過学習」となる問題があった。

2010年ごろ、隠れマルコフモデルの記号出力確率をニューラルネットで精度良く求める、隠れマルコフモデルとニューラルネットの**ハイブリッド方式**が現れた[16]。これにより、ニューラルネットでも音声の時間構造をうまく扱えるようになった。またそれまでに、層の数が多くなっても誤差逆伝搬法を効果的に実行する実用的な研究も大きく進み、**深層ニューラルネット**（Deep Neural Network; **DNN**）と呼ばれるようになった。

大量の**学習用データ**が使えるようになり、コンピュータの**演算速度**が格段に高まったことから、ニューラルネットによる音声認識の性能が、隠れマルコフモデルの性能を超えるようになった。深層ニューラルネットは、現在の人工知能の代名詞ともなっている。

最近は、音響特徴量の系列から言語の文字列へニューラルネットを用いて直接変換する、**End-to-End** の研究が進行中である。これは隠れマルコフモデルの働きもすべてニューラルネットで実行しようというものである。

コラム 9-1

人工知能の進展と高齢者の聴力

最近の人工知能の進展はすさまじい。そのきっかけのひとつになったのが2010年ごろの音声認識におけるニューラルネットの成功だ。

音声認識におけるニューラルネットの有効性を発見したのは、ニューラルネットの研究室から音声認識の研究をしている会社へ**企業実習**に行った学生だった[17]。ニューラルネットの特徴ベクトルの次元数をこれまでには考えられないほど大きくし、音声データを相当大量に使用した結果、従来の方法より高い認識率が達成された。

異分野の出会いからブレイクスルーが生まれる良い例である。失敗を恐れず極端なことに挑戦する気持ちが発見につながったのである。

2016年、IBMとMicrosoftが音声自動認識において「**人間と同等**の認識精度を実現した」と発表した[18]。

私は、音声認識システムである**スマート・スピーカー**を目覚ましとして毎朝使用している。このスピーカーの認識率が実用の域にあることを実感している。私は、近ごろ**老人性難聴**のため4kHz以上の音の成分がよく聞こえないので、音声の認識誤りをしばしば起こす。(6章の老人性難聴者は、じつは私だ。) 研究してきた者より研究されてきた物の方が優秀な時代となった。

世界初の対話する自然言語処理システム ELIZA

音声認識を用いた人工知能であるアップル社の Siri（シリ）やアマゾン社の Alexa（アレクサ）などがパソコンやスマートフォン、スマート・スピーカーで使われ始めている。これらのシステムは音声で人間と会話をする。

世界初の対話システムは、1966年に開発された ELIZA（イライザ）[19] である。ただし音声ではなく、文字を使用して対話を行う。まるで人間のように対話するので、初期の人工知能の代表とみなされている。ここでは ELIZA の仕組みを紹介しよう。

ELIZA は、受けた言葉を引用して新たな文を生成する。これにより、人間のユーザは、自分のことを理解してくれているのではないかと思って対話を続ける。一般に心理療法では、対話を続けることが治療として有効だと言われる。ELIZA は人工的な心理療法士としての役割をめざしていた。

しかし、ELIZA は、考えているわけではない。以下に述べるような仕組みで動作するプログラムに過ぎない。実際に考えているのではなく、また回答の種類が限られていたため、このような人工知能は、やがて「**人工無脳**」と呼ばれるようになっていった。

だが、最近、コンピュータが高速・大容量になって、対話システムに音声認識と音声合成を組み合わせることができるようになった。そして iPone 上の Siri などが出現して、会話システムが一般に注目されるようになった。

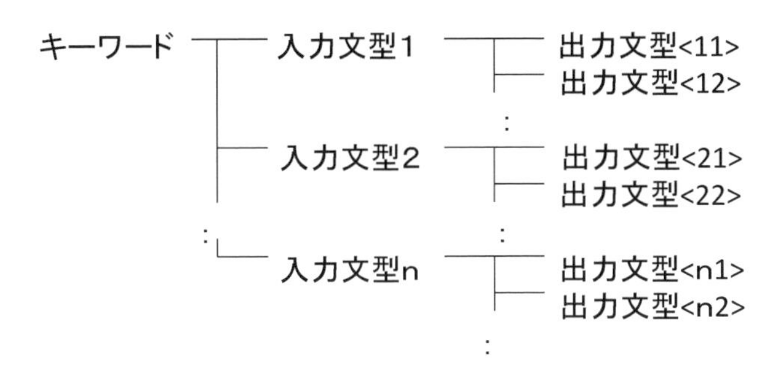

図9-18　ELIZAの仕組み

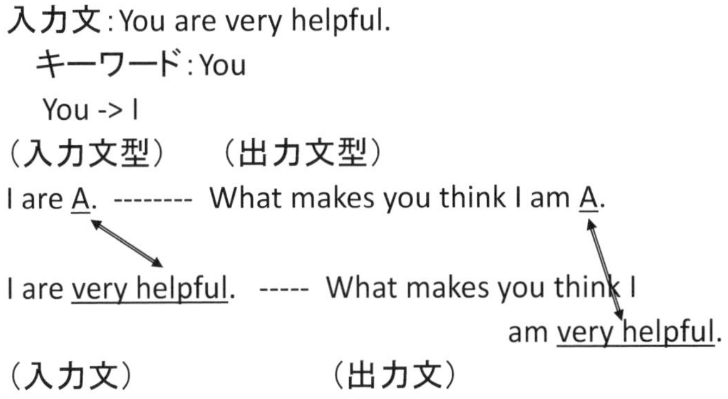

入力文 : You are very helpful.

キーワード : You

You -> I

（入力文型）　（出力文型）

I are A.　--------　What makes you think I am A.

I are very helpful.　-----　What makes you think I am very helpful.

（入力文）　（出力文）

図9-19　ELIZAの動作例

ELIZAの仕組みを図9-18に示す。ELIZAにはキーワードごとに複数の入力文型が準備されており、入力文型ごとに人間が発話しそうな複数の出力文型が用意されている。キーワードはeverybody, nobody, I, youなどである。各キーワードには得点がつけられていて、ユーザ入力の中にキーワードが複数個ある場合は、得点が高いものへ優先的に応答する。

ELIZAの動作例を図9-19に示す。ユーザの入力文が「You are very helpful.」だったとしよう。ELIZAはキーワードとして「You」を見つける。「You（あなた）」を「I（私）」に変える。「I」がキーワードとなっている複数の入力文型からひとつを選ぶ。例では「I are A.」を選んでいる。そしてそれに対応する複数の出力文からひとつを選択する。例では、「What makes you think I am A.（どうして私がAであるとあなたは考えるのか）」が選択されている。入力された文から可変部Aを特定する。例では「very helpful.」を特定している。Aの内容を出力文に挿入する。例では「very helpful.」が挿入されている。これを出力する。

入力文「You are very helpful.（あなたはとても役に立ちます）」に対して、ELIZAは「What makes you think I am very helpful?（わたしがとても役に立つと、なぜあなたは考えるのですか）」と答えている。ユーザが「あなた」と2人称で言っているのに対し、ELIZAは同じ内容を「わたし」と1人称で答えており、自然な対話になっている。ユーザの入力内容を繰り返していることと、主語を変えていることが、このシステムのポイントである。

準備したキーワードが入力文の中にない場合や、合致する入力文がないときは、ELIZAは次のようにして、**その場を切り抜ける**。もし入力文中にキーワードがない場合は、「Please go on.（続けて）」、「I see.（なるほど）」などとあいづちを打って、入力を促す。もし合致する入力文型がないときは、「Why do you ask?（なぜ聞くのですか）」、「Is that an important questions?（それは重要な質問なのですか）」などの返事を出して、次の質問に誘導する。

このようにしてユーザは会話を続けるようになる。ELIZAを人間のように思ってしまうのだ。これを**ELIZA効果**という[20]。

コラム 9-2

ChatGPTとの会話「イリオモテ・ヤマネコを発見した伯父さん」

ChatGPT[21]は、文章を生成する今話題の人工知能だ。生成された文章がとてもよくできていることから、これを使用したレポートや論文の作成を禁じる大学も出てきている。ChatGPTは、基本的にはELIZAと同様の方法で会話を進め、さらに、自分自身の意見を表明した文章を生成する。

2023年4月13日の時点で、私が使用した経験によれば、ChatGPTは、**もっともらしい文章**を生成するが、**情報ねつ造**もする[22]。

例えば「高良富夫の評判を教えてください。」と入力すると、「高良富夫（たからとみお）とは、日本の脚本家・小説家であり、テレビドラマや映画、舞台などで多数の作品を手がけています。…」と答える。また「高良富夫について教えてください。」と入力すると、今度は「高良富夫（たからとみお）は、日本の政治家であり、自由民主党所属の衆議院議員です。…」と答える。ほかの検索サイトのgoogleやMicrosoft Bing、Yahoo Japanでは、このような回答はまったく出てこない。高良富夫は、もちろんこの本の著者であり、業績・経歴などは、googleなどで出てくるとおりである。

読者も自分の名前を質問すると、ニセ情報を確かめることができるかも知れない。ChatGPTはもっともらしい文章を生成するが、学習用データを持っていなかった場合は、ニセ情報さえ生成するようだ。このことを踏まえて、ユーザが内容を修正すればChatGPTを利用するのもいいかも知れない。もちろん最終的な**責任**はユーザにある。

ChatGPTがどのようなものかを読者にも知ってもらうため、以下に使用例を示す。以下、「私＞」は私の入力文であり、「ChatGPT＞」はChatGPTの出力文、「※＞」はそれに対する私の解説である。最初は私の解説を飛ばして読むといいだろう。なお、私事だが、「私>」の入力内容は、作り話ではない[23]。

私＞私の伯父は**イリオモテ・ヤマネコ**を発見しました。しかしそれは他の人がやったということになっています。私はとても悔しいです。

ChatGPT＞あなたのおじさんがイリオモテ・ヤマネコを発見したことは、素晴らしい業績ですね。しかしながら、他の人がその功績を横取りしてしまったということは、確かに悔しいことでしょう。

※＞「おじさんがイリオモテ・ヤマネコを発見したことは、」と引用している。ただし「私の」は「あなたの」に変えている。「他の人がその功績を横取りしてしまったということは」と引用している。これは「他の人がやったということになっています」と同じ意味で、別のことばに変えている。

ChatGPT＞しかし、時には正しい評価が得られないこともあるものです。あなたのおじさんが自分自身の経験や思い出として、その出来事を大切にし、それを自分自身の中で認めていくことが大切です。また、おじさんの偉業を忘れずに、そのことを人々に語り継いでいくことも大切です。

※＞「時には正しい評価が得られないこともあるものです」と文章全体の意味をとらえて、別のことばで言い換えている。そして前向きな意見を生成している。

私＞伯父さんはヤマネコの毛皮をある人のたくしました。その人が科学博物館に元込んで、科学博物館の博士がそれが生きた化石であると発表しました。

ChatGPT＞ヤマネコの毛皮を誰かが持っていたこと、そしてその毛皮が科学博物館に元込まれ、博士によって生きた化石であると発表されたことは、非常に興味深い話です。

※＞私が「ある人に」を「ある人の」と間違って入力したのを「誰かが持っていた」とちゃんと間違えて引用している。私が「持ち込んで」を「元込んで」と間違って入力したのをちゃんとそのまま引用している。ただし、能動態の文を受動態の文に変えている。

ChatGPT＞ただし、生きた化石とは、過去の生物群集で見られた形態や特徴を多く残す生物のことを指し、ヤマネコがその定義に該当するかどうかは科学的な議論があると思われます。また、捕獲された個体が実際にイリオモテ・ヤマネコであったかどうかも確認される必要があります。

※>「生きた化石」を引用してうまく自分の疑念を表明している。また「それが生きた化石である」という断定的な記述に対して疑念を表明している。

ChatGPT>そうした中で、伯父さんが発見したことや、毛皮の存在が発見されたことは、イリオモテ・ヤマネコの研究に大きく貢献したことに変わりはありません。

※>「伯父さんが発見したことや、毛皮の存在が発見されたこと」と文面でなく文脈から分かることを述べて、前向きな意見を生成している。

読者自ら分析し評価できるように、これ以降は解説を省略する。下線部に注目し、分析してもらいたい。

私>その時、伯父さんは、私の名誉よりも科学の発展に役立ててくださいと言ったようです。

ChatGPT>伯父さんが科学の発展に役立てるために、自分の名誉よりもヤマネコの毛皮を提供したということは、とても素晴らしいことです。科学的研究に必要な情報やデータが得られることは、将来的に私たち全員にとって有益なことです。

ChatGPT>また、伯父さんがそのように行動したことは、彼が自分自身の貢献や名声に対してではなく、社会に貢献することを優先したことを示しています。このような精神は、私たちが学ぶべきものであり、尊敬すべきものです。

私>この話は、横浜の中学生の教科書に載り、中学生は伯父さんを神様のような人だと評価しました。

ChatGPT>伯父さんの貢献や行動が、横浜の中学生たちにとっても大きな影響を与えたことは、とても素晴らしいことです。彼らが伯父さんを神様のような人だと評価したことは、彼が多くの人々にとって尊敬される存在であることを示しています。

ChatGPT>ただし、一人の人間を神様のような存在として崇めることは、過剰な期待や偏った視点を生み出す可能性があります。…略…

ChatGPT>教育現場では、…略…

私>私は、伯父さんは発見者になれなかったが、子供たちに神様のような人だと尊敬されたことに誇りをもっています。

ChatGPT>伯父さんが子供たちに神様のような存在として尊敬されたことは、彼が残した素晴らしい遺産のひとつであり、誇りに思うべきことです。彼が子供たちに与えた影響は、その後の彼らの人生においても大きな意義を持つことでしょう。

ChatGPT>発見者になれなかったことは、時に人々の目には見えず、評価されないことがありますが、それでも伯父さんが貢献したことや彼の行動や精神に対する尊敬は変わりません。…略…

まとめ

本章では、音声自動認識の基本的な仕組みおよび最近の技術を紹介した。本章のまとめを以下に示す。

① DP マッチング法は、音素の長さのばらつきに対処するため、時間軸を曲げるパターン・マッチング法である。最適化手法として動的計画法が使われている。(図 9-7 の (e))

②音素特徴のばらつきに対処するため、確率統計的手法である隠れマルコフモデルによる音声認識法が考案された。そして、これは音声自動認識法の主流となった。(図 9-10)

③創発性のモデルである遺伝的アルゴリズムを、音声自動認識システムの進化に応用する方法が提案されている。この方法により音声認識システ

ムは自ら進化していく。(図 9-13)

④隠れマルコフモデルとニューラルネットを用いるハイブリッド音声認識法がある。音響特徴量の系列から言語の文字列へニューラルネットを用いて直接変換する、End-to-End方式が研究されている。ニューラルネットを用いる方法は、現在最も高性能の音声認識法である。(図 9-17)

⑤世界初の文字による対話システムであるELIZAは、ユーザの入力を引用して回答する。そこで、ユーザは人間を相手にしているように感じ、次々と会話を進めるようになる。ChatGPTは、ELIZAを基本とし、その後のコンピュータの高度化および自然言語処理・ニューラルネット研究の進展を取り入れたものである。(図 9-18)

Ⅳ 言語の獲得・学習

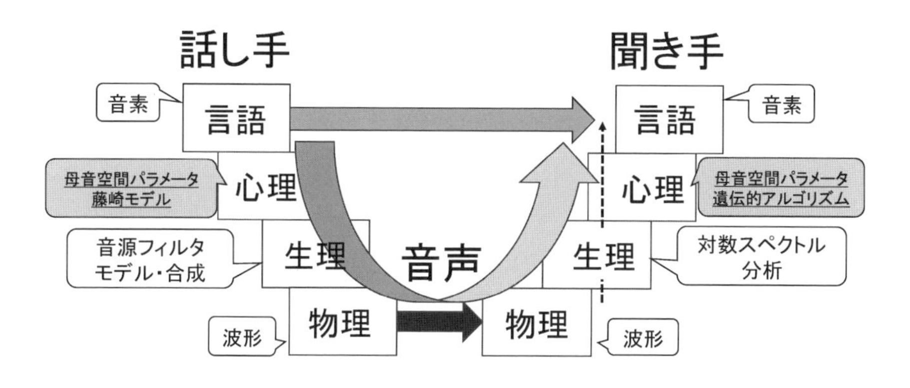

話し手
聞き手
音素
言語
心理
母音空間パラメータ
藤崎モデル
生理
音源フィルタ
モデル・合成
物理
波形
音声
母音空間パラメータ
遺伝的アルゴリズム
対数スペクトル
分析

10章

言語の獲得
～ヒトとサルの違い～

ヒトとサルの違い

ヒトは生息地の地殻変動により環境が大きく変ったため、直立歩行をするようになった。直立することによって、両手が自由になり、道具が使えるようになった。また声道の可動部が自由自在に動かせるようになり、様々な音色の音声を発することができるようになった。物を組み合わせて道具を作るのと同様、音声単語を組み合わせて文を作るようになり、文法ができた。

このように言語を獲得したことで、人類は、生物世界の頂点に立ち、高度な現代文明を作り出すようになった。

ゴリラやチンパンジーが、手話を含む言語を獲得したという話を聞いたことがあるかも知れない。だが、類人猿は言語を獲得していない。これは、知能科学の研究者のあいだで現在では定説となっている[1]。ヒトとサルは何かが根本的に違うようだ。

ではその違いは何だろうか。人類が言語を獲得した過程を、赤ん坊はたどっているのではないか。赤ん坊の言語獲得は、どのような仕組みで行われているのだろうか。また、そもそも人間は、どうして言語を介して心と心をつなぐことができるのだろうか。これは、知能科学の課題としては現在でも解明されていない。

本章では、赤ん坊が言語を獲得していく過程について現在知られていることを整理し解説する。そして、言語獲得のモデルを次章で紹介する。

音声知覚と音声生成の成長

図 10-1 に音声知覚と音声生成の成長を時間軸に沿って示す [2]。本書に関連する重要な部分は日本語に訳した。時間軸は生まれてから 12 か月までになっている。図の上部は音声の知覚に関するもので、下部は生成に関するものである。

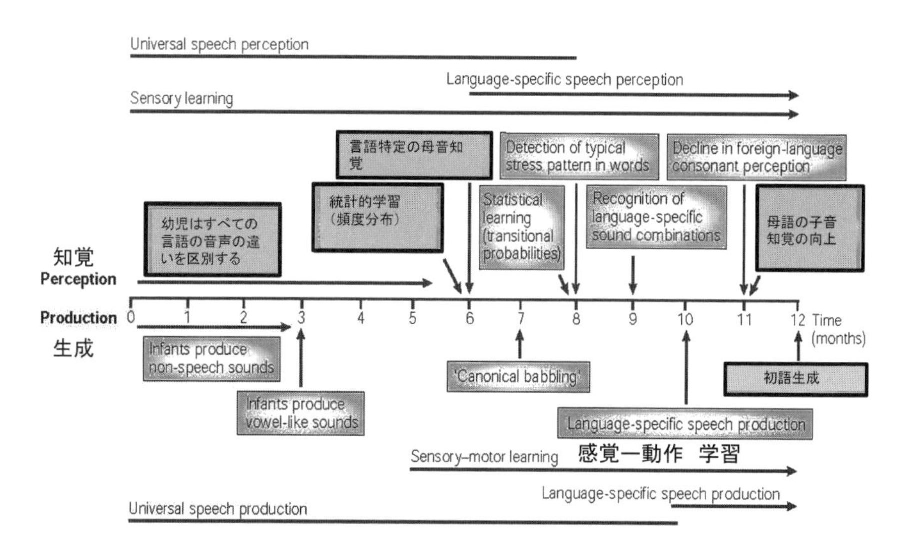

図10-1 音声知覚と音声生成の成長における一般言語の時間軸

新生児はすべての言語の音声の違いを区別できることが述べられている。これは、驚くべきことである。人間の子供は音声知覚に関して**万能選手**として生まれてくるのだ。生後、多くのことばにさらされて、だんだんと母国語に適応していく。

月齢 6 か月まで、**統計的学習（頻度分布学習）**を行い、言語ごとに異なる母音の知覚ができるようになる。それとともに母国語以外の言語の音素は区別しにくくなる。この仕組みについては次節で説明する。

月齢 5 か月から感覚と動作の関係の学習が始まり 11 か月で母国語の子

音の知覚能力が向上する。自分の発声動作と自分の声とのつながりが分かるようになるのだ。これにより、母親の声と自分の声を比較することができ、母親が話す言語の特有の音素が発声できるようになる。この仕組みのモデルについては次章で紹介する。

月齢12か月で初めて単語を発声する。ほぼ同時期に、乳幼児は二足歩行を始める。まるで、人類が二足歩行をして言語を獲得した進化過程を表しているようだ。

カテゴリー知覚とは何か

カテゴリーとは、日本語では範疇(はんちゅう)といい、同じ種類のものの所属する部類・部門のことである。**カテゴリー知覚**とは、カテゴリーの境界で応答（刺激に対する反応）が急激に変化するような知覚である。例えば、図10-2に、/i/から/a/までの合成音声刺激を示す。図10-2は、図7-3の母音のフォルマント周波数の分布の上に描かれた図である。/i/、/e/、/a/の位置が示されている。黒点で示されたフォルマント位置に対応する刺激音群（刺激連続体）がある。刺激音は、7章の「フォルマントの合成による分析」と同様にして作成した。音声（音10-1～音10-12）は各音を個別に聞くこともできるし、全体を通して聞く（音10-13）こともできる。

このような刺激音をランダムに多数提示し、どの音に聞こえたかを集計した結果[3]が図10-3である。横軸は刺激音の番号で、縦軸はその音韻（音素）に聞こえた率である。これから、刺激1、2、3はほとんど/i/に聞こえ、刺激4は、/i/と/e/が半々で、刺激5、6、7はほとんど/e/に聞こえることが分かる。このように、カテゴリーの境界で応答が急激に変化していることが分かる。

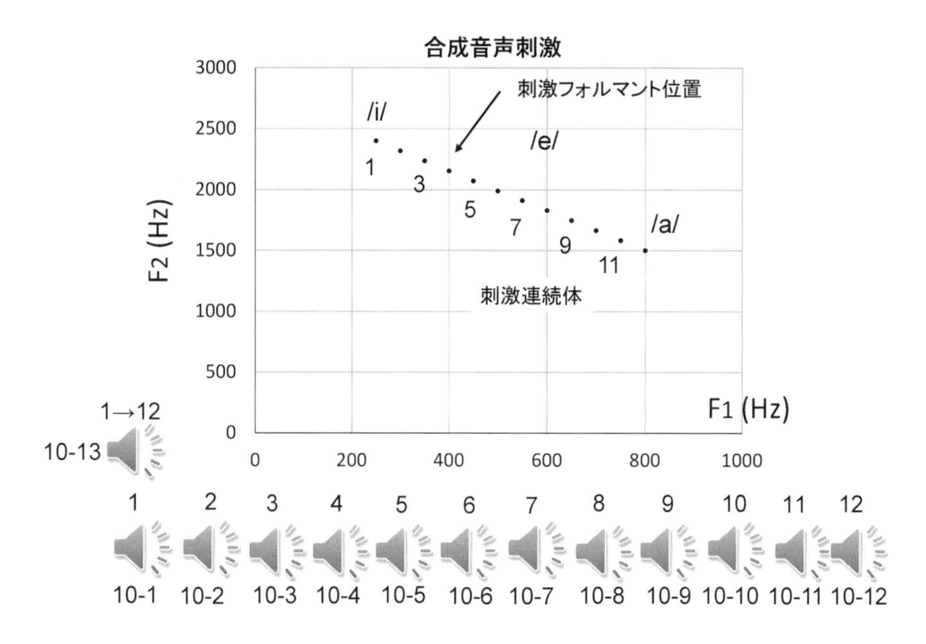

図10-2　/i/から/a/までの刺激

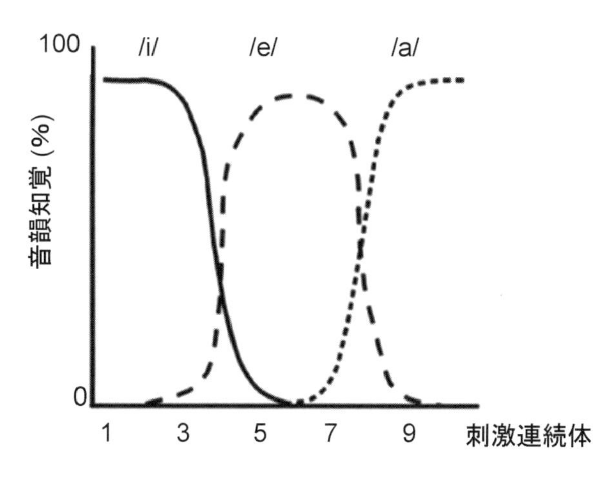

図10-3　/i/から/a/までの刺激連続体に対する応答

カテゴリーの形成過程

もうひとつのカテゴリー知覚の例を図 10-4 [4] に示す。これはフォルマント分布図で /r/ から /l/ まで直線的に作った刺激群（刺激連続体）に対する応答である。上の図は /ra/ と聞こえた率を示している。刺激番号が小さいものは /ra/ と聞こえ、番号が大きいものは /la/ と聞こえる。その境界は刺激番号 7 である。境界付近の変化は急激である。

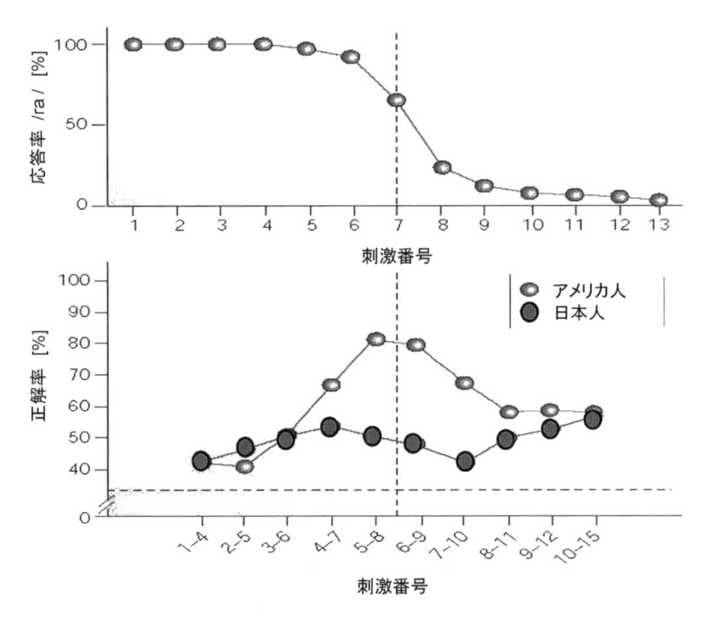

図10-4　/r/から/l/までの刺激連続体に対する応答

下の図は、刺激のペアを提示し、これが同じか異なるかを当てさせる実験の結果である。答えは、同じか異なるかの 2 つしかないので、同じと言い続ければ半分は当たる。それで、正解率 50%とは、まったく当たらないということである。

この図から、薄い色の丸で示されたものは、境界付近で正解率が高い。

両端では低いので、ほぼ不正解ということが分かる。このことから、/r/と /l/ の違いを認識するための感度が**境界付近で高く**、カテゴリー内では違いを感じないと言える。違いを感じないということは、カテゴリー内の音は同じとみなされるということだ。

音声に多少の違いはあっても**同じとみなす**ということは、重要なことである。音声のカテゴリーが形成されていることを意味しているからだ。これは、アメリカ人の応答のことである。

日本人の場合（●印）を見てみよう。正解率が50%くらいなので、まったく正しく答えられていない。被験者の日本人は /r/ と /l/ を区別できないのだ。これは私たちの予想にあっている。

前節で述べたように、新生児はすべての言語の音声の違いを区別できる。図 10-4 の下の図で言えば、すべての刺激番号で正解率が高いということである。自分の国の言語音にさらされているうちに、音声を区別する能力が**下がっていく**のだ。アメリカ人の乳児は /r/、/l/ それぞれのカテゴリー中心（図では左右端）付近で下がっていく。このようにして音素のカテゴリーが獲得される。日本人の乳児は境界を含めてすべてのところで下がっていく。

このように新生児は音声の知覚に関して万能であったが、その能力の一部を失うことによって音素を**獲得**する。失うことによって得るのだ。これは言語獲得だけでなく、幼児の学習の全般において同様のようで、重要なことである。脳科学の分野では、このことを脳細胞間の結合ネットワークの枝刈り（刈り込み）と表現している[5]。

知覚的マグネット効果

カテゴリーが形成された後は、カテゴリー内の音声が区別しにくい。似ているからだ。距離で言えば近いということである。逆に、カテゴリー境界付近の音声は区別しやすい。つまり距離が大きい。この距離関係は図

10-5のように図式的に表すことができる[6]。図の左側は**物理的距離**である。刺激音は等間隔に作られている。右側には**知覚的距離**が示されている。両端のカテゴリー中心付近では、距離が小さいものとして知覚されている。これは境界付近で感度が高いことを別の形で表現したものである。

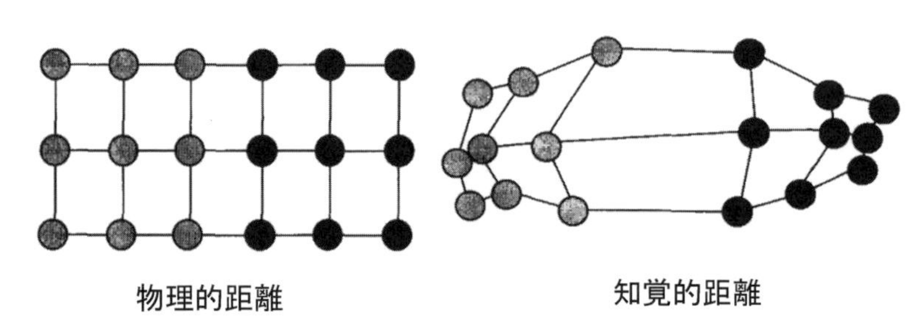

図10-5　知覚的マグネット効果

この図は、似ている音声を引き寄せて、同一ととらえることを表しているようにも見える。特徴にばらつきのある音声を代表点に引き寄せているのだ。このことから、音素のカテゴリー形成過程は**知覚的マグネット効果**とも呼ばれている。これは説明図であり、引力の仕組みなどの精確な理論は、まだない。

♪コラム 10-1

聞き流し勉強法は効果があるか、外国語の早期教育は？

言語音にさらされているだけで、知覚的マグネット効果によって、自動的に音素カテゴリーが獲得されていく。

このことから、外国語の**聞き流し学習法**は効果があると言える。外国語にさらされているだけで、外国語のカテゴリーが形成されていくからだ。私の経験でも、毎日ラジオの英語放送を聞いていると、だんだん英語がはっきり聞こえるようになってくると感じる。

ただし、音素ははっきり聞こえるようになるが、単語の意味が分かるとは限らない。単語の意味は他者とのコミュニケーションの体験によって獲得されるようだ。

外国語の**早期学習**については否定的だ。まだ母国語が獲得されていない段階で外国語の学習を行うと、母国語の音素カテゴリーの形成に混乱を生じさせると考えられる。その結果、その後の母国語の学習の遅れにつながるということを示す論文がある[7]。

母親ことばとは何か

世界中の母親は、その言語によらず、幼児に対して似たような調子で話しかけることが知られている。これを**母親ことば**（育児語／マザリーズ；motherese)[8] という。図 10-6 に母親の話しことばの基本周波数を示す。上の図は、成人向け、下の図は幼児向けの母親の発話の基本周波数である。横軸は時間で、縦軸は基本周波数（F0）である。成人向けの発話では、基本周波数が一本調子であるのに比べ、幼児向けの発話では、高くなったり低くなったり**大げさに変化**している。

図 10-7 に母親が発声した母音を示す。世界中のすべての言語には /a/、/i/、/u/ がある。これらを、第 1 フォルマント周波数（$F1$）を横軸とし、第 2 フォルマント周波数（$F2$）を縦軸としたグラフで表したものを母音の三角形という。日本語の場合は、図 7-3 に示した。図 10-7 から、英語、ロシア語、スウェーデン語において、幼児向けに母親が発した母音の三角形は、成人向けに発した母音の三角形の外側にあることが分かる。つまり、幼児向けの母音は、母音間が離れるように、すなわちより区別しやすいように、言い換えれば、**はっきりと発声**されているのだ。

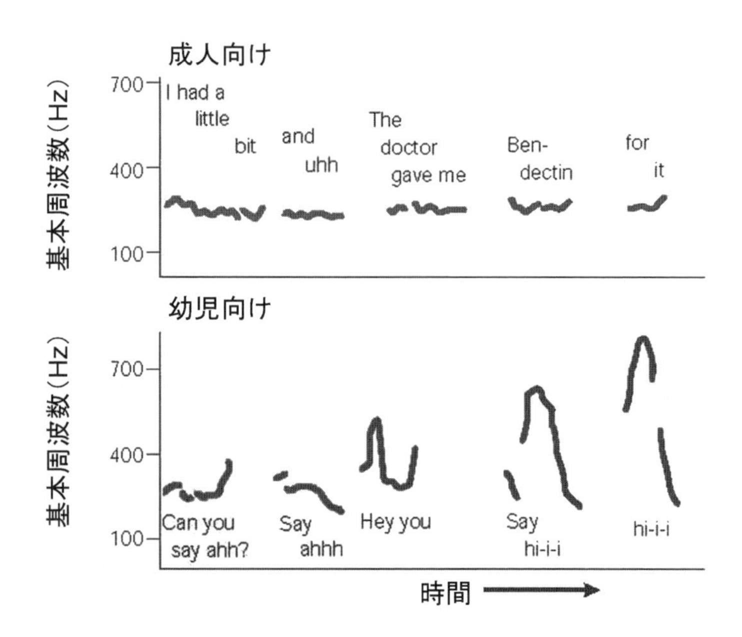

図10-6　母親の話しことばの基本周波数

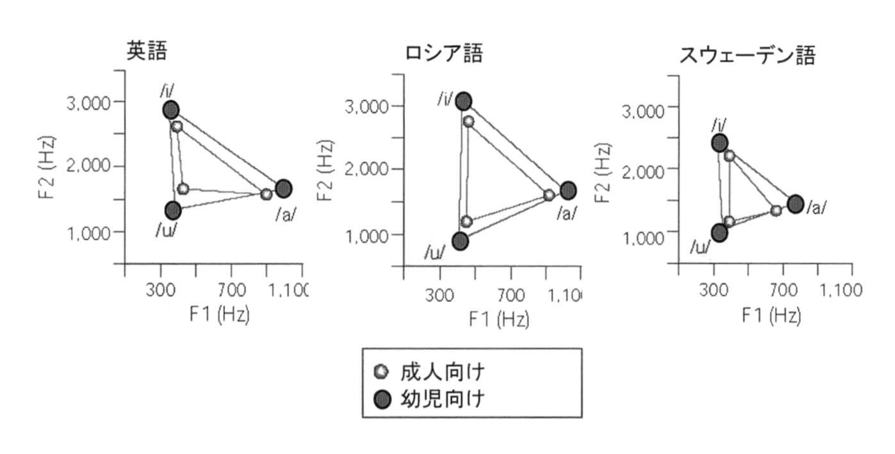

図10-7　母親の話しことばの母音

音素の獲得における母語引力理論

幼児の音素の獲得過程としては、母語引力理論が代表的なものである。図 10-8 に、**母語引力理論**の全体図を示す[9]。母語引力理論の**音素獲得過程**は、第 1 段階から第 4 段階でできている。

第 1 段階は、初期状態であり、幼児はどのような音素でも区別できる万能な能力を持っている。音響的に区別しやすい音声は言語能力の向上に役立つ。また方向の非対称性が存在する。方向の**非対称性**とは、脳細胞間ネットワークの枝刈りの結果は元に戻りにくいということだ。音響的に区別しやすい音声とは、前述の母親ことばのことである。

第 2 段階がこの理論の中心であるので図の中央部と左右部を拡大して図 10-9(a),(b) に示す。図 10-9(a) の第 2 段階の中央部には、音素カテゴリーの形成されていく様子が示されている。「**音響処理能力**」により、第 1 フォルマント周波数（*F*1）と第 2 フォルマント周波数（*F*2）の特徴空間で母音がとらえられて、その分布が示されている。日本語の図は読者にはすでにおなじみだ。各分布の中心部がカテゴリー中心になって、「**認知的抑制能力**」によってカテゴリーが形成される。この仕組みは、先に「カテゴリーの形成過程」で述べたとおりである。図の下の方には有声子音（/r/、/l/、/w/）について同様のことが示されている。分布は左から /r/、/l/、/w/ である。スウェーデン語と英語では /r/ と /l/ の区別があるが、日本語では区別のないことが分かる。

図 10-9(b) の第 2 段階の左右には、「**知覚と生成の連結**」と「**社会的要因**」が示されている。左側には、声道の動作と**模倣**について述べられている。また、右側には**注視の共有**など、母親との関係が社会的要因として述べられている。最近の研究によれば、母親のほうが乳幼児の発声の真似をすることによって、乳幼児は自分の発声を確認し、単語を獲得するようだ。母親（育児者）とのやり取りが重要である。単語と意味の対応が理解され始めるのだ。

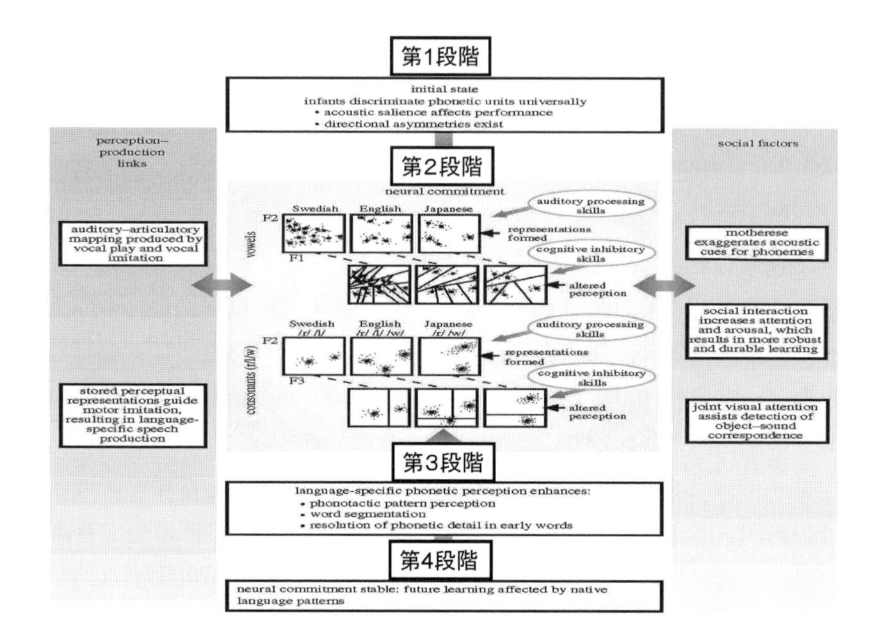

図10-8　音素の獲得における母語引力理論

第3段階では、それぞれの言語特有の音声知覚が、音パターン知覚の戦略、単語の切り出し、初期の単語での詳細な音声単位への分解を促進する。

第4段階では、神経回路網が安定化する。そして母国語のパターンが将来の学習に影響する。

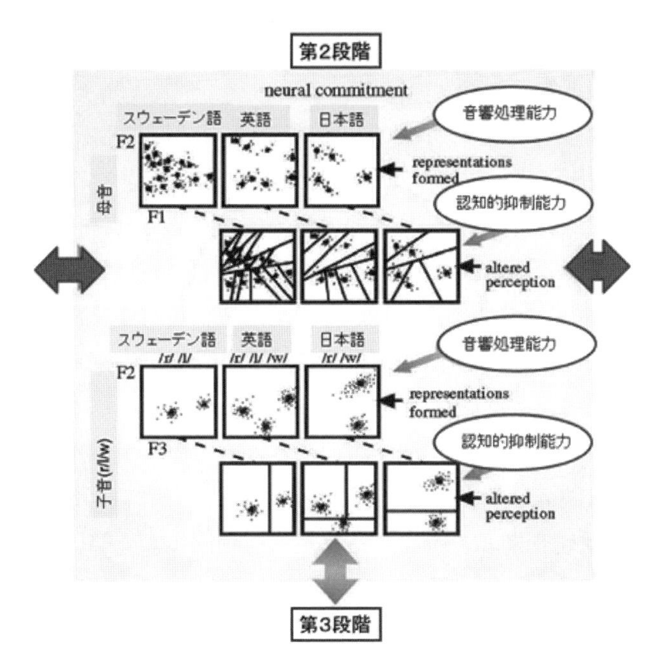

図10-9(a)　第2段階の中央部

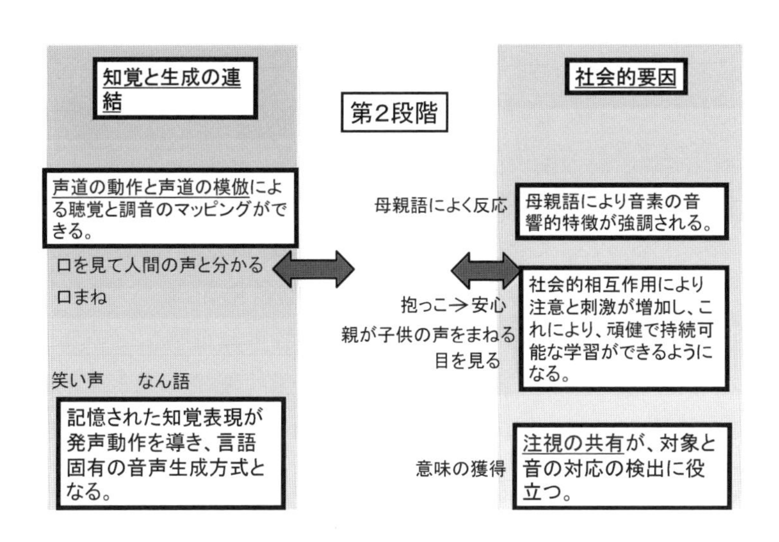

図10-9(b)　第2段階の左右（四角の枠外の記述は筆者による）

文の獲得と言語能力

ヒトが言語を獲得した初期のころは、単語と文の区別もなかっただろう。音節の系列で短いものが単語で、長いものが文というくらいだっただろう。そのうち長いものは、ある部分と他の部分に切り離され、一部取り換えられるようになって、部分が単語となり、単語の並びが文となった、と考えられる。単語の並べ方には決まりが必要だから、これが文法になった。初期の文法は、このような単語の後にはこのような単語が来ることが多いという、ゆるやかなものだっただろう。

言語の起源に関しては、言語学者のチョムスキーの汎用言語**モジュール遺伝説**が有名である。大脳には、言語をつかさどる構成部分（モジュール）があり、これは遺伝する。つまり、二足歩行と同じように、言語はヒトの本能だというのだ。前述のように音素に関しては、新生児は万能であり、その後、母国語ごとに分化していくことが知られている。文法についてもモジュールに基本的なものを持っていて、成長とともに言語ごとに分化していくというのだ。

これに対して、認知言語学では、一部は先天的（本能）、一部は学習によると言われている。言語に関して基本的な能力は持っているが、さらに学習により獲得されるものもあるということだ。認知心理学者のトマセロは、重要なことは、「他者を自己と同じく、**意図と心理状態**を持った存在として理解すること」だと述べている[10]。言い換えれば、他者の心を読もうとする能力だと考えられる。思いやりとも言える。

生理学的には、言語の起源として、ミラー脳神経細胞[11]（ミラー細胞）が注目されている。**ミラー細胞**は、自分が特定の行動をしたときに応答し、相手が同じ行動をしたときも応答する脳神経細胞である。ミラー細胞は、サルによる実験で見出されたものだが、トマセロが言っていることの生理学的証拠と考えている研究者もいる。ミラー細胞は、その入力で他の脳神経細胞と接続しているので、その細胞単独の能力ではないと考えられる。

言語獲得に必要な知的能力

言語獲得に必要なヒトの**知的能力**について約20年間、文献調査をした。多くの実験言語学等の論文等から到達したヒトとサルの相違点に関する最も重要な知識は以下のとおりである[12]。

《人間の子供の場合、「AならばB」ということを知ったら、多くは「**BならばA**」という逆の推論をする。ところがサルの場合は、逆の推論をする者はわずかである。》

論理学的には逆は必ずしも真でない。だが、もし逆が真であれば、AとBは**同値**である。つまり同じとみなしてよい。この能力は言語に関して非常に重要なことである。これにより、ことばとその意味を**同一視**できるからだ。

例えば、私が「本」のことを考えて「ホン」と発声したとしよう。この場合Aは「本」という意味であり、Bは「ホン」という音波である。これを聞いた人は、逆にBならばAと推論して、音波「ホン」から意味「本」を知ることができるのだ。つまり相手の心（意図）が分かるのだ。

単語の意味と単なる物理的な音波とを同じとみなすことができるのは、知能における大きな飛躍である。

このようにして、世界の事象の**意味をことばに込め**、それを記憶・記録し、それを使ってシミュレーションをして、未来を予測するようになったのだ。

どうして人間はこのようなことができ、サルはできないのだろうか。筆者は、**脳細胞の数**に関係しているのではないかと考える。このようなことは、人工的には、ニューラルネットで簡単に実現できるからだ。ニューラルネットで恒等写像と呼ばれている回路で実行可能である。恒等写像では、入力ベクトルⒶと同じ教師ベクトルⒶを用いる。これは「ⒶならばB、B

ならばⒶ」を同時に学習できる。神経細胞モデルの数を 2 倍にするだけでできる。

♪コラム 10-2

オオカミ少女と手話を作り出した子供たち

オオカミに育てられた少女の話は有名だ。救出されて数年間生存したが、その間、言語を獲得しなかった。乳児のころ、ことばを教えられなかったからだ。ことばは、教えなければ獲得できないことの例とされている。

しかし、この話は報告者の**ねつ造**だ[13]。写真がねつ造されたことは明らかだ。またオオカミの乳は人間の赤ん坊には飲めない。

これとは反対に、人間は言語を教えられなくてもそれを作るものだ、という例が20世紀に言語学者により確認された[14]。中米ニカラグアにおける手話共通語だ。ニカラグアで初めて聴覚障害児のための学校ができた。子供たちは、各家庭で通用するその場しのぎのジェスチャーを持っていた。集団生活を始めるとほどなく、これを持ち寄って原始的手話ができた。そして、この手話ができたあと入学した後輩たちによって、この原始的手話から品詞と文法のしっかりした言語と呼べる手話が作られた。

子供たちが**言語を作った**のだ。ヒトは複数名いれば、言語を作るものだ。これは、チョムスキーの主張を裏付けているとも言える。

私が想定している言語獲得のための能力があったとしても、これは説明できる。子供たちは、この能力によりすでに各家庭で意味を伝えることができるジェスチャーを獲得していた。これが、子供たちの間で通じるように、共通語化されたのだ。

まとめ

本章では、赤ん坊が言語を獲得していく過程について現在知られていることを整理し解説した。10 章の内容をまとめると以下のとおりである。

①新生児は、音声の識別に関して万能であり、約半年の間、話しことばにさらされているだけで、母国語の基本的な音素を識別できるようになる。(図 10-9(a))

②音素カテゴリーの形成は、スペクトルを識別する能力が音素カテゴリーの境界付近では高いままで、カテゴリー内では低くなるという形で進む。弁別できないということは、カテゴリー内の音が同じとみなされていることを意味する。(図 10-4 下)

③母語引力理論によれば、音声の知覚と生成の連結という内的操作と、母親（育児者）との関わりを主とした社会的要因が、音素の獲得において重要である。(図 10-9(b))

④言語の獲得において重要なことは、他者を自己と同じく、意図と心理状態を持った存在として理解することと言われている。

⑤言語獲得に必要な知的能力は、「AならばB」を知るとすぐ「BならばA」を思いつくことであると考えられる。大多数の幼児はこれができるが、類人猿はほとんどできない。

11章

言語獲得のモデル
~赤ん坊のように聞き話すコンピュータ~

赤ん坊のように聞き話すコンピュータ

この章では、人間の心と心をつなぐ道具としての言語を獲得する赤ん坊のモデルについて述べる。これは現在進行中の研究内容だが、これまで述べてきた知識を総合的に活用すれば理解できるだろう。

人類がなぜ言語を持てるようになったのか。言語獲得のために必要な能力は何なのか。赤ん坊は、人類が進化において言語を獲得した過程を現在進行形で経験しているのではないか。とすれば、赤ん坊が言語を獲得する過程のシミュレーションができれば、その答えに近づけるのではないか。

人間は各人が主観的な内面世界を持っており、そこから客観的・物理的な外界を眺めている。主観的な感覚情報と物理的現象がずれていると錯覚が生じる。そのような錯覚は、意外にも音声言語においては日常的に起こっている。じつは錯覚によって音声がはっきり聞こえるとも言えるのだ。

音声の物理的世界が人間の心的世界および言語的世界とどのようにつながっているのか。そして人間は、どうして音声言語を介して自分と相手の心と心をつなぐことができるのか。そのヒントは、音声知覚における錯覚にあるのかも知れない。

本章では、人間が言語を獲得できるための条件について検討した、赤ん坊の機能的モデルを紹介する。このモデルは、Ⅳ(言語の獲得・学習)の扉の図にも示したように、図 1-1 に基づいて作られており、これに遺伝的アルゴリズムが応用される。このモデルは、言語獲得過程の副作用として、音声知覚における“正しい錯覚”の機能も獲得する。

コラム11-1

音声の聞こえ方の不思議 〜音が無いのに聞こえる〜

まずは、音声の不思議な現象を紹介しよう。これは、普段の授業などでは前出のAudacity®を使用して、波形の選択部を聞かせて実演している。音声は男性が発声した単語「**ひまわり**」であり、図の横軸は時間である。まず **動画m11-1** 「himawariの不思議」（所要時間2分4秒）を見てもらいたい。

動画を振り返ってみよう。ここでは図11-1に示すように、選択部はA、B、Cで示し、音声はスピーカー・マークで示す。

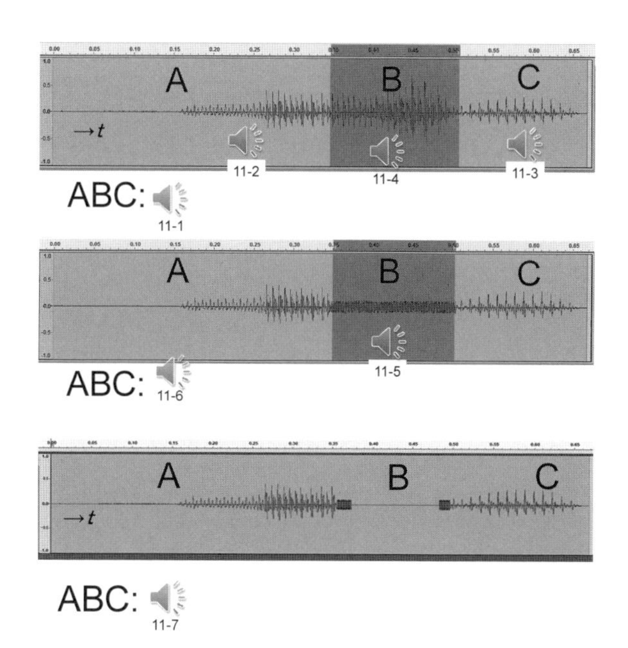

図11-1　音の聞こえ方の不思議 /himawari/ の例

まず単語全体であるABC（(音11-1)）を聞いてみる。「ひまわり」と聞こえる。次に上の図の波形の前半部A（(音11-2)）を聞いてみる。「ひま」と聞こえる。次に波形の尾部C（(音11-3)）を聞いてみる。「り」と聞こえる。ここまでは、特に不思議なことはない。

最後に、まだ聞いてない部分を聞く。それは「ひま(B)り」のBの部分である。聴衆には、音を予想するように言っておく。これまでのことから、「わ」の音が聞こえるとだれでも考えるだろう。実際に(音11-4)を聞いてみる。

聞こえてくる音は**「おい」**だ。聴衆は驚く。あまりに意外なので、笑ってしまう人もいるくらいだ。

さらに中央部の図に示すように、Bの部分を雑音（(音11-5)）に変える。雑音を確認した後、全体ABC（(音11-6)）を聞く。すると雑音が混じっているが、「ひまわり」に聞こえる。最後にBの部分の波形を消す。そして、全体（(音11-7)）を聞く。多少詰まった感じはあるが、「ひまわり」に聞こえる。雑音に変えても、無音にしても、「わ」が聞こえる。

調音結合

連続音声中の音は、予想したものとは大きく異なっていることもある。また音が無いのに聞こえることもある。このような現象はどうして起こるのだろうか。これは、「調音結合」によって音節の部分が変化しており、またその前後の部分には音節の一部が残っているからである。**調音結合**とは、音声の性質が隣の音節までにじみこんでいる現象である。連続音声は、文字で書いたように音節ごとにはっきり区切られているわけではない。調音器官の慣性のため、音声は急に変化できないからだ。音節の境目付近でもゆっくり変化しているので、境目がどこであるのかも明確でない。

音節自体も前後の音節の影響を受けて、本来の音素らしい音色でなく、

ぼやけている。速くしゃべるとはっきりしなくなるのは調音結合のためである。速くしゃべると定常的な部分が減るので、調音結合部分の比率が増えることは理解できるだろう。

上の例のように「わ」が「おい」にまで変形していることもある。それでも単語全体を聞けば「わ」に聞こえる。この現象のメカニズムは、本章の中で明らかにされる。

ここで、本書の最初の図である図1-1またはⅠ（音の物理学）の扉（p.1）およびⅡ（音声科学）の扉（p.75）にある図を見てみよう。そこには物理現象と言語現象のずれが破線の矢印で示されている。普段我々はこのずれに気づかない。言語としての音声では、調音結合を修正するための **"正しい錯覚"** が日常的に生じているからだ。

調音結合があるにもかかわらず、人間には各音節が明瞭に聞こえる。どのようなメカニズムによってこうなるのかは、現時点で必ずしも解明されていない。この最終章では、ひとつの解答を紹介する。結論から言えば、音素の予測のメカニズムが働いているようなのだ。

音声単語獲得のモデル

人類の音声言語は、意味のある単位の「単語」からまず獲得されたと考えられる。初めのうちは短い単語や長いものがあっただろう。長いものは切り離され、一部が取り換え可能になった。そして、文ができ、文法ができた。

10章の図10-9(a)「第2段階の中央部」をもう一度見てみよう。ここには赤ん坊の音素獲得の理論が述べられている。さらに図10-9(b)「第2段階の左右」には、**「知覚と生成の連結」**と、**「社会的要因」**が示されている。この中で、まず社会的要因である「注視の共有」による音声単語の獲得のモデルを紹介する。次に次節以降で、知覚と生成の連結における「声道の動作と声道の模倣」による単語音声獲得のモデルを紹介する。

注視の共有による音声単語の学習と意味の獲得

単語音声の情報を表現するものとして隠れマルコフモデルを使用する。図 9-10 を参照してもらいたい。図の説明の最後に述べたように、尤度(ゆうど)を計算する方法であるトレリス法が、ニューラルネットに似ていることから、隠れマルコフモデルは脳の回路のモデルとみなすことができる。言語知識が確率分布として**脳に記憶**されているということだ。

図 11-2 は、ロボットがゼロから単語を獲得していく赤ん坊のようなモデルの説明図である[1]。「**注視の共有**」だけを前提としている。ロボットは教示者が指でさしたものが分かるということだ。このことを、このモデルでは、「よし」(yes) だけは最初から音声認識できる、ということで代用している。

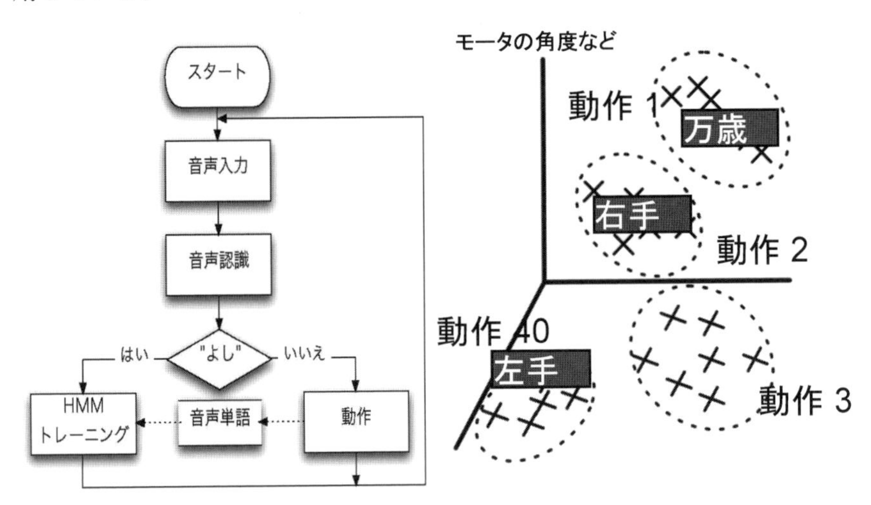

図11-2　音声単語の教示学習：注視の共有と意味の獲得

このロボットの動作は「右手を上げる」や「走る」などである。そこでロボットにとっての世界を表す「**意味**」は、体の関節のモーター回転角度などである。それに言語としてのラベルが付く。(動画 m9-1「音声認識ロ

ボットyasty」参照）

意味空間の概念図を図の右側に示す。ラベルは単語ごとにあり、個別の音声単語は隠れマルコフモデルで表される。「よし」を認識する能力を持ち、これを活かして隠れマルコフモデルの訓練や**クラスタリング**（グループの自動形成）が行われる。

手順は、左の図に示されている。まず、母親（教示者）が単語を発声し、幼児（ロボット）が音声を聞く（入力する）。ロボットが音声認識をし、それに応じて「右手を上げる」や「走る」などの動作をする。教示者は、入力単語で期待する動作であれば、「よし」と言う。そうでなければ何も言わない。ロボットは「よし」と認識すれば、ひとつ前に行った動作の隠れマルコフモデルの記号出力確率と状態遷移確率を更新、つまり学習（訓練）を行う。同時に意味空間でのグループ化（クラスタリング）も行う。

このように、注視の共有の能力（「よし」の音声認識能力）だけを前提とすれば、試行錯誤しながら自発的に単語とその**意味を獲得**できる。

言語獲得のための根本的能力と音声の生成・知覚のモデル

図10-9(b)の左側「**知覚と生成の連結**」に「声道の動作と声道の模倣による聴覚と調音のマッピング」が示されている。これを実行する単語音声獲得のモデル[2][3]を紹介する。

10章の「言語獲得に必要な知的能力」において紹介したように、言語獲得のための人間の根本的能力は、

《「AならばB」を知ったら「BならばA」と逆を推定できる。》

と考えられる。もし「AならばB」と「BならばA」の両方が成り立つなら、論理的にはAとBは**同値**である。ここでAを意味、Bを音声とすると、これは音声コミュニケーションが成立するための根本的能力である。意味は客観的現象、それと単なる音波に過ぎない音声とを同じとみなすことは、

他の動物には到底できない非常に優れた能力である。

これを基にした**音声生成と知覚のモデル**を図 11-3 に示す。これを簡略化したものは、Ⅳ（言語の獲得・学習）の扉（p.213）にも示した。これは 1 章の図 1-1 に重ねたものである。発声における調音の感覚と聴取における無意識での知覚の対応（マッピング）がモデル化されている。発声者が意味 A を考え、B と発声すると、聞き手は B を受け意味 A を思い浮かべる。すなわち意味が分かる。このモデルでは、調音および知覚における体内感覚のモデルとして「母音空間パラメータ」を用いる。**母音空間パラメータ**は、フォルマント周波数のようにスペクトルを表現するベクトルである。発声における言語的情報から生理的情報への変換を「藤崎モデル」で表現する。聴取における生理的情報から言語的情報への変換を「遺伝的アルゴリズム」で学習する。

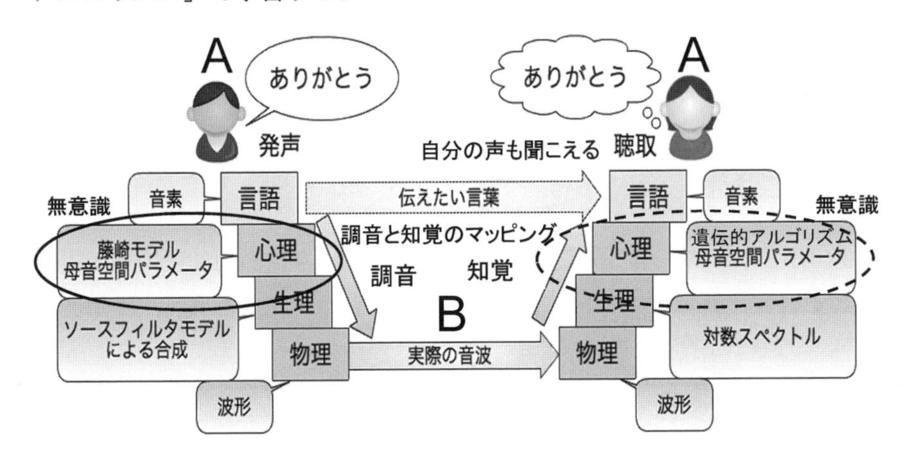

図11-3　音声生成と知覚のモデル

発声した音声は、発声者本人にも聞こえる。これは重要なことである。これは、図で言えば、発声者は聴取者でもあるということだ。これにより幼児は自分の声と母親の声を比較して**模倣**ができる。その結果、「調音と知覚のマッピング」ができる。どのように発声すればいいのかを獲得できるというわけだ。図で言えば、左側の実線の丸と右側の破線の丸で囲んだ「心理」段階で**調音と知覚**がつながっている。話し手である自分と聞き手である自分が連携しているのだ。

このように考えると、この図は、工学者ラスムッセンの「**人間の制御に関する３つの階層**」の図[4][5]とよく似ている。ラスムッセンの図は、脳への入力信号と脳の働き、そして脳からの出力信号を表したモデルである。情報処理は３つの階層からなっており、図11-3と同じである。

模倣による単語音声の獲得モデル

それでは、モデルの具体的な内容を見てみよう。かなり専門的にはなるが、これまでに学んだことにより理解できるだろう。遺伝的アルゴリズム

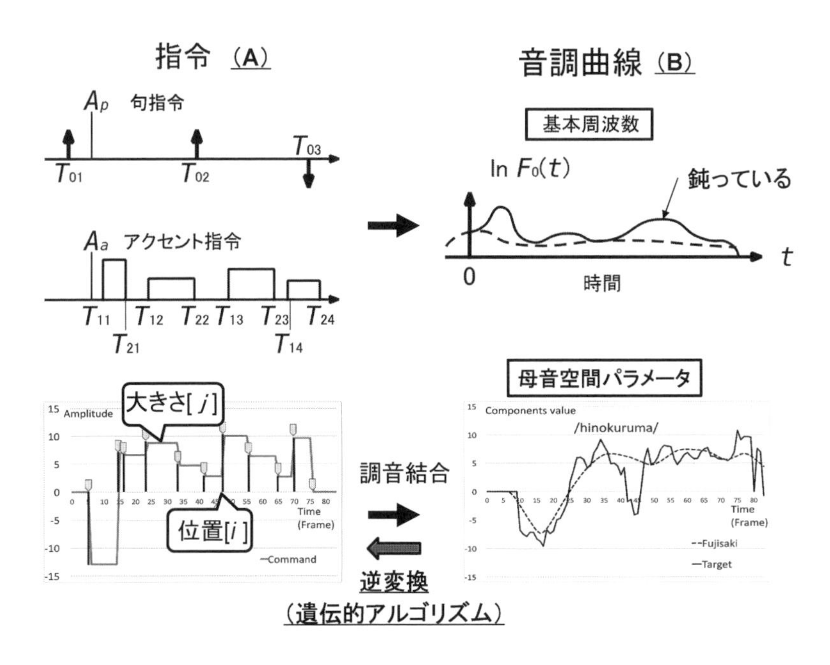

図11-4　模倣による単語音声の獲得のモデル

については、9 章の「創発性のモデルである遺伝的アルゴリズム」で、藤崎モデルについては、8 章の「基本周波数の藤崎モデル」ですでに詳しく述べた。

模倣による単語音声の獲得のモデルを図 11-4 に示す[6] [7]。図の上部には、「基本周波数」に関する藤崎モデル、下部には、これを拡張した「母音空間パラメータ」に関する藤崎モデルが示されている。いずれも横軸は時間だ。基本周波数は 1 次元である。1 次元の藤崎モデルを多次元のベクトルである母音空間パラメータの各次元に応用している。

藤崎モデルは、8 章の「基本周波数の藤崎モデル」で説明したように、脳から発する基本周波数生成の「指令」(A) と、「基本周波数」の時間パターンが音声器官を通過して曲線的な鈍った形になることを表した「音調曲線」(B) からなる。指令は、単語や単語列を発するための「句指令」とアクセントを作るための「アクセント指令」とからなる。

藤崎モデルを「母音空間パラメータ」のそれぞれの次元に応用する。そのうちのひとつの次元を下の図に示す。指令としては、アクセント指令を音素の数だけ続けて並べたものを使う。これは「頭に浮かんだ理想的な音素のモデル」である。これが調音結合の影響を受け、鈍って右側のような曲線になる。これが実際の物理的な音声である。人間は、鈍った音声から逆推定して左のはっきりした音素をとらえることができる。

このモデルでは、逆推定を行うため、「遺伝的アルゴリズム」を使用する。**遺伝的アルゴリズム**の**コード化法**としては、各アクセント指令の「位置」と「大きさ」の値を使う。**適応度**は、この指令から計算される母音空間パラメータの軌跡 (右側の図の破線) と、模倣すべき音声の母音空間パラメータ (右側の図の実線) との違い (誤差) である。遺伝的アルゴリズムにより、誤差のより小さいものが探索される。

このモデルは、赤ん坊が試行錯誤をして「指令」を頭に浮かべ発声して、母親の音声を模倣しようとすることを模擬したものである。試行錯誤により、音声を創り発しながら自己学習をする。赤ん坊の単語音声の獲得には

創発的な**試行錯誤**が必要だ、ということが遺伝的アルゴリズムに込められている。

コラム 11-2

未来が見える錯覚「フラッシュ・ラグ効果」

まずは 動画m11-2「フラッシュ・ラグ」を見てもらいたい。動画では図11-5と同じように、図の下の方に左から右へ、そして右から左へ動く物体がある。上の方にフラッシュが一瞬出る。動いている物体がどこに来たときにフラッシュが出るだろうか。

多くの人には、Aに来たときフラッシュが現れたように見える。

じつは、動いている物体が真下に来た時にフラシュが出るようにセットしてあるのだ。

このような視覚の錯覚現象を**フラッシュ・ラグ効果**[8] という。これは、動いている物体の位置が、突然現れて消える物体（フラッシュ）よりも動いている方向へずれて知覚される錯視だ。

フラッシュ・ラグ効果のデモ実験は、Web上にもある[9] ので、だれでも体験できる。

このようにフラッシュ・ラグ効果は、**予測**されたものが視覚に現れる錯覚と言われている。未来が見える錯覚と言えるかも知れない。

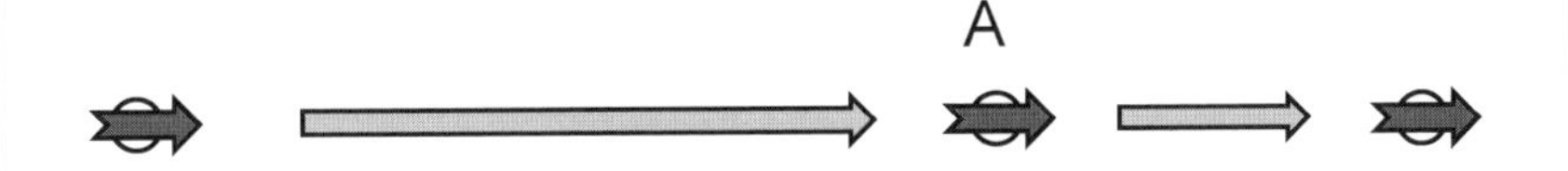

図11-5　フラッシュ・ラグ効果

サッカーのプレーで審判が誤ってオフサイドのように見えてしまう現象や、手動で短距離走の計測をしたとき、記録が短い方にずれる傾向があることの原因だとも言われている。

目に入った信号が脳に達するのに0.1秒かかるので、フラッシュ・ラグ効果は、この遅れを脳が補償するために起こる現象とも言われている。

予測された音素が聞こえる調音結合の逆処理

赤ん坊は、母親の声に似せようと発声練習をすることによって、音声の「鈍(なま)り」を除去し修正する能力である**「調音結合の逆処理」**を獲得していると考えられる。このとき予測された音が大きな役割を果たしていると考えられる。予測音について説明しよう。

提案した獲得のモデルを切断2連母音に適用したとき、調音結合の逆処理が実行可能かどうかを検討する。**切断2連母音**とは、2つの連続した母音(2連母音)の中央から後ろの母音を消去したものである。例えば、図11-6上の図の左側には/ai/のサウンドスペクトログラムが示されている。横軸は時間で縦軸は周波数である。10章の図10-3で説明したように、/a/から/i/に向かう途中には、/e/がある。(音11-8)を聞いてみよう。だが/e/があるようには聞こえない。速く発声しているからである。/e/が聞こえないことも調音結合の逆処理の結果である。

図11-6上の右側に、/i/の部分を切り取った音声のサウンドスペクトログラムを示す。(音11-9)を聞いてみよう。切断2連母音では、前半の母音とともに無いはずの後半の母音も短く聞こえる。この後半の母音が聞こえる現象は、図11-6の下図の/a/から/i/に向かう矢印で説明できる。ここで切断2連母音は/e/で切断された「実音声」である。その先にある予測された音素/i/が聞こえるのだ。この**予測音**は、調音結合の逆処理で起こる“正しく聞こえるための錯覚”である。下図には、/au/の切断2連

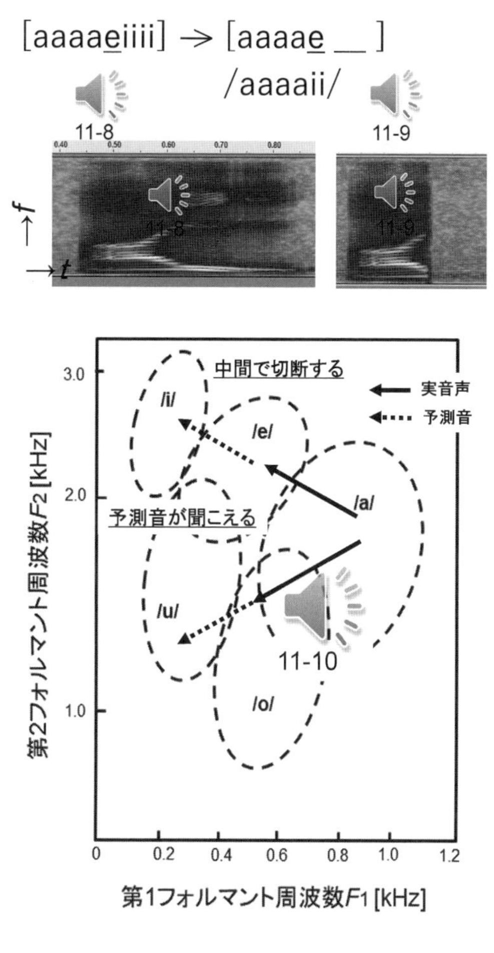

図11-6　切断2連母音

母音（(音 11-10)）の音も示してある。予測音の存在が、鈍（なま）った音声でも明瞭に聞こえるためのメカニズムと考えられる。

またこれが、7章の「ハートのこもった音声を聞く」で述べた、**ハートの部分**だけを切り出した短い音声でも「あい」と聞こえる理由である。

予測音を確認する切断2連母音の聴取実験

上述の予測音の存在を実証するため、ひとつの切断2連母音あたり60回の聴取実験を行った[10][11]。聴取者は5名である。世界中の言語に存在する**母音の三角形**の頂点である/a/、/i/、/u/からなる2連母音を使用した。切断2連母音の2番目の母音がどのように聞こえるのかを問う実験を行った。

聴取実験の結果を図11-7に示す。図の「IN」の列には切断2連母音が示され、「OUT」の行には聞こえた結果が示されている。例えば、/ai/から/i/の部分を除去した音「a_*i*」では、切断部が物理的には/e/であるにもかかわらず、63%が/i/に聞こえている。これ以外の色がグレーになっているところを見れば分かるように、他の切断2連母音でも同様に多くは**切除された母音**が聞こえている。これは、上で述べた予測音が聞こえる現象である。

IN＼OUT	i	e	a	o	u
a_*i*	63	38	0	0	0
u_*i*	51	4	3	8	33
i_*a*	0	18	82	0	0
u_*a*	0	0	99	1	0
i_*u*	0	0	0	0	100
a_*u*	0	0	0	3	97

11-11 /himawari/ 11-10

図11-7　切断2連母音の聴取実験結果［%］

特に「a_*u*」では97%が/u/と答えている。これを使うと本章の冒頭で述べた「ひまわり」の「わ」が「**おい**」と聞こえる現象を説明できる。すなわち、連続音声 /himawari/ の「わ」の付近は /aw/ で、これは /au/（音11-11）と同じである。物理的に音声は［ao］（音11-10）だが、予測音として /au/ と聞こえているのだ。このことは、図 11-6 にも「a → o → u」の矢印で図示してある。音素 /w/ は物理的には［o］であるので、ここから切り出された /wa/ は［oi］（おい）になっている。ここで［i］は、次の音節 /ri/ の［i］の影響を受けた予測音である。

この聴取実験は、世界中のすべての言語にある 3 母音 /a/、/i/、/u/ で実行されているので、この結果はどの言語でも成立すると考えられる。

“正しい錯覚”をとらえた単語音声獲得のモデル

単語音声の獲得モデルによる切断 2 連母音の分析結果を図 11-8 に示す [12] [13]。これは、音声「a_*i*」にモデルを適用した結果である。横軸は時間で、上部に切断された音声波形が示されている。下図の薄い曲線が観測された母音空間パラメータで、直線が「指令」、破線が「音調曲線」である。遺伝的アルゴリズムによって、音調曲線が、観測された母音空間パラメータ曲線とほぼ重なるようになっていることが分かる。

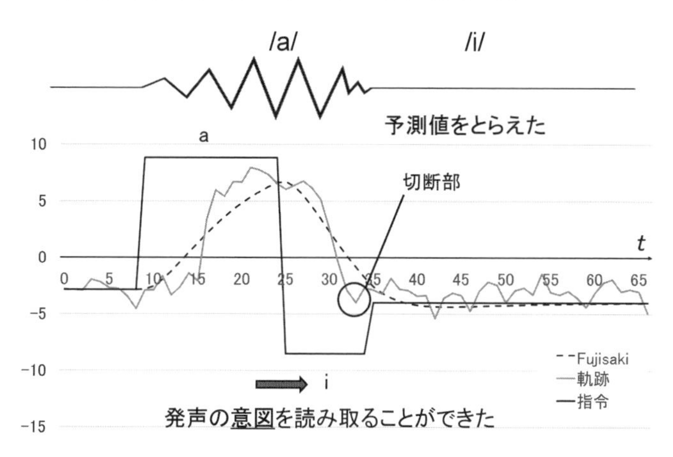

図11-8　モデルでの切断2連母音の分析結果

下方にある太い矢印で示された指令の大きさの値（縦軸方向の値）を調べると、本来の /i/ の値であることが確認できた。すなわち切除された /i/ がとらえられている。物理的には存在しない音を予測値としてとらえる**“正しい錯覚”**がモデルでも起こっているのだ。

♪コラム 11-3

マガーク効果とコロナ・マスク

マガーク効果[14]は、視覚が音声の知覚に影響を与えるという、音声の研究分野ではよく知られた錯覚だ。この実験の試料は、/ga/と発声している顔の動画に音声/ba/を付けたものだ。被験者にまず、これを見せて何と聞こえるかを問う。この場合、/ga/、/da/、/ba/のどれに聞こえるかを問うと分かりやすい。次に目を閉じさせて同様に行う。

実験の結果はこうだ。**目を開けた場合**は、/da/または/ga/に聞こえることが多い。**目を閉じた場合**はちゃんと本来の/ba/に聞こえる。視覚が音声の知覚に影響を与えているのだ。唇の動きを見ることによって、音から感じられる音素が、調音位置の異なる別の音素に変わっている。このデモ実験もWeb上にある[15]ので、だれでも体験できる。

唇の動きを読んでいると言ってもいいが、これは読もうと意識しなくても起こる。私は、日本科学未来館のデモで、見ていないはずなのに/da/と錯覚する経験をしたことがある。このときは別の物を見ていたのだ。だが、動画がわずかに視界に入っていることに気がつかなかった。錯覚は**無意識**に起こるものだ。

マガーク効果は、**西欧人**ではよく起こるが、日本人では起こりにくい人も多いと言われている。西欧人は聞くときに相手の顔をよく見ているのだ。西欧人にマスクを嫌がる人が多いと言われるのは、これに関係しているかも知れない。私の経験ではマガーク効果は**若い人**には起こりにくいようだ。

また最近、**新型コロナウイルス**のためマスクを着けるようになったことの影響が出ている。コロナ以前に比べてマガーク効果が起こりにくくなっているという報告[16]がある。マスクは、コミュニケーションの学習に影響を与えるようだ。

予測値、錯覚、無意識の能力

予測された音素が聞こえることは、赤ん坊のときに発声練習をして獲得した言語能力だと考えられる。ぼやけた音声がはっきりと聞こえる能力、つまり調音結合の逆処理の能力である。この能力は、無意識に実行され、物理現象と心理現象のずれを引き起こしているので、錯覚と言ってもよい。正しくとらえるための**錯覚**である。

予測値がとらえられる錯覚は、視覚においてはフラッシュ・ラグ効果として知られている。**調音結合の逆処理**は、聴覚におけるフラッシュ・ラグ効果の一種だと言える。フラッシュ・ラグ効果とみなされる現象が音声の知覚で報告された[17]のは、これが初めてのようだ。

ちなみに図 11-8 でとらえられた /i/ の音の長さは 0.1 秒である。視覚でも 0.1 秒先のことが感じられるので、脳の中では視覚と同様な仕組みで処理されている可能性も考えられる。

調音結合の逆処理の能力が発声練習で獲得されたとすると、これは「発声が音声の知覚に影響を与えた」無意識の能力だと言える。

視覚が音声の知覚に影響を与えた錯覚がマガーク効果で、調音結合の逆処理は、発声機構が音声の知覚に影響を与えた錯覚である。マガーク効果は **“目で聞こえる”** 錯覚で、調音結合の逆処理は **“口で聞こえる”** 錯覚だとも言える。

まとめ

本章では、赤ん坊が言語を獲得する過程をシミュレーションした2つの音声単語獲得のモデルを紹介した。音声模倣による単語の獲得モデルでは、調音結合を回避する“正しい錯覚”を起こす能力も獲得している。11章の内容をまとめると以下のとおりである。

①注視の共有の能力だけを前提として、音声単語とその意味を獲得するモデルが提案されている。このモデルでは、隠れマルコフモデルで脳内の動作をシミュレーションしている。(図 11-2)

②連続発声した音声に存在する調音結合を回避するため、人間には音声スペクトルを予測する能力のあることが示された。これは、幼児期の発声練習で獲得されたと考えられる。(図 11-6)

③遺伝的アルゴリズムにより単語音声を模倣学習するモデルが提案されている。このモデルは、発声練習を繰り返すことにより、予測されたスペクトルをとらえる調音結合の逆処理の能力も獲得する。(図 11-4)

④調音結合の逆処理による“錯覚”は、移動物体の位置を予測する錯視であるフラッシュ・ラグ効果や、音声知覚が視覚の影響を受ける錯聴であるマガーク効果に似ている。

動画 m11-3「音声言語の認識と獲得」は、これまでの9~11章をまとめて歌詞にし、半自動作曲システムで筆者が作曲したものである。一休みしながらこれを聞いて復習していただければ幸いである。

動画 m 11-4「プロフェッショナルの無意識」は、11章の内容をモチーフにし、プロフェッショナルの無意識を論じたものである。筆者が大学生のころの経験も含めて、学生向けに作成し講演[18]で使用した。興味のある方に聞いていただければ幸いである。

動画 m11-5「創造的学習のアルゴリズム」は、9章と11章の内容をモチーフにし、創造性と研究のアルゴリズムを論じたものである。筆者が大学院生のころの経験を活かし、学生向けに作成して講演[19]で使用した。現在の生成AIを予見している[20]ようでもある。興味のある方に聞いていただければ幸いである。

おわりに

本書の内容は、国立大学の一般教養科目で分担した講義と、リハビリテーション専修学校で行った講義がもとになっている。また、教員向けの「教員免許状更新講習」や放送大学の面接授業としても提供してきた。大学を定年退職した後は、私立大学と職業能力開発大学校で講義した。その間、理科系の伝統的講義形式にのっとり、受講者の眼前で実験を行ってきた。実演のためにデモ用の HISAI システムや音声合成・音声認識システムを開発した。

中学生のころ、理科の先生が持っておられた新書本『数式を使わない物理学入門』を借りて読んだ。これは、物理学が専門でない理科の先生のための分かりやすい入門書だった。この本は、私が物理学科に進学するきっかけにもなった。いつの日かこのような本を書きたいと思った。

私は、これまでに『音とことばの実験室』という啓もう書を著していた。これはショート・コラムを中心にして、専門的内容を用語解説として記述したものである。この次は、逆に専門的内容を中心にしたコラム付きの本格的な啓もう書を書きたいと考えていた。

そのころ、音声データ付きの英語の教材などを出版している研究社の Web サイトに出会った。Web サイトの音声を試聴して、この方法で私の講義の雰囲気が出せると思った。出版企画書を研究社に提出したところ、受け付けた編集者の同僚の方の本棚に私の前著があった。そのおかげもあってか、企画が採用された。

原稿はすでにできていたが、脱稿は 1 年後ということになった。ページ数を増やしてしっかり記述して欲しいとのことだった。そこで言語聴覚士の教科書としても使用できるように、追加記述することにした。多少時間的に余裕があったので、以下のようなことを考えたり、取り入れたりすることができた。

松尾芭蕉が聞いたと考えられる音を妻の出身地の伊江島で録音／サンプリング定理の意味が実感できる実験音を作成／女性オペラ歌手のフォルマントについて記述／高校生のころに知った琉球音階に関する理論の音を説明／摩擦音、破擦音、破裂音を同時に持っている興味深い音声の実験／言語聴覚士に関連するコラムの中に私の母親も登場／ASIMO に関するコラムの内容は、最近もずっと考え続けている／私の娘が中学生のころに作った音声生成模型の声を収録（改めて聞くと、それはまるで赤ん坊の声のようだ）／妻が測定した私の老人性難聴と同じ特性を持つ音声の作成／琉球方言のために作った汎用音声合成システムは、中世日本語や古代日本語にも対応できることに改めて気づいた（これは、むしろ古今東西の日本語を広く包含する大汎用システムだ）／最新の話題、生成 AI についても記述（そこに私の父の兄を登場させた）／図 1-1 で始まり、これにもどって完了する流れにできた。

古今東西の偉人の言葉を各章の初めに掲げる本は多い。それに代わって、マルチメディア時代には歌声を付けるのも良いのではないか。そしてそれが「まとめ」になっていればなお良い。そう考えて、普段の講義で使用している自作の歌を 3 章、7 章、8 章、11 章の章末に置いた。

琉球大学、沖縄リハビリテーション福祉学院、放送大学面接授業の受講生、教員免許状更新講習に参加した先生方、沖縄国際大学と沖縄職業能力開発大学校の受講生、M. テンシ元教授、中学 3 年生（2023 年当時）の相原君に感謝します。

本書の編集担当者の高橋麻古様には企画書受付から出版採用・編集まですっかりお世話になり、感謝いたします。

この分野でめぐりあい、日ごろ時にはこの分野のことを話題にし、今回は全章を通読して本書作成に協力してくれた初年度言語聴覚士、最愛の妻・苗子に感謝しつつ。

2023 年 12 月 8 日

高良富夫

注

はじめに

[1] 鈴木陽一・赤木正人・伊藤彰則・佐藤洋・苣木禎史・中村健太郎（2011）『音響学入門』コロナ社．数式を用いた用語の定義などはこの本で参照するとよい．
[2] Orpheus 開発チーム（代表：東京大学名誉教授・嵯峨山茂樹）「自動作曲システム Orpheus」https://www.orpheus-music.org/Orpheus-main.php.（2024 年 2 月 14 日閲覧）

1 章　静けさの音と音の大きさ　〜音が無いとシーンと聞こえるのか〜

[1] 新村出（編）（2008）『広辞苑　第六版』岩波書店．
[2] PTU 技能科学研究会（編）（2018）『技能科学入門――ものづくりの技能を科学する』日科技連出版社，p.8.
[3] Rasmussen, J.（1983）. Skills, Rules, and Knowledge; Signals, Signs, and Symbols, and Other Distinctions in Human Performance Models. *IEEE Transactions on Systems, Man, and Cybernetics*, SMC-13(3), pp.257-266.
[4] 鈴木陽一・赤木正人・伊藤彰則・佐藤洋・苣木禎史・中村健太郎（2011）『音響学入門』コロナ社，付録 CD-ROM をもとに作成．
[5] 鈴木陽一・赤木正人・伊藤彰則・佐藤洋・苣木禎史・中村健太郎（2011）『音響学入門』，付録 CD-ROM.
[6] 鈴木陽一・赤木正人・伊藤彰則・佐藤洋・苣木禎史・中村健太郎（2011）『音響学入門』，付録 CD-ROM.
[7] 伊福部達（2000）「九官鳥，インコ，そして超腹話術――その声の謎解き」『日本音響学会誌』56(9)，pp.657-662.
[8] 板橋秀一（編著）（2005）『音声工学』森北出版，pp.46-48.
[9] 古屋啓子（2022）「無音を表す「シーン…」は手塚治虫が生み出した？　マンガ界の「大発明」を振り返る」『マグミクス』2022 年 1 月 28 日 20 時 10 分．https://magmix.jp/post/76749　(2023 年 6 月 21 日　閲覧)
[10] 新村出（編）（2008）『広辞苑　第六版』.
[11] 鈴木陽一・赤木正人・伊藤彰則・佐藤洋・苣木禎史・中村健太郎（2011）『音響学入門』，p. 134.
[12] 鈴木陽一・赤木正人・伊藤彰則・佐藤洋・苣木禎史・中村健太郎（2011）『音響学入門』，p. 13, p.231.

[13]「アレクサンダー・グラハム・ベル」ウィキペディア. https://ja.wikipedia.org/wiki/アレクサンダー・グラハム・ベル.（2023 年 6 月 21 日閲覧） または https://commons.wikimedia.org/wiki/File:Alexander_Graham_Bell.jpg.
[14] 新村出（編）（2008）『広辞苑 第六版』.
[15] 鈴木陽一・赤木正人・伊藤彰則・佐藤洋・苣木禎史・中村健太郎（2011）『音響学入門』, pp.206-210.
[16] Shannon, C. E., & Weaver, W.（1949）. *The Mathematical Theory of Communication*. University of Illinois Press, pp.81-86.
[17] Shannon, C. E., & Weaver, W. (1949). *The Mathematical Theory of Communication*. pp.48-53.

2章 音を構成する部品 ～音色は物理的には何なのか～

[1] 新村出（編）（2008）『広辞苑 第六版』岩波書店.
[2] 新村出（編）（2008）『広辞苑 第六版』.
[3] 日本音響学会（編）（2003）『新版 音響用語辞典』コロナ社.
[4] 新村出（編）（2008）『広辞苑 第六版』.
[5] 新村出（編）（2008）『広辞苑 第六版』.
[6] 日本音響学会（編）（2003）『新版 音響用語辞典』.
[7] 新村出（編）（2008）『広辞苑 第六版』.
[8] 鈴木陽一・赤木正人・伊藤彰則・佐藤洋・苣木禎史・中村健太郎（2011）『音響学入門』コロナ社, pp.210-219.
[9] 板橋秀一（編著）（2005）『音声工学』森北出版, p.81.
[10] 鈴木陽一・赤木正人・伊藤彰則・佐藤洋・苣木禎史・中村健太郎（2011）『音響学入門』, pp.210-219.
[11] 鈴木陽一・赤木正人・伊藤彰則・佐藤洋・苣木禎史・中村健太郎（2011）『音響学入門』, pp.210-219.
[12]「Audacity®」. https://www.audacityteam.org/.（2023 年 7 月 4 日閲覧）
[13] 日本音響学会（編）（2003）『新版 音響用語辞典』.
[14] Toma, T., Takara, T., Miyagi, I., Futami, K., & Higa, Y. (2019)「琉球列島西表島でカエルの鳴き声と人工合成音トラップに誘引される蚊とチスイケヨソイカ」『衛生動物』70 (4), pp.221-234.

3章 スペクトル、そして美しい音とは

[1] 日本音響学会（編）（2003）『新版 音響用語辞典』コロナ社.

[2] ヨハン・スンドベリ／榊原健一（監訳）／伊藤みか・小西知子・林良子（訳）（2007）『歌声の科学』東京電機大学出版局，pp.115-130.（Sundberg, J.（1987）*The Science of the Singing Voice.* Northern Illinois University Press.）
[3] 高良富夫・泉和人（2001）「歌手のホルマントのある歌声の音の大きさについて」『日本音響学会研究発表会講演論文集』2001（2），pp.439-440.
[4] 高良富夫・泉和人（2001）「歌手のホルマントのある歌声の音の大きさについて」『日本音響学会研究発表会講演論文集』，pp.439-440.
[5] ヨハン・スンドベリ（2007）『歌声の科学』，pp.115-130.
[6] Plomp, R., & Levelt, W.J.M. (1965). Tonal Consonance and Critical Bandwidth. *J Acoust. Soc. Am.* 38, pp.548-560.
[7] 鈴木陽一・赤木正人・伊藤彰則・佐藤洋・苣木禎史・中村健太郎（2011）『音響学入門』コロナ社，p.104.
[8] 鈴木陽一・赤木正人・伊藤彰則・佐藤洋・苣木禎史・中村健太郎（2011）『音響学入門』，pp.104-108.
[9] 伊差川世瑞（せいずい）・世禮（せれい）國男（1935）『声楽譜附き　工工四』（上巻），野村流音楽協会，p.5.
[10] 沖縄こどもランド「沖縄の音階（おんかい）」. https://www.pref.okinawa.jp/ site/kodomo/ land/bunka/ ongaku.html.（2022年6月13日　閲覧）
[11] 音楽之友社（編）（1967）『合唱事典』. 音楽之友社，p. 48.
[12] 日本音響学会（編）（2003）『新版　音響用語辞典』.
[13] 日本音響学会（編）（2003）『新版　音響用語辞典』.
[14] 鈴木誠史（2005）『声のふしぎ百科』丸善出版，第5話.

4章　音声生成の仕組み　～気管と食道がつながっている!? おかげで～

[1] 古井貞熙（1985）『ディジタル音声処理』東海大学出版会，p.7 をもとに作成 .
[2] 日本音響学会（編）（2003）『新版 音響用語辞典』コロナ社.
[3] 日本音響学会（編）（2003）『新版 音響用語辞典』.
[4] 日本音響学会（編）（2003）『新版 音響用語辞典』.
[5] 板橋秀一（編著）（2005）『音声工学』森北出版，p.14.
[6] 板橋秀一（編著）（2005）『音声工学』，p.7 をもとに作成.
[7] 板橋秀一（編著）（2005）『音声工学』，p.9.
[8] NHK スペシャル（2022）「数学者は宇宙をつなげるか？ abc 予想証明をめぐる数奇な物語（前編）」. https://www.nhk.jp/ p/special/ts/ 2NY2QQLPM3/blog/bl/pneAjJR3gn/bp/pzwyDRbMwp/.（2023年4月7日閲覧）

[9] 新村出（編）（2008）『広辞苑　第六版』岩波書店.
[10] 日本音響学会（編）（2003）『新版 音響用語辞典』.
[11] 平凡社（編）（2007）『改訂新版 世界大百科事典』平凡社.
[12] 竹中透（2007）「ヒト型ロボットの制御システム」『脳科学とリハビリテーション』7, pp.1-3.
[13] 高良富夫（2016）『琉球ことばの科学――情報時代の琉球語探検』琉球新報社.
[14] 板橋秀一（編著）（2005）『音声工学』森北出版, p. 8.
[15] 琉球新報ディジタル（2022）「西欧系人骨　南城の古墓群に　1400～1600 年代, 風葬か」. https:// ryukyushimpo.jp/ news/ entry-1520686.html.（2023 年 4 月 7 日　閲覧）
[16] 千葉勉・梶山正登／杉藤美代子・本多清志（訳）（2003）『母音――その性質と構造』岩波書店, pp. 110-126.
[17] 千葉勉・梶山正登／杉藤美代子・本多清志（訳）（2003）『母音――その性質と構造』.
[18] 板橋秀一（編著）（2005）『音声工学』, p. 23.
[19] 板橋秀一（編著）（2005）『音声工学』, pp. 90-103.
[20] 今井聖（1993）『信号処理工学――信号・システムの理論と処理技術』コロナ社, p. 119.
[21] 高良富夫・高良真紀（2003）「中学高校生向け教育用音声生成模型の製作と評価」『日本音響学会研究発表会講演論文集』2003 (1), pp.281-282.
[22] 日本音響学会（編）（2003）『新版 音響用語辞典』.
[23] 板橋秀一（編著）（2005）『音声工学』, pp. 86-88.
[24] 今井聖（1980）「対数振幅近似（LMA）フィルタ」『電子情報通信学会論文誌 A』J63-A（12）, pp.886-893.

5 章　脳が音色を感じる仕組み

[1] 電子通信学会（編）／三浦種敏（監修）（1980）『新版 聴覚と音声』コロナ社, p.26 をもとに作成.
[2] 今泉敏（2007）『言語聴覚士のための音響学』医歯薬出版, p.95.
[3] 今泉敏（2007）『言語聴覚士のための音響学』, pp.96-97.
[4] 電子通信学会（編）／三浦種敏（監修）（1980）『新版 聴覚と音声』, p.34.
[5] 日本音響学会（編）（2003）『新版 音響用語辞典』コロナ社.
[6] 鈴木陽一・赤木正人・伊藤彰則・佐藤洋・苣木禎史・中村健太郎（2011）『音響学入門』コロナ社, 付録 CD-ROM.
[7] 今泉敏（2007）『言語聴覚士のための音響学』, p.96.

[8] 今泉敏（2007）『言語聴覚士のための音響学』，p.116-119.
[9] Do, Tu Trong（2010）Vietnamese Text-To-Speech System and Perceptual Features of Glottal Tones, *Doctoral Thesis of Engineering*, University of the Ryukyus, pp.3-12.
[10] 板橋秀一（編著）（2005）『音声工学』森北出版，pp. 86-88.
[11] 高良富夫・宮城順一（2007）「無意味単語と弁別素性を用いる音声認識評価法」日本音響学会秋季研究発表会，1-P-23，pp.183-184.

6章　音の心理物理

[1] 境久雄（編著）／中山剛（1978）『聴覚と音響心理』コロナ社，p.73.
[2] 高良富夫・今井聖（1982）「メル・ソーン・スペクトルを用いる母音識別」『電子情報通信学会論文誌 A』J65-A(8)，pp.818-825.
[3] 徳田恵一・小林隆夫・深田俊明・斎藤博徳・今井聖（1991）「メルケプストラムをパラメータとする音声のスペクトル推定」『電子情報通信学会論文誌 A』J74-A（8），pp.1240-1248.
[4] 鈴木陽一・竹島久志（2004）「人の等ラウドネス曲線の測定と国際規格化」『電気学会誌』124(11)，pp.715-718.
[5] 境久雄（編著）／中山剛（1978）『聴覚と音響心理』，p. 142.
[6] 電子通信学会（編）／三浦種敏（監修）（1980）『新版 聴覚と音声』コロナ社，p. 105.
[7] 電子通信学会（編）／三浦種敏（監修）（1980）『新版 聴覚と音声』，p. 103.
[8] 高良富夫・今井聖（1982）「メル・ソーン・スペクトルを用いる母音識別」『電子情報通信学会論文誌 A』J65-A(8)，pp.818-825.
[9] Davis, S., & Mermelstein P.（1980）Comparison of parametric representations for monosyllabic word recognition in continuously spoken sentences. *IEEE Transactions on Acoustics, Speech, and Signal Processing*, 28(4), pp.357-366.
[10] 高良富夫・今井聖（1982）「メル・ソーン・スペクトルを用いる母音識別」『電子情報通信学会論文誌 A』J65-A(8)，pp.818-825.
[11] 日本音響学会（編）（2003）『新版 音響用語辞典』コロナ社.
[12] 高良富夫（1995）「琉球方言の声門破裂音の音韻性」『日本音響学会誌』51(8)，pp.599-605.
[13] Do, Tu Trong, & Takara, Tomio.（2004）Vietnamese Text-To-Speech system with precise tone generation. *Acoust.Sci.&Tech*, 25(5), pp.347-353.
[14] 丹羽英人・柳田則之（1990）「老人性難聴」『日本老年医学会雑誌』27(5)，pp.545-549.

[15] 小林まおり・倉片憲治（2023）「女声と男声のどちらが聞き取り易いか」『日本音響学会誌』79（2），pp.85-93.

7章　言語音声の合成による分析　〜なぜハートは愛 /ai/ なのか〜

[1] 日本音響学会（編）（2003）『新版 音響用語辞典』コロナ社.
[2] 日本音響学会（編）（2003）『新版 音響用語辞典』.
[3] 板橋秀一（編著）（2005）『音声工学』森北出版，p.50，p.116.
[4] 高良富夫（2016）『琉球ことばの科学—情報時代の琉球語探検—』琉球新報社.
[5] 日本音響学会（編）（2003）『新版 音響用語辞典』.
[6] 電子通信学会（編）／三浦種敏（監修）（1980）『新版 聴覚と音声』コロナ社，p.364 をもとに作成.
[7] 服部四郎（1984）『音声学』岩波書店，pp.56-60.
[8] 電子通信学会（編）／三浦種敏（監修）（1980）『新版 聴覚と音声』，pp.362-363.
[9] 高良富夫・衛藤凌一（2018）「遺伝的アルゴリズムと藤崎モデルを用いる音声の分析と合成」『研究報告音声言語情報処理（SLP)』2018-SLP-125（21），pp.1-6.
[10] Haque, S., & Takara, T.（2006）Nasality perception of vowels in different language background. *Ninth International Conference on Spoken Language Processing.*
[11] 服部四郎（1984）『音声学』，pp. 21-22.
[12] 国立国語研究所（編）（1983）『沖縄語辞典』大蔵省印刷局，p.12.
[13] 高良富夫（1995）「琉球方言の声門破裂音の音韻性」『日本音響学会誌』51(8)，pp.599-605.

8章　AIがしゃべる人工音声　〜琉球語もしゃべる〜

[1] 阿部芳春・今井聖　（1981）「CV 音節のケプストラムパラメータからの音声合成」『電子情報通信学会論文誌 D』J64-D（9），pp.861-868.
[2] 幸地俊之　（1998）『琉球語の汎用音声合成システム』琉球大学工学研究科修士論文 .
[3] 国立国語研究所（編）（1983）『沖縄語辞典』大蔵省印刷局，p.11.
[4] 高良富夫（2016）『琉球ことばの科学—情報時代の琉球語探検—』琉球新報社，pp.175-195.
[5] 阿部芳春・今井聖　（1981）「CV 音節のケプストラムパラメータからの音声合成」『電子情報通信学会論文誌 D』J64-D（9），pp.861-868.
[6] 高良富夫（2016）『琉球ことばの科学—情報時代の琉球語探検—』琉球新報社，pp.117-142.

[7] 知念亮子（2001）『和琉翻訳音声出力システム』琉球大学理工学研究科修士論文 .
[8] 国立国語研究所（編）（1983）『沖縄語辞典』，pp.27-50.
[9] 国立国語研究所（編）（1983）『沖縄語辞典』，p.13.
[10] 国立国語研究所（編）（1983）『沖縄語辞典』，pp.48-49.
[11] 板橋秀一（編著）（2005）『音声工学』森北出版，pp.59-61.
[12] 板橋秀一（編著）（2005）『音声工学』，p.157.
[13] 高良富夫（2016）『琉球ことばの科学―情報時代の琉球語探検―』，pp. 36-50.
[14] 国立国語研究所（編）（1983）『沖縄語辞典』，p.53.
[15] 沖縄大百科事典刊行事務局（編）（1983）『沖縄大百科事典』上巻，沖縄タイムス社，pp.622 -623.
[16] 山内盛彬（1993）『山内盛彬著作集』沖縄タイムス社，pp. 42-59.
[17] 高良富夫（2016）『琉球ことばの科学―情報時代の琉球語探検―』，pp. 95-116.
[18] 沖縄大百科事典刊行事務局（編）（1983）『沖縄大百科事典』下巻，pp.923-924.

9章　音声自動認識　～自分で進化していく機械～

[1] 河原達也（2018）「音声認識技術の変遷と最先端――深層学習による End-to-End モデル」『日本音響学会誌』74(7)，pp.381-386.
[2] Davis, K. H., Biddulph R., & Balashek, S.（1952）Automatic Recognition of spoken digits. *J. Acoust. Soc. Am* 24(6), pp.637-642.
[3] WIKIBOOKS「高等学校数学 C/ ベクトル」 https://ja.wikibooks.org/wiki/ 高等学校数学 C/ ベクトル（2023 年 3 月 30 日 閲覧）
[4] 新村出（編）（2008）『広辞苑　第六版』岩波書店.
[5] M. ミンスキー・S. パパート／中野馨・阪口豊（訳）（1993）『パーセプトロン 改訂版』パーソナルメディア .
[6] 迫江博昭・千葉成美（1971）「動的計画法を利用した音声の時間正規化に基づく連続単語認識」『日本音響学会誌』27(9)，pp.483-490.
[7] 高良富夫・今井聖（1983）「マハラノビス距離を用いる DP マッチングによる単語音声認識」『電子情報通信学会論文誌 A』J66-A(1)，pp.64-70.
[8] 高良富夫・今井聖（1983）「マハラノビス距離を用いる DP マッチングによる単語音声認識」『電子情報通信学会論文誌 A』J66-A(1)，pp.64-70.
[9] 板橋秀一（編著）（2005）『音声工学』森北出版，pp.197-210.
[10] 北野宏明（編）（1993）『遺伝的アルゴリズム』産業図書.
[11] 新村出（編）（2008）『広辞苑　第六版』岩波書店.

[12] 高良富夫（2021）「プロフェッショナルの無意識 ～高度な技能・匠の技～」『沖縄職業能力開発大学校紀要』11，pp.46-53.
[13] Takara, T., Higa, K., & Nagayama, I.（1997）Isolated word recognition using the HMM structure selected by the genetic algorithm. *1997 IEEE International Conference on Acoustics, Speech, and Signal Processing.*
[14] Takara, T., Iha, Y., & Nagayama, I.（1998）Selection of the Optimal Structure of the Continuous HMM using the Genetic Algorithm. *5th International Conference on Spoken Language Processing（ICSLP98）Sydney.*
[15] 麻生英樹（1988）『ニューラルネットワーク情報処理』産業図書.
[16] 篠田浩一（2017）「音声言語処理における深層学習：総説」『日本音響学会誌』73(1)，pp.25-30.
[17] 篠田浩一（2017）「音声言語処理における深層学習：総説」『日本音響学会誌』73(1)，pp.25-30.
[18] ZD NET「マイクロソフトの音声認識システム，「人と同等」レベルに到達」. https://japan.zdnet.com/ article/35106247/.（2023 年 4 月 6 日 閲覧）
[19] 長尾真・佐藤理史（編）（1996）『自然言語処理』岩波書店，pp.343-345.
[20] 岡嶋裕史（2023）『ChatGPT の全貌』光文社新書，pp.130-132.
[21] OpenAI「Introducing ChatGPT（ChatGPT のご紹介）」https://openai.com/blog/chatgpt.（2023 年 4 月 13 日 閲覧）
[22] 島津翔（2013）「世界で話題の ChatGPT に残る懸念，嘘をつく AI は使えるのか」2023 年 1 月 27 日. https://business.nikkei.com/atcl/gen/19/00511/012500009/.（2023 年 4 月 14 日 閲覧）
[23] 戸川幸夫（2015）『イリオモテヤマネコ“生きた化石動物”の謎』新報新書，琉球新報社，pp. 93-102.

10 章　言語の獲得　～ヒトとサルの違い～

[1] 友永雅己（2008）「第 7 章　コミュニケーションと社会――チンパンジーの認知発達からみた社会的相互交渉の進化」甘利俊一（監修）／入來篤史（編）『言語と思考を生む脳』東京大学出版会，pp.163-191.
[2] パトリシア・K・クール／藤崎和香・柏野牧夫（訳）（2007）「スピーチ・コードを解読する――乳児はどのように言語を学習するか」『日本音響学会誌』63(2)，pp.93-108.
[3] 鈴木陽一・赤木正人・伊藤彰則・佐藤洋・苣木禎史・中村健太郎（2011）『音響学入門』コロナ社，p. 96.

[4] パトリシア・K・クール／藤崎和香・柏野牧夫（訳）（2007）「スピーチ・コードを解読する——乳児はどのように言語を学習するか」.
[5] 鍋倉淳一「発達期における脳機能回路の再編成」（2010）五十嵐隆（総編集）／久保田雅也（専門編集）『ここまでわかった小児の発達』中山書店，pp.15-19.
[6] Kuhl, P.　K.（1994）Learning and representation in speech and Language. *Current Opinion in neurobiology*, 4, pp.812-822.
[7] パトリシア・K・クール／藤崎和香・柏野牧夫（訳）（2007）「スピーチ・コードを解読する——乳児はどのように言語を学習するか」.
[8] パトリシア・K・クール／藤崎和香・柏野牧夫（訳）（2007）「スピーチ・コードを解読する——乳児はどのように言語を学習するか」.
[9] Kuhl, P. K., Conboy, B. T., Coffey-Corina, S., Padden, D., Rivera Gaxiola, M., & Nelson, T.（2008）Phonetic learning as a pathway to language: new data and native language Magnet theory expanded（NLM-e）. *Philos. Trans. R.Soc. B, 363*, pp. 979 – 1000.
[10] トマセロ，マイケル／大堀壽夫・中澤恒子・西村義樹・本多啓（訳）（2006）『心とことばの起源を探る——文化と認知』勁草書房，p. 12.
[11] 山﨑由美子・入來篤史（2010）「言語を生み出す神経学的基盤」中島平三（監修）／長谷川寿一（編）『言語と生物学』（「シリーズ朝倉〈言語の可能性〉」4）朝倉書店，pp.123-148.
[12] 山﨑由美子・入來篤史（2010）「言語を生み出す神経学的基盤」中島平三（監修）／長谷川寿一（編）『言語と生物学』（「シリーズ朝倉〈言語の可能性〉」4）.
[13] 鈴木光太郎（2008）『オオカミ少女はいなかった——心理学の神話をめぐる冒険』新曜社，pp. 1-37.
[14] スティーブン・ピンカー／椋田直子（訳）（1995）『言語を生み出す本能』（上）日本放送出版会，pp.45-46.

11章　言語獲得のモデル　〜聞き話す赤ん坊コンピュータ〜

[1] 高良富夫・藤田祐貴・砂川泰毅，大城武志，祝三志郎（2009）「クラスタ化を基本とする音声言語獲得の機能モデル——単語と母音音素の場合 」『信学技報』109（308），SP2009-72, pp. 61-66.
[2] 高良富夫・衛藤凌一（2018）「遺伝的アルゴリズムと藤崎モデルを用いる音声の分析と合成」『研究報告音声言語情報処理（SLP）』2018-SLP-125（21），pp.1-6.
[3] Takara, T., & Eto, R.（2022）Speech analysis-synthesis system using genetic algorithm and Fujisaki model and its application to coarticulation. *Acoustical Science and Technology*. 43（4），

pp. 219-227.
[4] PTU技能科学研究会（編）（2018）『技能科学入門——ものづくりの技能を科学する』日科技連出版社，p.8.
[5] Rasmussen, J.（1983）. Skills, Rules, and Knowledge; Signals, Signs, and Symbols, and Other Distinctions in Human Performance Models. *IEEE Transactions on Systems, Man, and Cybernetics*, SMC-13(3), pp.257-266.
[6] 高良富夫・衛藤凌一（2018）「遺伝的アルゴリズムと藤崎モデルを用いる音声の分析と合成」pp.1-6.
[7] Takara, T., & Eto, R.（2022）Speech analysis-synthesis system using genetic algorithm and Fujisaki model and its application to coarticulation. pp. 219-227.
[8] Nijhawan, R.（1994）Motion extrapolation in catching. *Nature*. 370, pp.256-257.
[9] 渡辺英治（2010）「時間仮説と空間仮説」神経生理学研究室@NIBB 2010年10月20日. https://eijwat.blogspot.com/2010/10/blog-post_20.html（2023年4月19日閲覧）
[10] 高良富夫・衛藤凌一（2018）「遺伝的アルゴリズムと藤崎モデルを用いる音声の分析と合成」，pp.1-6.
[11] Takara, T., & Eto, R.（2022）Speech analysis-synthesis system using genetic algorithm and Fujisaki model and its application to coarticulation. pp. 219-227.
[12] 高良富夫・衛藤凌一（2018）「遺伝的アルゴリズムと藤崎モデルを用いる音声の分析と合成」，pp.1-6.
[13] Takara, T., & Eto, R.（2022）Speech analysis-synthesis system using genetic algorithm and Fujisaki model and its application to coarticulation. pp. 219-227.
[14] McGurk H., & MacDonald, J.（1976）Hearing lips and seeing voices. *Nature*. 264, pp. 746-748.
[15] brainrulesbook「McGurk Effect（with explanation）-YouTube」. https://www.youtube.com/watch?v=jtsfidRq2tw.（2023年4月19日閲覧）
[16] 浅野恵子（2021）「マガーク効果」と「マスク生活」——失われた口元を求めて」『日本音響学会誌』77(12)，p.810.
[17] Takara, T., & Eto, R.（2022）Speech analysis-synthesis system using genetic algorithm and Fujisaki model and its application to coarticulation. pp. 219-227.
[18] 高良富夫（2021）「プロフェッショナルの無意識——高度な技能・匠の技」『沖縄職業能力開発大学校紀要』11，pp.46-53.
[19] 高良富夫（2023）「創造的アルゴリズムを用いる音声言語処理」『沖縄職業能力開発大学校・紀要』12，pp.53 -60.

[20] 高良富夫（2005）『認知工学の理論入門』琉球大学，pp.87 -93.

索　引

この索引は、本文中の太字で示したキーワードを収録。重要語句や専門用語を確認するために役に立つ。

【か】

【さ】

【た】

【ま】

【や】

【ら・わ】

【欧文】

●著者紹介

高良富夫（たから・とみお）

琉球大学名誉教授。東京工業大学大学院修了（工学博士）。琉球大学工学部長、沖縄職業能力開発大学校長、日本音響学会九州支部長を歴任。音声の分析・合成・認識・獲得および琉球語を研究。1991年に沖縄研究奨励賞受賞「琉球方言の音声・音韻の情報処理」（人文・社会科学部門と自然科学部門の両賞を同時受賞）。同年、カーネギーメロン大学客員研究員として音声認識を研究。著書に『音とことばの実験室』（琉球新報社、2014）、『琉球ことばの科学—情報時代の琉球語探検—』（琉球新報社、2016）、『なぜ時間は存在しないのか』（共訳、青土社、2020）などがある。このほか論文多数。著者の学位論文は「心理物理的パラメータを用いる音声自動認識の基礎研究」であり、以来、音声言語処理と知能に興味を持ち続けている。

音声言語処理入門
——図解・音声・動画でわかる

2024年4月29日　初版発行

KENKYUSHA
〈検印省略〉

著　者　高良富夫
発行者　吉田尚志
発行所　株式会社　研究社
〒102-8152　東京都千代田区富士見 2-11-3
電話　営業 03-3288-7777（代）　編集 03-3288-7711（代）
振替　00150-9-26710
https://www.kenkyusha.co.jp/

印刷所　図書印刷株式会社

本文組版・デザイン　株式会社明昌堂

装　丁　金子泰明

ISBN978-4-327-38201-8　C0004　Printed in Japan